언제나 만점이고 싶은 친구들

Welcome!

공부하기 싫어, 놀고 싶어!
공부는 지겹고, 어려워!
그 마음 잘 알아요.
그럼에도 꾸준히 공부하고 있는 여러분은
정말 대단하고, 칭찬받아 마땅해요.

여러분, 정말 미안해요.
공부를 지겹고 어려운 것으로 느끼게 해서요.

그래서 열심히 연구했어요.
공부하는 시간이 기다려지는 책을 만들려고요.
당장은 어려운 문제를 풀지 못해도 괜찮아요.
지금 여러분에겐 공부가 즐거워지는 것이 가장 중요하니까요.

이제 우리와 함께 재미있는 공부의 세계로 떠나볼까요?

#초등수학심화서
#상위권이보는
#문제풀이동영상
#경시대회대비

최고수준 수학

Chunjae Makes Chunjae

▼

최고수준 수학

기획총괄 지유경
편집개발 정소현, 조선영, 최윤석
디자인총괄 김희정
표지디자인 윤순미, 권오현
내지디자인 박희춘, 이혜미
제작 황성진, 조규영

발행일 2018년 6월 1일 초판 2023년 4월 15일 7쇄
발행인 (주)천재교육
주소 서울시 금천구 가산로9길 54
신고번호 제2001-000018호
고객센터 1577-0902
본문 사진 제공 셔터스톡

※ 정답 분실 시에는 천재교육 교재 홈페이지에서 내려받으세요.

※ KC 마크는 이 제품이 공통안전기준에 적합하였음을 의미합니다.

※ 주의

책 모서리에 다칠 수 있으니 주의하시기 바랍니다.

부주의로 인한 사고의 경우 책임지지 않습니다.

8세 미만의 어린이는 부모님의 관리가 필요합니다.

★ **상위권** 실력 완성 ★

동영상 강의 무료 제공

\+ 교재 홈페이지 (book.chunjae.co.kr)

동영상 강의는 QR 또는 교재 홈페이지에서 무료로 제공합니다.

3-2

3~4학년군

이 책의 구성

Composition

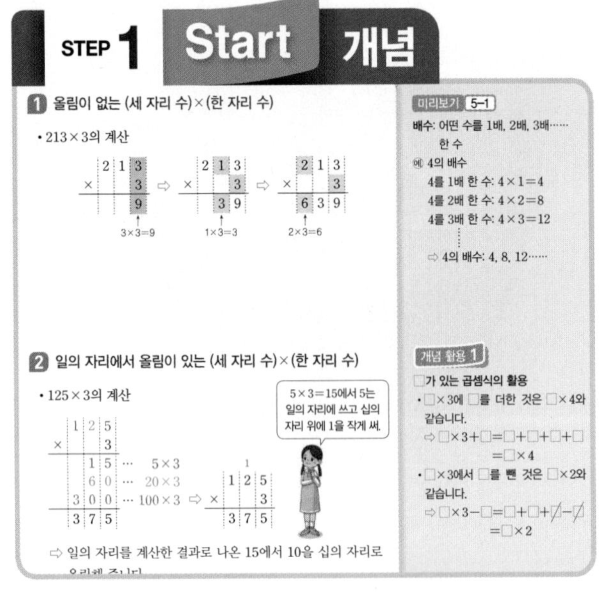
STEP 1 Start 개념

1 올림이 없는 (세 자리 수)×(한 자리 수)

• 213×3의 계산

3×3=9 1×3=3 2×3=6

2 일의 자리에서 올림이 있는 (세 자리 수)×(한 자리 수)

• 125×3의 계산

5×3 … 20×3 … 100×3

5×3=15에서 5는 일의 자리에 쓰고 십의 자리 위에 1을 작게 써.

⇨ 일의 자리를 계산한 결과로 나온 15에서 10을 십의 자리로

미리보기 5-1

배수: 어떤 수를 1배, 2배, 3배…… 한 수

예 4의 배수

4를 1배 한 수: 4×1=4

4를 2배 한 수: 4×2=8

4를 3배 한 수: 4×3=12

⇨ 4의 배수: 4, 8, 12……

개념 활용 1

□가 있는 곱셈식의 활용

• □×3에 □를 더한 것은 □×4와 같습니다.

⇨ □×3+□=□+□+□+□ =□×4

• □×3에서 □를 뺀 것은 □×2와 같습니다.

⇨ □×3−□=□+□+□−□ =□×2

• 핵심 개념, 심화 학습에 필요한 개념을 정리하고 확인할 수 있어요.
• 상위 연계 개념을 미리 볼 수 있어요.

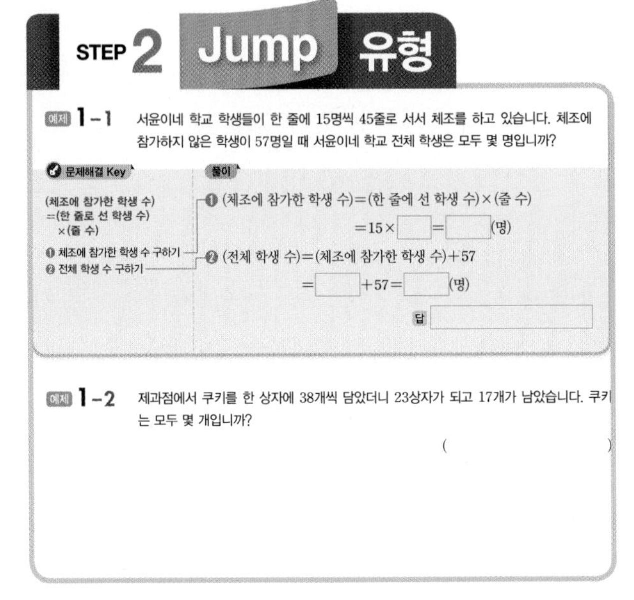
STEP 2 Jump 유형

예제 1-1 서윤이네 학교 학생들이 한 줄에 15명씩 45줄로 서서 체조를 하고 있습니다. 체조에 참가하지 않은 학생이 57명일 때 서윤이네 학교 전체 학생은 모두 몇 명입니까?

문제해결 Key

(체조에 참가한 학생 수) =(한 줄로 선 학생 수) ×(줄 수)

❶ 체조에 참가한 학생 수 구하기

❷ 전체 학생 수 구하기

풀이

❶ (체조에 참가한 학생 수)=(한 줄에 선 학생 수)×(줄 수) =15×□=□(명)

❷ (전체 학생 수)=(체조에 참가한 학생 수)+57 =□+57=□(명)

답

예제 1-2 제과점에서 쿠키를 한 상자에 38개씩 담았더니 23상자가 되고 17개가 남았습니다. 쿠키는 모두 몇 개입니까?

( )

• 시험에 자주 출제되는 문제 유형을 뽑아 풀어 본 후 유사문제로 다질 수 있어요.
• 창의 • 융합 문제도 학습할 수 있어요.

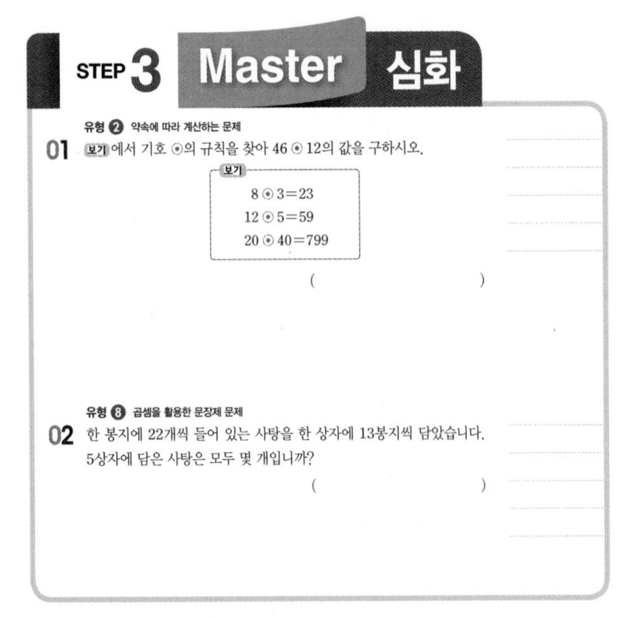
STEP 3 Master 심화

유형 2 약속에 따라 계산하는 문제

01 보기에서 기호 ⊙의 규칙을 찾아 46 ⊙ 12의 값을 구하시오.

보기

8 ⊙ 3=23

12 ⊙ 5=59

20 ⊙ 40=799

( )

유형 8 곱셈을 활용한 문장제 문제

02 한 봉지에 22개씩 들어 있는 사탕을 한 상자에 13봉지씩 담았습니다. 5상자에 담은 사탕은 모두 몇 개입니까?

( )

• 심화 유형의 문제, 경시대회 기출문제, 창의 • 융합 문제를 풀어 보며 실력을 키울 수 있어요.

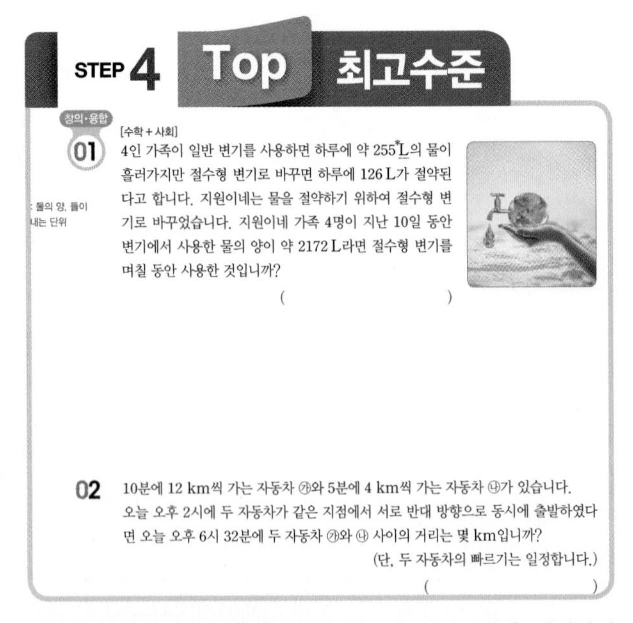
STEP 4 Top 최고수준

창의·융합

01 [수학+사회] 4인 가족이 일반 변기를 사용하면 하루에 약 255 L의 물이 흘러가지만 절수형 변기로 바꾸면 하루에 126 L가 절약된다고 합니다. 지원이네는 물을 절약하기 위하여 절수형 변기로 바꾸었습니다. 지원이네 가족 4명이 지난 10일 동안 변기에서 사용한 물의 양이 약 2172 L라면 절수형 변기를 며칠 동안 사용한 것입니까?

( )

02 10분에 12 km씩 가는 자동차 ㉮와 5분에 4 km씩 가는 자동차 ㉯가 있습니다. 오늘 오후 2시에 두 자동차가 같은 지점에서 서로 반대 방향으로 동시에 출발하였다면 오늘 오후 6시 32분에 두 자동차 ㉮와 ㉯ 사이의 거리는 몇 km입니까? (단, 두 자동차의 빠르기는 일정합니다.)

( )

• 교내외 경시대회에 출제되는 높은 수준의 문제들을 선별하여 수록하였어요.

이 책의 특징

수학 교과 역량을 기르는 창의·융합 문제

창의·융합 문제를 통해 수학과 타 교과의 실생활 지식, 기능, 경험을 수학과 연결·융합하여 **새로운 지식, 기능, 경험**을 생성하고 문제를 해결하는 능력을 기를 수 있어요.

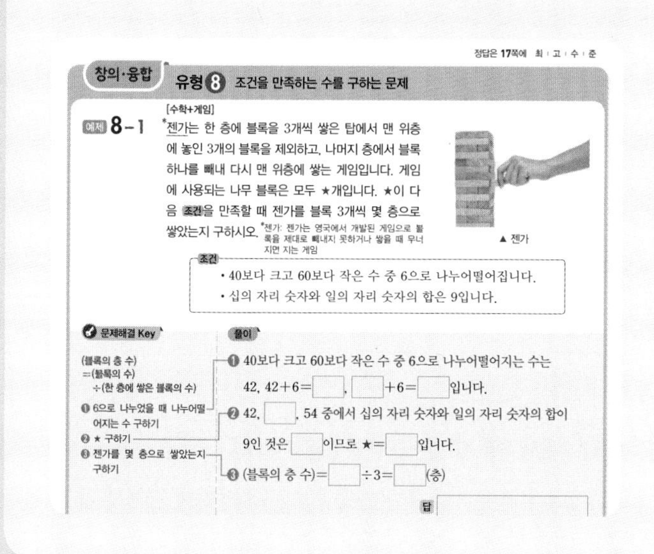

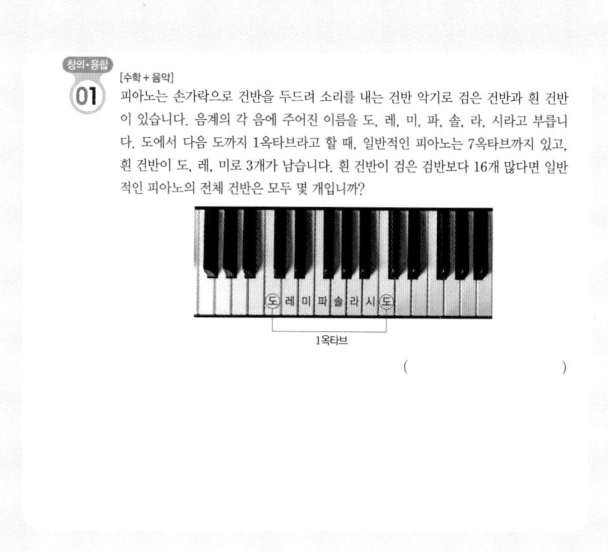

실전에 더욱 강해질 수 있는 각종 경시 유형 문제

각종 경시 유형 문제를 도전해 보며 **실전 경시대회**를 **대비**할 수 있고 수학 실력을 한층 높일 수 있어요.

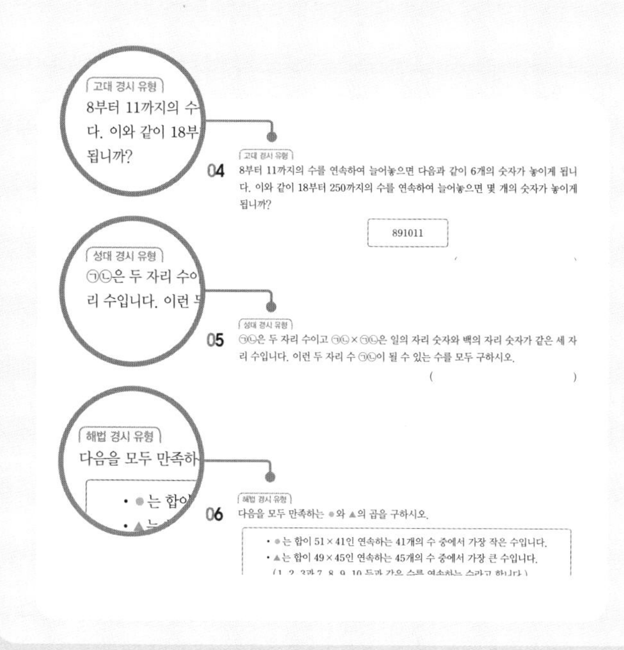

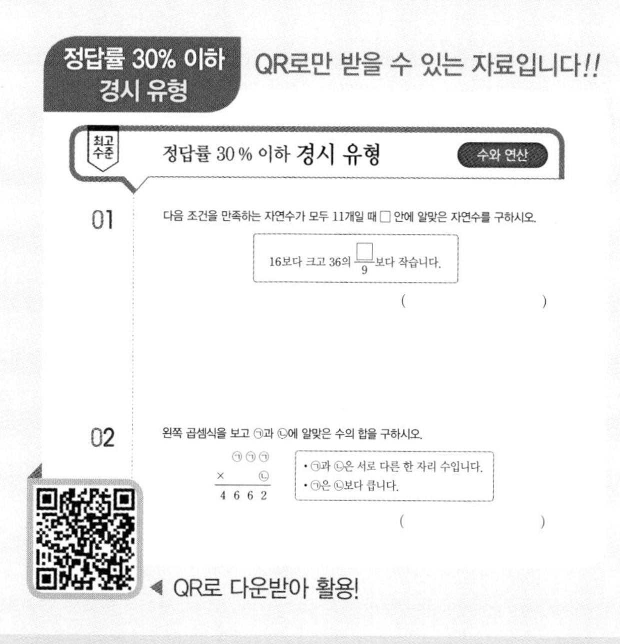

이 책의 차례

High Level

1 곱셈

꼭! 알아야 할 대표 유형

유형 ❶ 전체의 수를 구하는 문제

유형 ❷ 약속에 따라 계산하는 문제

유형 ❸ 도로의 길이를 구하는 문제

유형 ❹ 곱셈식에서 알맞은 숫자를 구하는 문제

유형 ❺ 이어 붙인 색 테이프의 길이를 구하는 문제

유형 ❻ □ 안에 들어갈 수 있는 수를 구하는 문제

유형 ❼ 수 카드로 곱셈식을 만드는 문제

유형 ❽ [창의 · 융합] 곱셈을 활용한 문장제 문제

단계	쪽수	공부한 날	점수
1단계 Start 개념	6~9	월 일	O X
2단계 Jump 유형	10~17	월 일	O X
3단계 Master 심화	18~23	월 일	O X
4단계 Top 최고수준	24~25	월 일	O X

※ O에는 맞힌 개수, X에는 틀린 개수를 써넣으세요.

1 올림이 없는 (세 자리 수)×(한 자리 수)

• 213×3의 계산

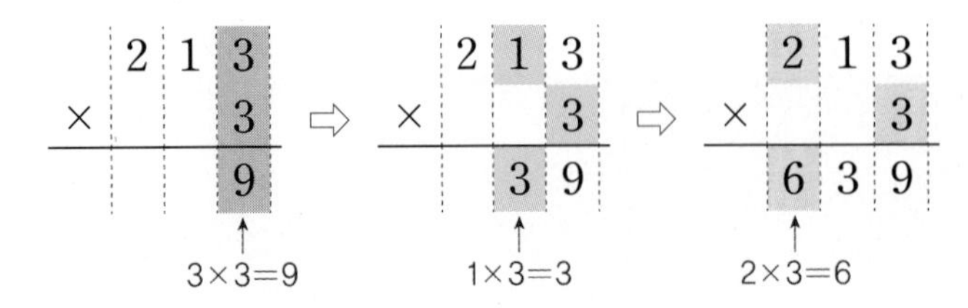

2 일의 자리에서 올림이 있는 (세 자리 수)×(한 자리 수)

• 125×3의 계산

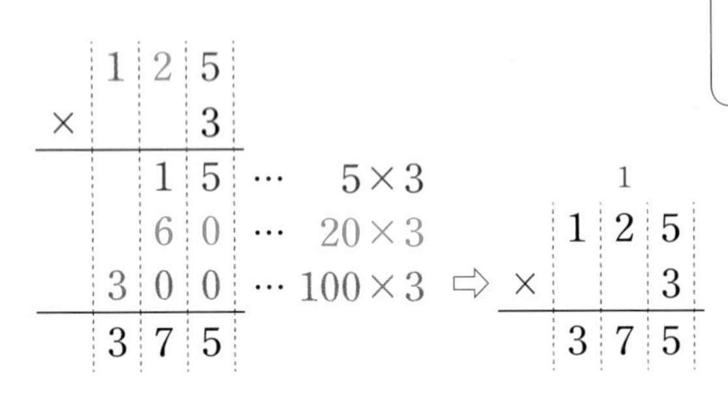

5×3=15에서 5는 일의 자리에 쓰고 십의 자리 위에 1을 작게 써.

⇨ 일의 자리를 계산한 결과로 나온 15에서 10을 십의 자리로 올림해 줍니다.

3 십, 백의 자리에서 올림이 있는 (세 자리 수)×(한 자리 수)

• 587×2의 계산

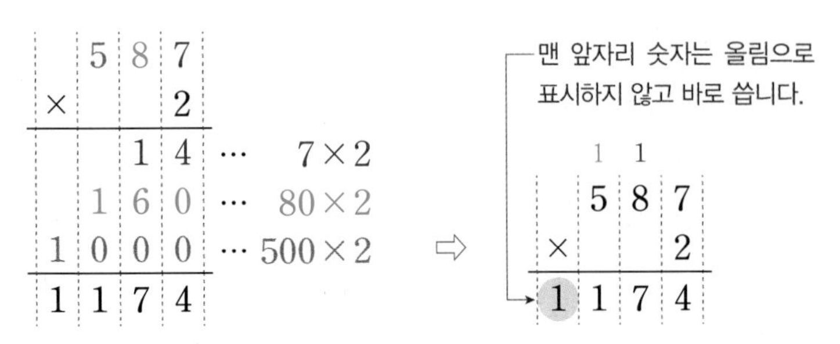

미리보기 5–1

배수: 어떤 수를 1배, 2배, 3배⋯⋯ 한 수

예 4의 배수

4를 1배 한 수: 4×1=4

4를 2배 한 수: 4×2=8

4를 3배 한 수: 4×3=12

⋮

⇨ 4의 배수: 4, 8, 12⋯⋯

개념 활용 1

□가 있는 곱셈식의 활용

• □×3에 □를 더한 것은 □×4와 같습니다.

⇨ □×3+□=□+□+□+□
=□×4

• □×3에서 □를 뺀 것은 □×2와 같습니다.

⇨ □×3−□=□+□+□−□
=□×2

개념 활용 2

계산 결과가 가장 크거나 작은 (세 자리 수)×(한 자리 수) 만들기

수의 크기가 ④>③>②>①>0일 때

• 계산 결과가 가장 큰 경우

③ ② ①
× ④

• 계산 결과가 가장 작은 경우

② ③ ④
× ①

1 빈칸에 알맞은 수를 써넣으시오.

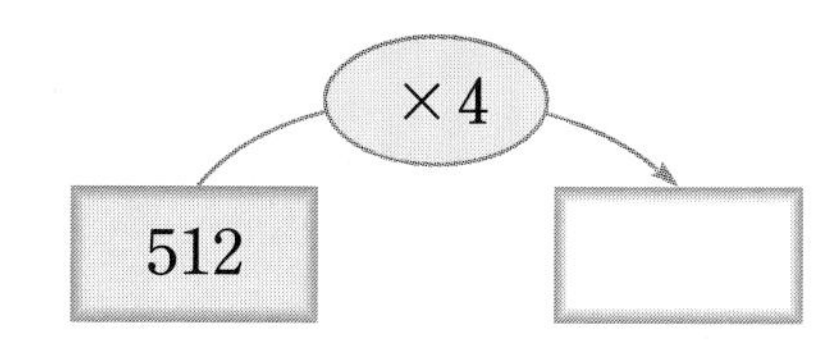

2 계산 결과를 비교하여 ○ 안에 $>$, $=$, $<$를 알맞게 써넣으시오.

312×3 ○ 181×5

3 □ 안에 알맞은 숫자를 써넣으시오.

$$\begin{array}{rrrr} & 1 & 0 & \square \\ \times & & & 7 \\ \hline & 7 & 2 & 1 \end{array}$$

4 지우개가 한 상자에 218개씩 8상자 있습니다. 지우개는 모두 몇 개입니까?

( )

5 수 카드 [2], [3], [4], [5]를 한 번씩 모두 사용하여 계산 결과가 가장 큰 곱셈식을 만들려고 합니다. □ 안에 알맞은 숫자를 써넣고, 계산하시오.

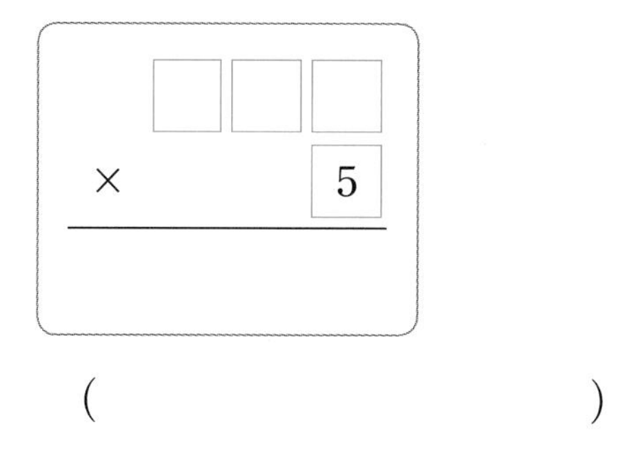

( )

6 어떤 세 자리 수에 8을 곱한 값과 어떤 세 자리 수에 5를 곱한 값의 차가 369입니다. 세 자리 수는 얼마입니까?

( )

1 (몇십)×(몇십), (몇십몇)×(몇십)

• 30×40의 계산

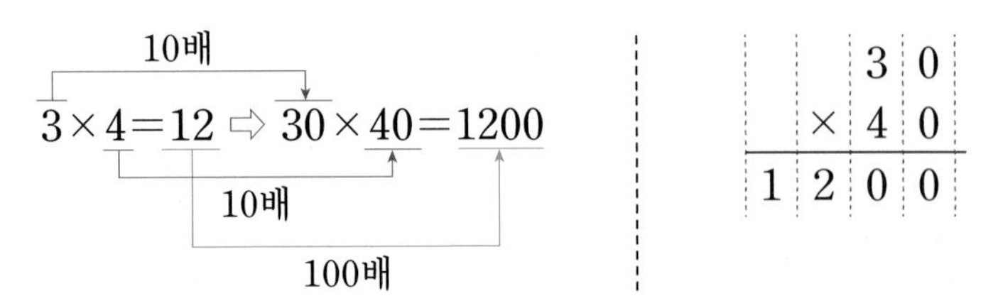

⇨ 3×4를 먼저 계산한 다음 10을 두 번 곱합니다.

• 28×20의 계산

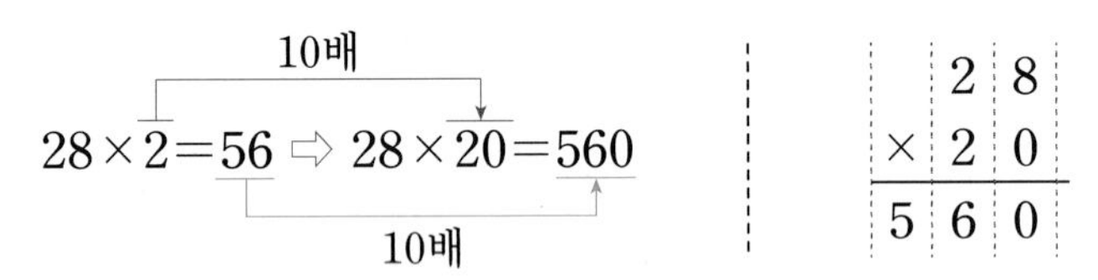

⇨ 28×2를 먼저 계산한 다음 10을 곱합니다.

2 (몇)×(몇십몇)

• 4×35의 계산

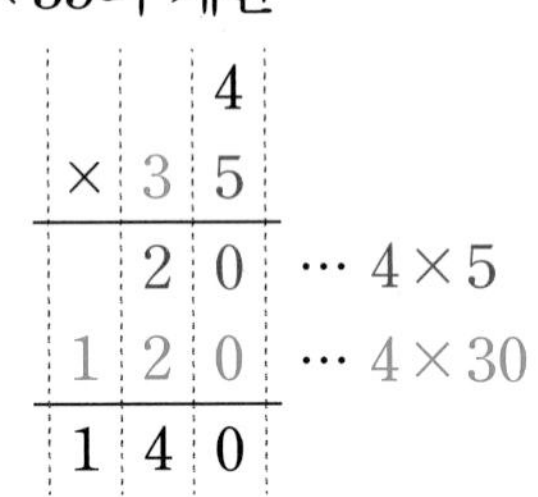

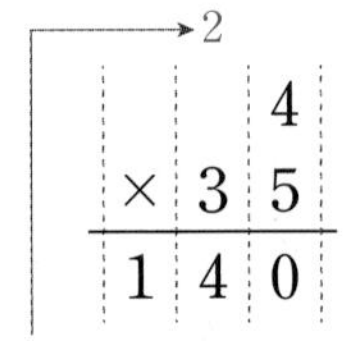

일의 자리를 계산한 결과로 나온 20 중 2를 십의 자리 위에 작게 쓰고 나머지 0을 일의 자리에 씁니다.

3 (몇십몇)×(몇십몇)

• 13×27의 계산

```
   1 3        2            1 3          1 3
 × 2 7   ⇨   1 3   ⇨    × 2 7   ⇨    × 2 7
           × 2 7          9 1          9 1  …13×7
             9 1        2 6 0        2 6 0  …13×20
                                     3 5 1
```

⇨ 13×7과 13×20을 각각 계산한 후 두 곱을 더합니다.

미리보기 4-1

(몇백)×(몇십)

(몇)×(몇)을 계산한 값에 곱하는 두 수의 0의 수만큼 0을 붙입니다.

예 300×40=12000 (0이 3개)

개념 활용 1

가장 큰 곱, 가장 작은 곱 만들기

㉠>㉡>㉢인 세 수에서

- 두 수의 곱이 가장 큰 곱셈식은 ㉠×㉡입니다.
- 두 수의 곱이 가장 작은 곱셈식은 ㉢×㉡입니다.

예 50, 40, 30 중에서 두 수를 골라 곱이 가장 큰 곱셈식을 만들면 50×40=2000입니다.

개념 활용 2

계산 결과가 가장 크거나 작은 (두 자리 수)×(두 자리 수) 만들기

수의 크기가 ④>③>②>①>0일 때

- 곱이 가장 큰 경우

  ④ ①
  × ③ ②

- 곱이 가장 작은 경우

  ① ③
  × ② ④

1 0부터 9까지의 숫자 중에서 □ 안에 알맞은 숫자를 구하시오.

□$0 \times 70 = 5600$

( )

2 빈칸에 알맞은 수를 써넣으시오.

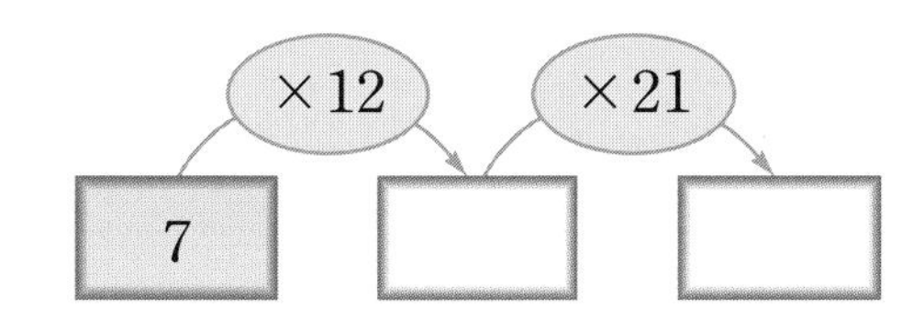

3 두 수의 곱이 가장 크게 되도록 두 수를 골라 □ 안에 써넣고, 계산하시오.

→(가장 큰 수)×(두 번째로 큰 수)

60	40	80	90

□ × □ = □

4 □ 안에 들어갈 수 있는 자연수 중에서 가장 작은 수는 얼마입니까?

□ $> 16 \times 25$

( )

5 대화를 보고 준수가 먹은 은행은 모두 몇 개인지 구하시오.

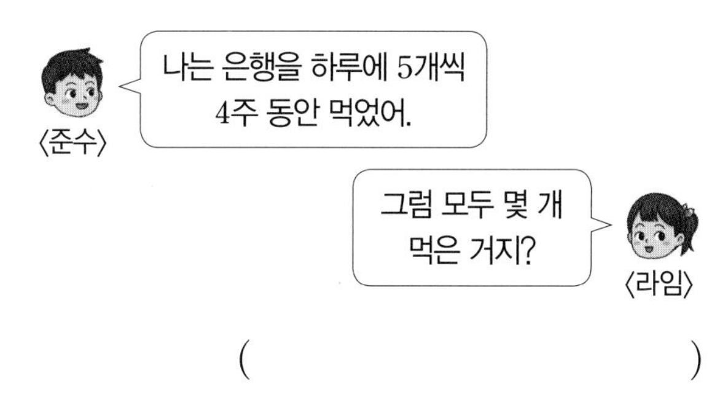

나는 은행을 하루에 5개씩 4주 동안 먹었어.
〈준수〉
그럼 모두 몇 개 먹은 거지?
〈라임〉

( )

6 수 카드 [1], [2], [3], [4]를 한 번씩 모두 사용하여 계산 결과가 가장 작은 곱셈식을 만들려고 합니다. □ 안에 알맞은 숫자를 써넣고, 계산하시오.

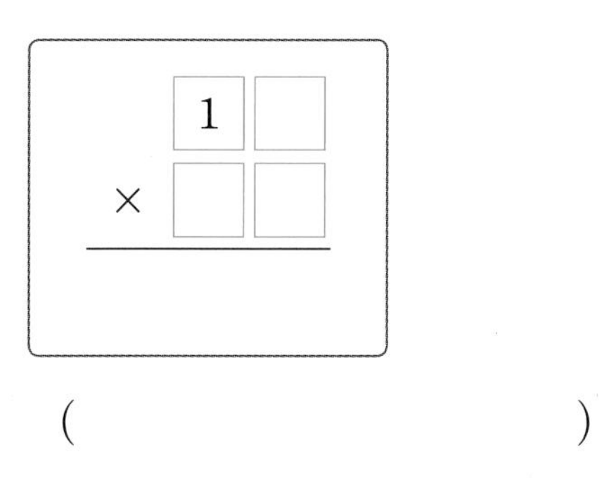

( )

STEP 2 Jump 유형

유형 1 전체의 수를 구하는 문제

예제 1-1 서윤이네 학교 학생들이 한 줄에 15명씩 45줄로 서서 체조를 하고 있습니다. 체조에 참가하지 않은 학생이 57명일 때 서윤이네 학교 전체 학생은 모두 몇 명입니까?

문제해결 Key

(체조에 참가한 학생 수)
=(한 줄로 선 학생 수)
×(줄 수)

❶ 체조에 참가한 학생 수 구하기
❷ 전체 학생 수 구하기

풀이

❶ (체조에 참가한 학생 수)=(한 줄에 선 학생 수)×(줄 수)
=15×☐=☐(명)

❷ (전체 학생 수)=(체조에 참가한 학생 수)+57
=☐+57=☐(명)

답 ☐

예제 1-2 제과점에서 쿠키를 한 상자에 38개씩 담았더니 23상자가 되고 17개가 남았습니다. 쿠키는 모두 몇 개입니까?

(　　　　　　　　)

예제 1-3 라임이는 종이학을 하루에 35개씩 19일 동안 접었습니다. 종이학을 모두 700개 접으려고 한다면 앞으로 몇 개를 더 접어야 합니까?

(　　　　　　　　)

응용 1-4 어느 신발 공장에서 신발을 1시간 동안 ㉮ 기계로 138켤레, ㉯ 기계로 52켤레를 만듭니다. ㉮ 기계로 4시간 동안, ㉯ 기계로 12시간 동안 쉬지 않고 신발을 만들었다면 어느 기계로 신발을 몇 켤레 더 많이 만들었습니까?

(　　　　　　　　), (　　　　　　　　)

유형 2 약속에 따라 계산하는 문제

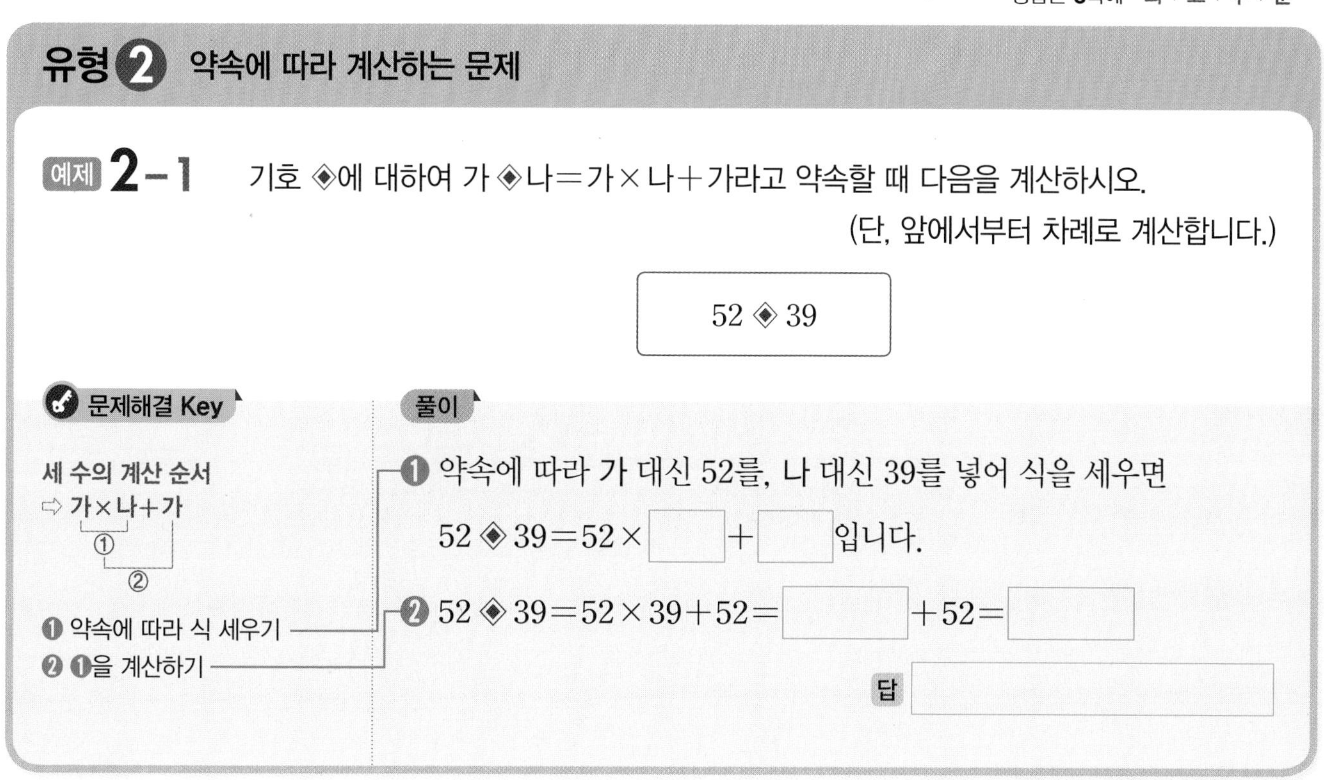

예제 2-1 기호 ◈에 대하여 가 ◈ 나=가×나+가라고 약속할 때 다음을 계산하시오.
(단, 앞에서부터 차례로 계산합니다.)
52 ◈ 39
문제해결 Key
세 수의 계산 순서
⇨ 가×나+가
①
②
❶ 약속에 따라 식 세우기
❷ ❶을 계산하기
풀이
❶ 약속에 따라 가 대신 52를, 나 대신 39를 넣어 식을 세우면
52 ◈ 39=52×□+□입니다.
❷ 52 ◈ 39=52×39+52=□+52=□
답

예제 2-2 기호 ⊙에 대하여 가 ⊙ 나=나×나−가라고 약속할 때 다음을 계산하시오.
(단, 앞에서부터 차례로 계산합니다.)

59 ⊙ 27

(　　　　　　　　　)

응용 2-3 기호 ♠에 대하여 가 ♠ 나=(가+나)×(가−나)라고 약속할 때 다음을 계산하시오.
(단, (　) 안을 먼저 계산합니다.)

50 ♠ 13

(　　　　　　　　　)

STEP 2 Jump 유형

유형 3 도로의 길이를 구하는 문제

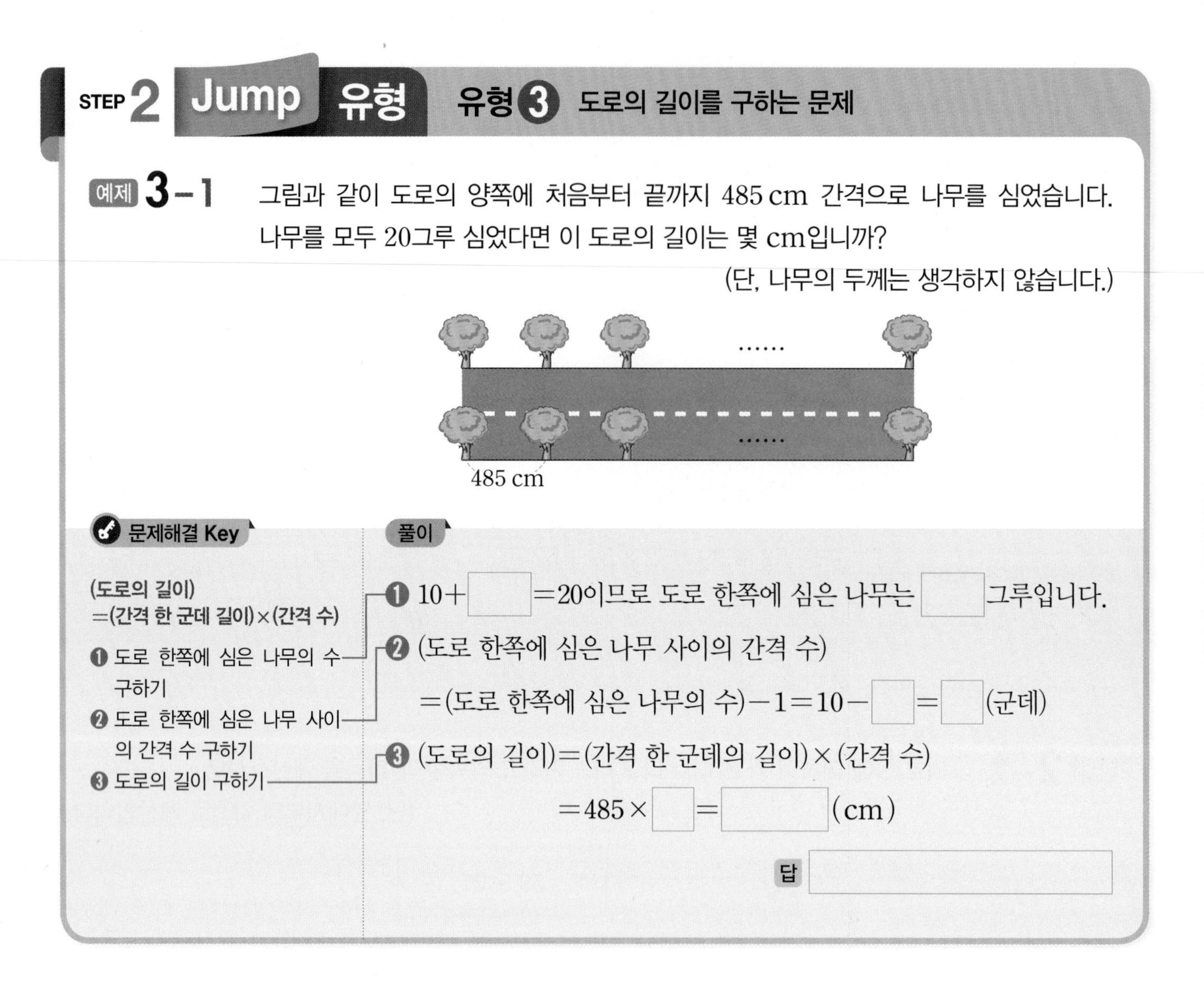

예제 3-1 그림과 같이 도로의 양쪽에 처음부터 끝까지 485 cm 간격으로 나무를 심었습니다. 나무를 모두 20그루 심었다면 이 도로의 길이는 몇 cm입니까?

(단, 나무의 두께는 생각하지 않습니다.)

문제해결 Key

(도로의 길이)
=(간격 한 군데 길이)×(간격 수)

❶ 도로 한쪽에 심은 나무의 수 구하기

❷ 도로 한쪽에 심은 나무 사이의 간격 수 구하기

❸ 도로의 길이 구하기

풀이

❶ 10+☐=20이므로 도로 한쪽에 심은 나무는 ☐그루입니다.

❷ (도로 한쪽에 심은 나무 사이의 간격 수)

=(도로 한쪽에 심은 나무의 수)−1=10−☐=☐(군데)

❸ (도로의 길이)=(간격 한 군데의 길이)×(간격 수)

=485×☐=☐(cm)

답 ☐

예제 3-2 오른쪽 그림과 같이 산책로 양쪽에 처음부터 끝까지 7 m 간격으로 가로등을 세웠습니다. 세운 가로등이 모두 70개라면 이 산책로의 길이는 몇 m입니까?

(단, 가로등의 두께는 생각하지 않습니다.)

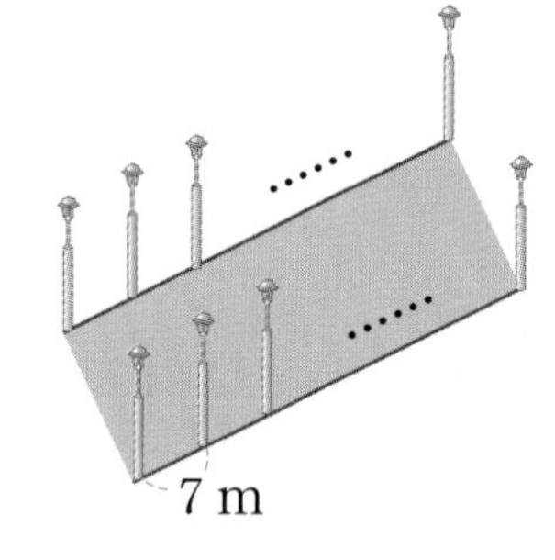

(　　　　　　　　)

응용 3-3 정사각형 모양의 게시판 네 변 위에 5 cm 간격으로 누름 못을 꽂았더니 한 변 위에 꽂은 누름 못이 30개가 되었습니다. 이 게시판의 네 변의 길이의 합은 몇 cm입니까?

(단, 네 꼭짓점에는 반드시 누름 못을 꽂았습니다.)

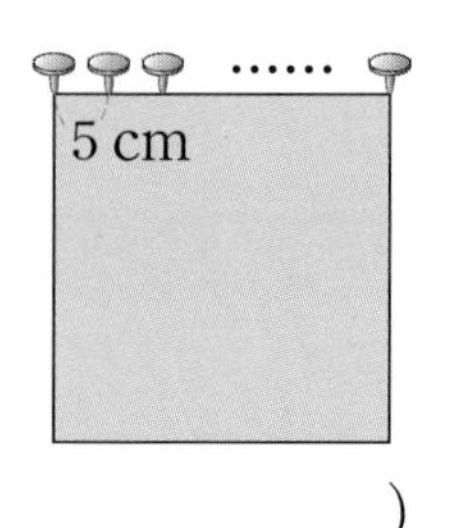

(　　　　　　　　)

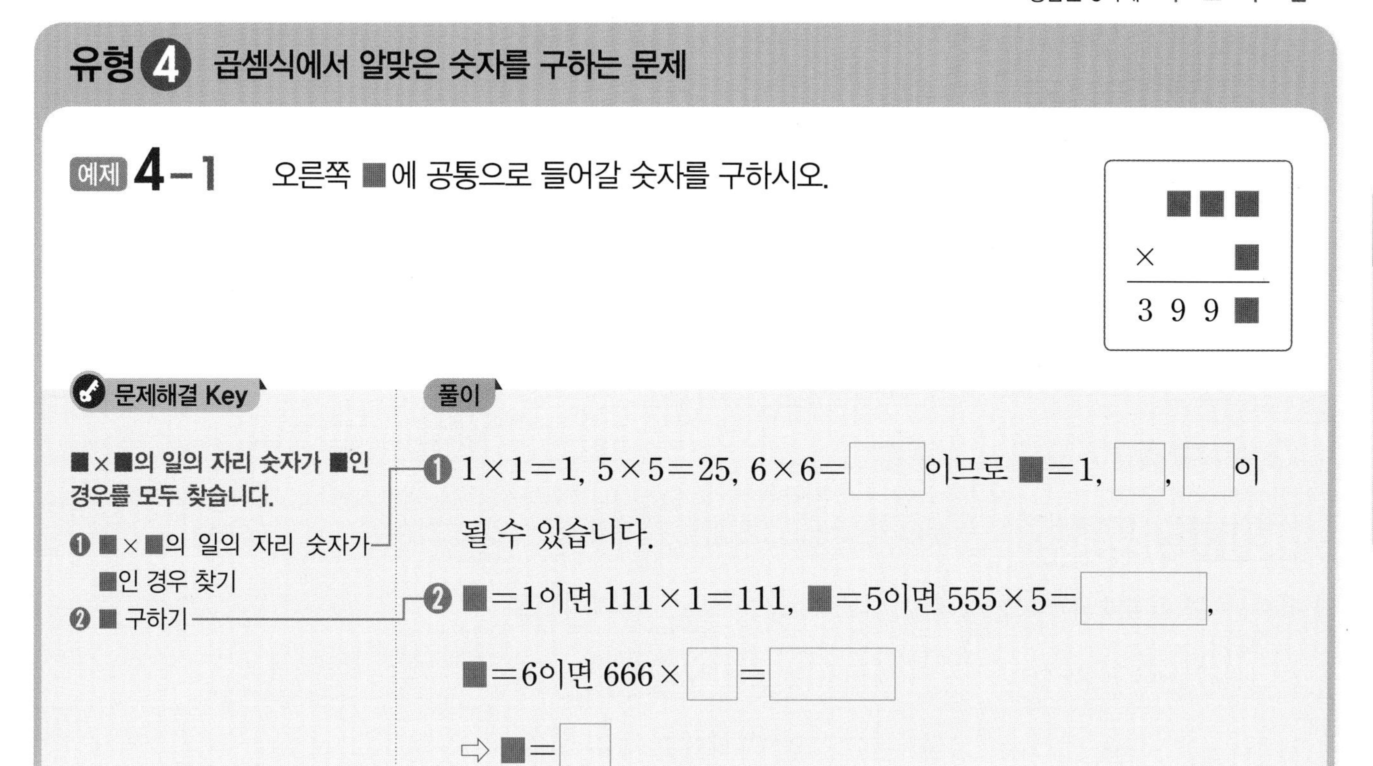

유형 4 곱셈식에서 알맞은 숫자를 구하는 문제

예제 4-1 오른쪽 ■에 공통으로 들어갈 숫자를 구하시오.

$$\begin{array}{r} ■■■ \\ \times \quad ■ \\ \hline 399■ \end{array}$$

문제해결 Key

■×■의 일의 자리 숫자가 ■인 경우를 모두 찾습니다.

❶ ■×■의 일의 자리 숫자가 ■인 경우 찾기

❷ ■ 구하기

풀이

❶ $1\times1=1$, $5\times5=25$, $6\times6=$ ☐ 이므로 ■$=1$, ☐, ☐ 이 될 수 있습니다.

❷ ■$=1$이면 $111\times1=111$, ■$=5$이면 $555\times5=$ ☐,

■$=6$이면 $666\times$ ☐ $=$ ☐

⇨ ■$=$ ☐

답 ☐

예제 4-2 오른쪽 ☐ 안에 알맞은 숫자를 써넣으시오.

$$\begin{array}{r} \square\ 3\ \square \\ \times \quad\quad 4 \\ \hline 5\ 4\ 4 \end{array}$$

응용 4-3 오른쪽 계산에서 문자에 각각 알맞은 숫자를 구하여 A+B+C+D+E는 얼마인지 구하시오.

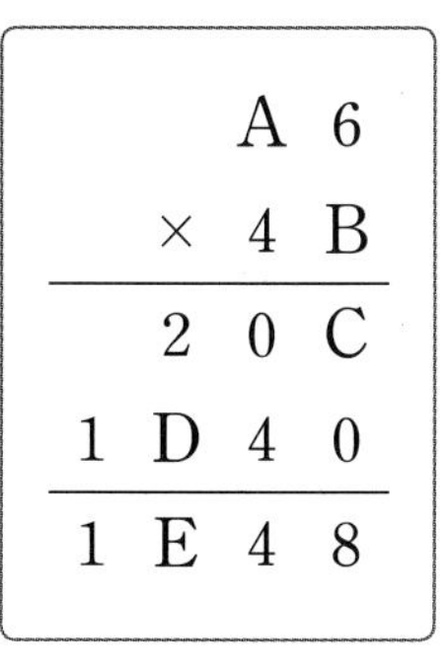

(　　　　　　　　　　)

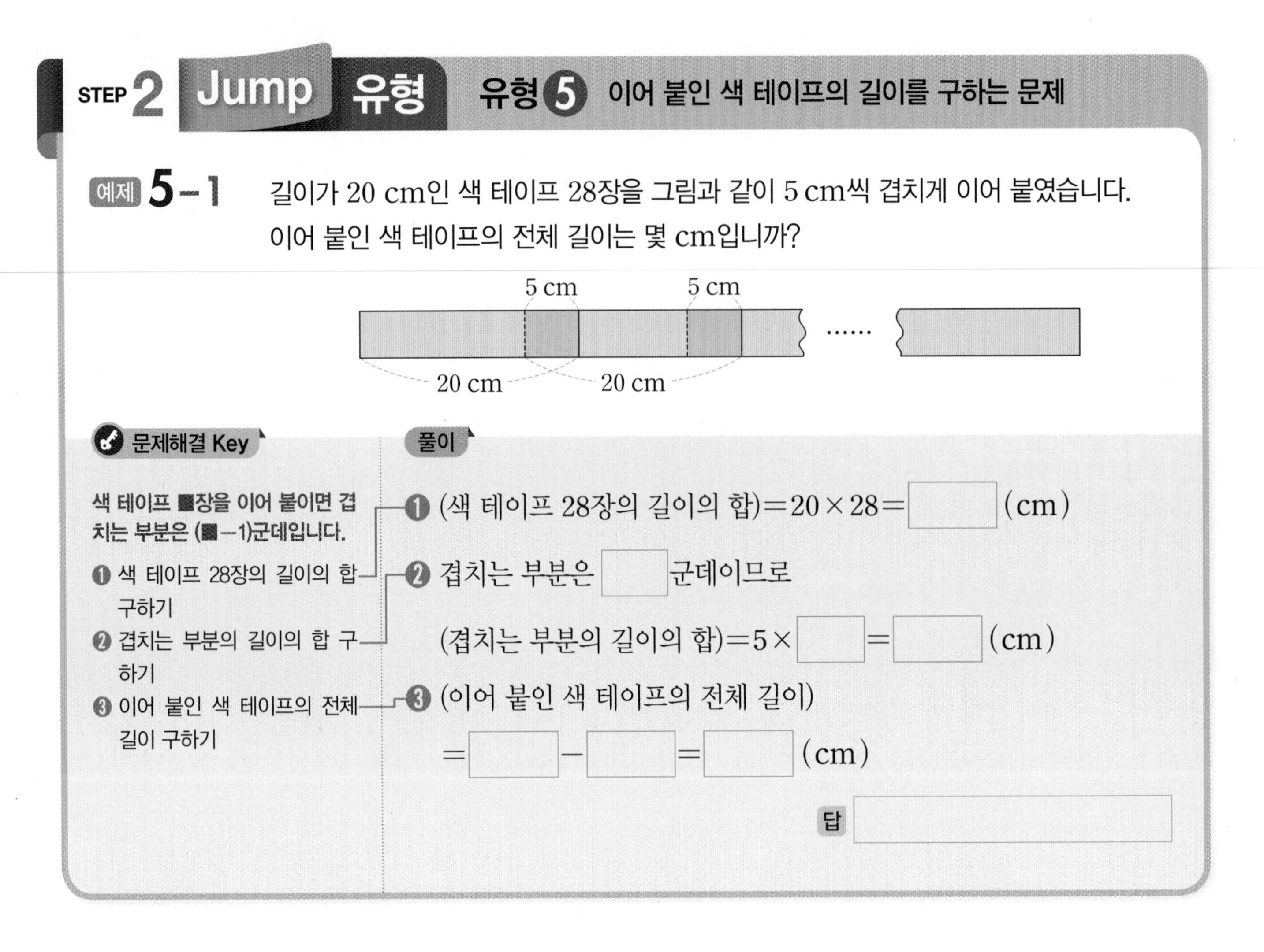

유형 5 이어 붙인 색 테이프의 길이를 구하는 문제

예제 5-1 길이가 20 cm인 색 테이프 28장을 그림과 같이 5 cm씩 겹치게 이어 붙였습니다. 이어 붙인 색 테이프의 전체 길이는 몇 cm입니까?

문제해결 Key

색 테이프 ■장을 이어 붙이면 겹치는 부분은 (■−1)군데입니다.

❶ 색 테이프 28장의 길이의 합 구하기
❷ 겹치는 부분의 길이의 합 구하기
❸ 이어 붙인 색 테이프의 전체 길이 구하기

풀이

❶ (색 테이프 28장의 길이의 합)$=20\times28=$ ☐ (cm)

❷ 겹치는 부분은 ☐ 군데이므로

(겹치는 부분의 길이의 합)$=5\times$ ☐ $=$ ☐ (cm)

❸ (이어 붙인 색 테이프의 전체 길이)

$=$ ☐ $-$ ☐ $=$ ☐ (cm)

답 ☐

예제 5-2 길이가 38 cm인 색 테이프 30장을 그림과 같이 3 cm씩 겹치게 이어 붙였습니다. 이어 붙인 색 테이프의 전체 길이는 몇 cm입니까?

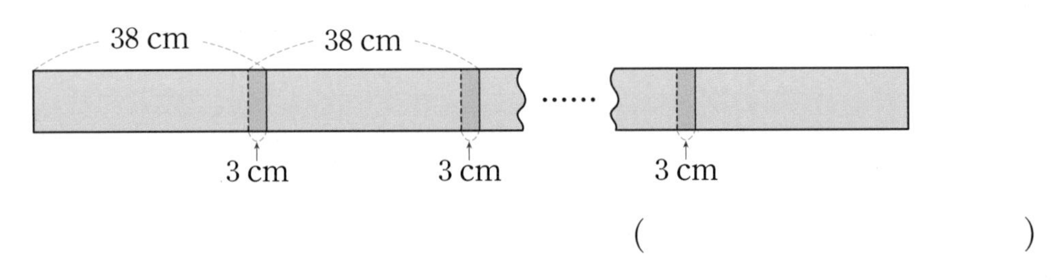

( )

응용 5-3 준수와 선우가 색 테이프를 다음과 같이 이어 붙였습니다. 이어 붙인 색 테이프의 전체 길이는 누가 몇 cm 더 깁니까?

준수: 길이가 27 cm인 색 테이프 28장을 6 cm씩 겹치게 이어 붙였어.
선우: 길이가 35 cm인 색 테이프 19장을 5 cm씩 겹치게 이어 붙였어.

( ), ( )

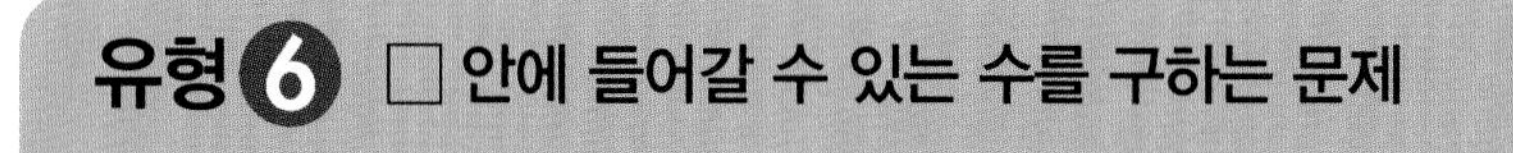

유형 6 □ 안에 들어갈 수 있는 수를 구하는 문제

예제 6-1 1부터 9까지의 자연수 중에서 ■에 들어갈 수 있는 수는 모두 몇 개입니까?

$486 \times ■ < 56 \times 27$

문제해결 Key

■에 1부터 수를 차례로 넣어 곱의 크기를 비교합니다.

❶ 56 × 27 구하기
❷ ■에 1부터 수를 차례로 넣어 곱의 크기 비교하기
❸ ■에 들어갈 수 있는 수의 개수 구하기

풀이

❶ $56 \times 27 = \square$

❷ ■에 1부터 수를 차례로 넣어 곱의 크기를 비교해 보면

$486 \times 1 = 486 \bigcirc 1512$ (>, =, <를 알맞게 써넣으시오.)

$486 \times 2 = 972 \bigcirc 1512$

$486 \times 3 = \square \bigcirc 1512$

$486 \times 4 = \square \bigcirc 1512$

⋮

❸ ■에 들어갈 수 있는 수는 1, □, □으로 모두 □개입니다.

답

예제 6-2 1부터 9까지의 자연수 중에서 □ 안에 들어갈 수 있는 수는 모두 몇 개입니까?

$126 \times \square < 16 \times 45$

(　　　　　)

응용 6-3 1부터 9까지의 자연수 중에서 □ 안에 들어갈 수 있는 수는 모두 몇 개입니까?

$20 \times 30 < 168 \times \square < 42 \times 30$

(　　　　　)

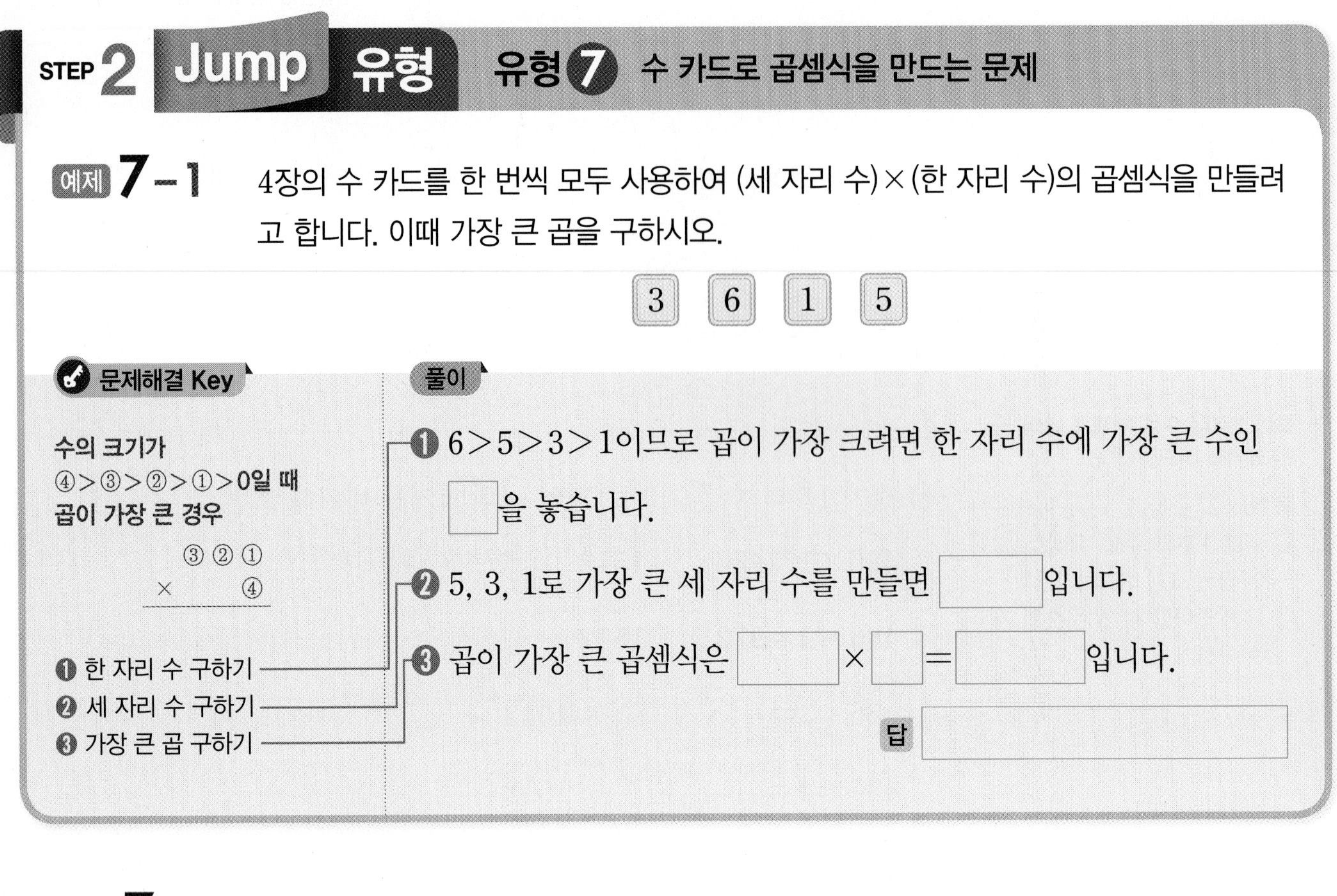

유형 7 수 카드로 곱셈식을 만드는 문제

예제 7-1 4장의 수 카드를 한 번씩 모두 사용하여 (세 자리 수)×(한 자리 수)의 곱셈식을 만들려고 합니다. 이때 가장 큰 곱을 구하시오.

3 6 1 5

문제해결 Key

수의 크기가
④>③>②>①>0일 때
곱이 가장 큰 경우

③②①
× ④

❶ 한 자리 수 구하기
❷ 세 자리 수 구하기
❸ 가장 큰 곱 구하기

풀이

❶ $6>5>3>1$이므로 곱이 가장 크려면 한 자리 수에 가장 큰 수인 □을 놓습니다.

❷ 5, 3, 1로 가장 큰 세 자리 수를 만들면 □입니다.

❸ 곱이 가장 큰 곱셈식은 □×□=□입니다.

답 □

예제 7-2 4장의 수 카드를 한 번씩 모두 사용하여 (세 자리 수)×(한 자리 수)의 곱셈식을 만들려고 합니다. 이때 가장 작은 곱을 구하시오.

2 6 4 9

(　　　　　　)

응용 7-3 수 카드 3, 4, 7, 9를 한 번씩 모두 사용하여 (두 자리 수)×(두 자리 수)의 곱셈식을 만들려고 합니다. 이때 곱이 가장 크게 되도록 곱셈식을 만들고, 그 곱을 구하시오.

곱셈식 ____________

(　　　　　　)

창의·융합

유형 8 곱셈을 활용한 문장제 문제

예제 8-1

[수학+사회]

다음 기사를 보고 물음에 답하시오.

OO일보 20XX년 OO월 △△일

국제적 멸종위기종 신도해마 국내에서 발견되다!!

세계적으로 멸종위기에 놓인 해마류 중 일본 남부 지역에 서식하는 것으로 알려졌던 신도해마가 우리나라 거문도에서 처음으로 발견되었습니다. 그동안 신도해마는 일본 고유종으로 알려져 왔습니다. 해마는 수컷이 임태, 출산을 하는 매우 드문 동물입니다. 종에 따라 태어나는 새끼의 수는 다르지만 4마리부터 157마리까지 낳는다고 알려져 있습니다.

수컷 해마 8마리가 새끼를 낳았다면 가장 많이 낳는 경우와 가장 적게 낳는 경우의 새끼 수의 차를 구하시오.

문제해결 Key

(해마가 낳는 새끼의 수)
=(한 번에 낳는 새끼의 수)
×(해마의 수)

❶ 가장 많이 낳는 경우 구하기
❷ 가장 적게 낳는 경우 구하기
❸ ❶과 ❷의 차 구하기

풀이

❶ 가장 많이 낳는 경우: $157 \times 8 =$ ☐ (마리)

❷ 가장 적게 낳는 경우: $4 \times 8 =$ ☐ (마리)

❸ 가장 많이 낳는 경우와 가장 적게 낳는 경우의 새끼 수의 차는

☐ − ☐ = ☐ (마리)

답 ☐

응용 8-2

[수학+과학]

혹등고래는 거대한 몸집과는 어울리지 않게 5 cm 정도의 작은 물고기와 작은 새우를 먹습니다. 다음은 혹등고래 3마리가 거품그물을 만들어 사냥을 하는 그림입니다. 혹등고래 한 마리가 1시간 동안 먹이를 168*kg 먹었다면 혹등고래 3마리가 2시간 동안 먹은 먹이는 모두 몇 kg입니까?

(단, 혹등고래 3마리는 각각 같은 빠르기로 같은 무게의 먹이를 먹었다고 합니다.)

*kg: 무게를 나타내는 단위로 '킬로그램'이라고 읽습니다.

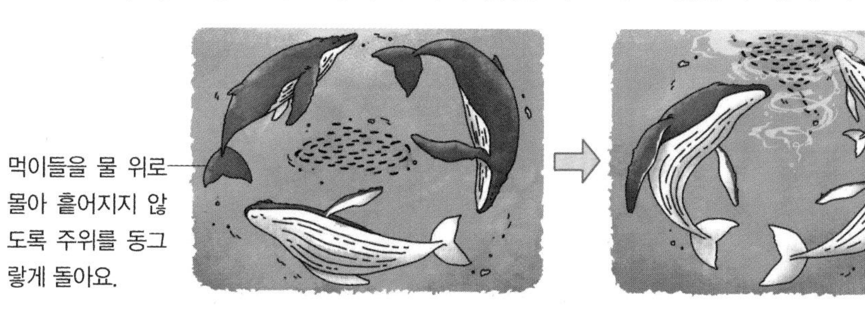

먹이들을 물 위로 몰아 흩어지지 않도록 주위를 동그랗게 돌아요.

거품그물을 만들어 먹이들이 도망치지 못하게 해요.

(   )

문제 풀이 동영상 >>

유형 ② 약속에 따라 계산하는 문제

01 보기 에서 기호 ⊙의 규칙을 찾아 46 ⊙ 12의 값을 구하시오.

보기

8 ⊙ 3=23

12 ⊙ 5=59

20 ⊙ 40=799

( )

유형 ⑧ 곱셈을 활용한 문장제 문제

02 한 봉지에 22개씩 들어 있는 사탕을 한 상자에 13봉지씩 담았습니다. 5상자에 담은 사탕은 모두 몇 개입니까?

( )

창의·융합

[수학+사회]

03 우리나라의 *돈의 단위는 원이고 미국은 달러입니다. 이와 같이 돈의 단위가 다른 외국의 돈을 우리나라 돈으로 사고 팔 때의 가격을 환율이라고 합니다. 달러에 대한 환율은 매일 변합니다. 다음 중 어느 날에 선우가 78달러를 우리나라 돈으로 바꾸려고 합니다. 우리나라 돈을 가장 적게 받을 때와 가장 많이 받을 때의 금액의 차를 구하시오.

*세계 여러 나라의 돈의 단위
- 미국, 싱가포르: 달러
- 필리핀, 멕시코: 페소
- 영국, 이집트: 파운드
- 중국: 위안
- 일본: 엔

미국 달러 환율

→1달러에 1159원입니다.

날짜	환율(원)	날짜	환율(원)	날짜	환율(원)
1월 27일	1159	1월 24일	1166.5	1월 19일	1178
1월 26일	1159.1	1월 23일	1167	1월 18일	1171.5
1월 25일	1166	1월 20일	1176	1월 17일	1170

( )

유형 ❹ 곱셈식에서 알맞은 숫자를 구하는 문제

04 오른쪽 계산에서 ㉠과 ㉡은 서로 다른 숫자입니다. ㉠과 ㉡에 알맞은 숫자를 각각 구하시오.

(단, ㉠<㉡)

```
   ㉠㉡
 × ㉡㉠
 2 6 6 8
```

㉠ (　　　　　　), ㉡ (　　　　　　)

유형 ❼ 수 카드로 곱셈식을 만드는 문제

05 4장의 수 카드를 한 번씩 모두 사용하여 (두 자리 수)×(두 자리 수)의 곱셈식을 만들려고 합니다. 이때 가장 작은 곱을 구하시오.

4　2　7　6

(　　　　　　)

유형 ❶ 전체의 수를 구하는 문제

06 다음은 어느 농장에 있는 동물의 수입니다. 이 농장에 있는 동물의 다리는 모두 몇 개입니까?

동물	닭	돼지	소	오리
동물의 수(마리)	386	67	39	173

(　　　　　　)

유형 6 □ 안에 들어갈 수 있는 수를 구하는 문제

07 □ 안에 들어갈 수 있는 자연수는 모두 몇 개입니까?

$$38 \times 39 < \square \times 50 < 70 \times 30$$

(　　　　　　　　　　)

유형 5 이어 붙인 색 테이프의 길이를 구하는 문제

08 직사각형 모양의 색 테이프 40장을 그림과 같이 3 cm씩 겹치게 이어 붙였습니다. 이어 붙여 만들어진 직사각형의 네 변의 길이의 합은 몇 cm입니까?

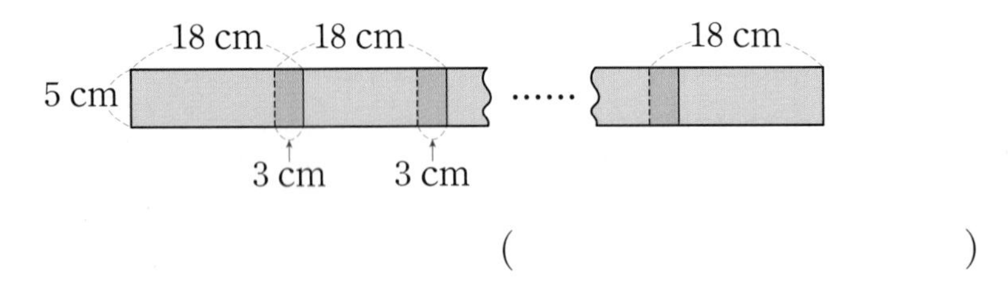

(　　　　　　　　　　)

창의·융합

[수학 + 과학]

09 전기는 우리의 생활을 편리하게 해 주는 소중한 자원입니다. 전기 사용량이 많은 여름에는 실내 온도를 26 ℃ ~ 28 ℃로 맞추고, 사용하지 않는 플러그는 뽑고, 에어컨과 선풍기를 함께 사용하면 전기 사용량을 줄일 수 있습니다. 다음은 예슬이네 집에서 사용한 가전제품의 시간당 소비전력과 하루 사용 시간입니다. 사용한 가전제품의 하루 전기 소비량은 모두 몇*와트입니까?

▲ 플러그와 콘센트

가전제품	텔레비전	선풍기	컴퓨터	냉장고
시간당 소비전력(와트)	152	65	127	47
하루 사용 시간(시간)	5	12	3	24

*와트(W): 전력의 단위로 1초 동안 소비하는 전기에너지

(　　　　　　　　　　)

유형 6 □ 안에 들어갈 수 있는 수를 구하는 문제

10 곱이 2000에 가장 가까운 수가 되도록 □ 안에 알맞은 자연수를 구하시오.

$294 \times \square$

( )

11 어떤 세 자리 수의 백의 자리 숫자와 일의 자리 숫자를 바꾸어 9를 곱했더니 5661이 되었습니다. 처음 세 자리 수는 얼마인지 구하시오.

( )

유형 8 곱셈을 활용한 문장제 문제

12 물이 3분에 12 L씩 나오는 수도꼭지 ㉮와 물이 4분에 15 L씩 나오는 수도꼭지 ㉯가 있습니다. 두 수도꼭지를 동시에 틀어서 60분 동안 받는 물의 양은 모두 몇 L입니까?

(단, 두 수도꼭지 ㉮, ㉯에서 나오는 물의 양은 일정합니다.)

( )

*L(리터): 물의 양, 들이를 나타내는 단위

유형 ④ 곱셈식에서 알맞은 숫자를 구하는 문제

13 어떤 두 수의 합과 곱을 나타낸 것입니다. 어떤 두 수를 큰 수부터 차례로 쓰시오.

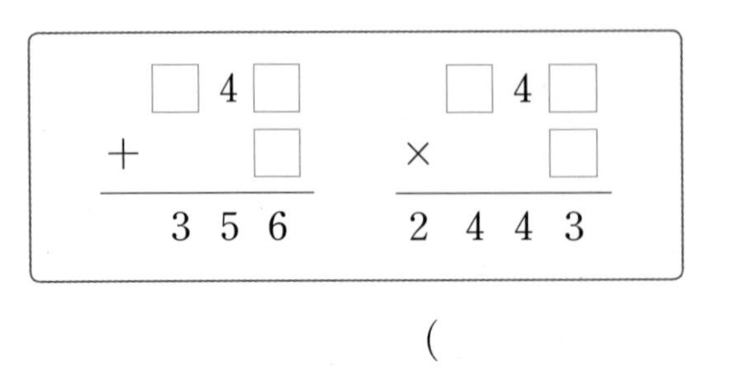

(　　　　　　　　　　)

유형 ⑥ □ 안에 들어갈 수 있는 수를 구하는 문제

14 1부터 9까지의 자연수 중에서 □ 안에 공통으로 들어갈 수 있는 가장 큰 수를 구하시오.

㉠ 357 × □ < 2130　　㉡ 452 × □ < 1810

(　　　　　　　　　　)

성대 경시 유형

15 보기 는 삼각형의 두 꼭짓점에 쓰인 수의 합을 직각인 꼭짓점에 쓴 것입니다. 보기 와 같은 방법으로 수를 모두 쓸 때 점 ㉠과 점 ㉡에 알맞은 수의 곱을 구하시오.

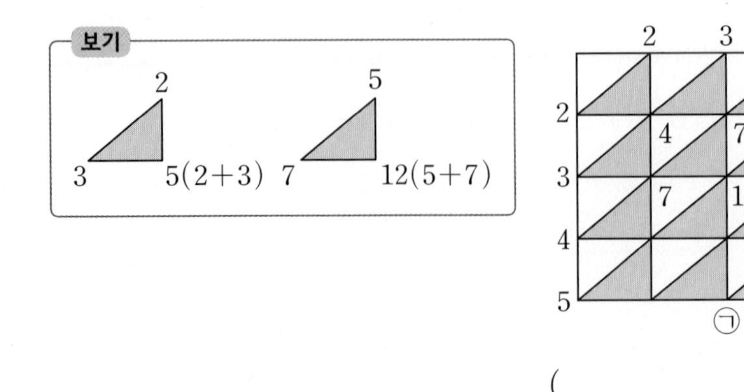

(　　　　　　　　　　)

창의·융합

[수학 + 사회] 고대 경시 유형

16 서윤이는 체험학습에서 보물찾기를 하였습니다. 쪽지에 적힌 명령의 순서대로 수행하면 보물을 찾을 수 있습니다. 보물은 출발점에서 동, 서, 남, 북, 중 어느 쪽으로 몇 걸음 떨어진 곳에 있습니까?

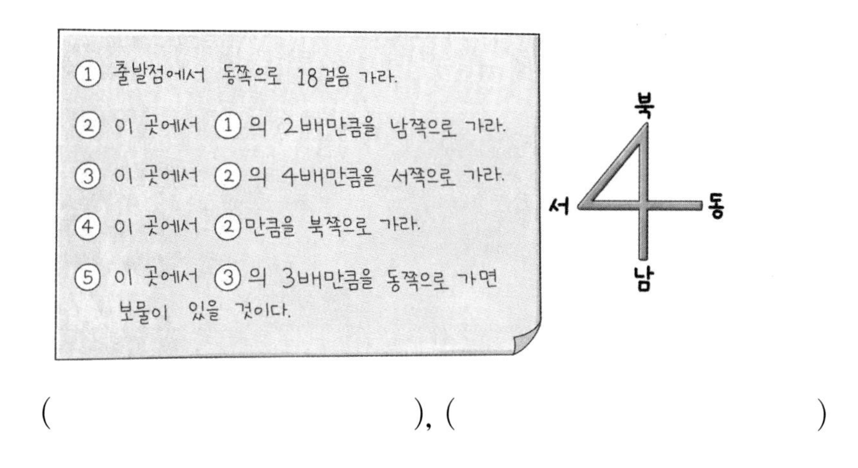

( ), ( )

해법 경시 유형

17 길이가 240 m인 열차가 1분에 968 m를 달리고 있습니다. 이 열차가 같은 빠르기로 터널을 완전히 통과하는 데 5분이 걸렸다면 터널의 길이는 몇 km 몇 m입니까?

( )

18 서로 맞물려 돌아가는 2개의 톱니바퀴가 있습니다. 큰 톱니바퀴가 1번 돌 때 작은 톱니바퀴는 7번 돕니다. 큰 톱니바퀴가 1분에 8번 돈다면 1시간 25분 동안 작은 톱니바퀴는 큰 톱니바퀴보다 몇 번 더 많이 돌게 됩니까?

( )

문제 풀이 동영상 >>

창의·융합

01 [수학 + 사회]

4인 가족이 일반 변기를 사용하면 하루에 약 255*L의 물이 흘러가지만 절수형 변기로 바꾸면 하루에 126 L가 절약된다고 합니다. 지원이네 가족 4명이 지난 10일 동안 변기에서 사용한 물의 양은 약 2172 L입니다. 지원이네는 물을 절약하기 위하여 중간에 절수형 변기로 바꾸었다면 절수형 변기를 며칠 동안 사용한 것입니까?

*L(리터): 물의 양, 들이를 나타내는 단위

( )

02 10분에 12 km씩 가는 자동차 ㉮와 5분에 4 km씩 가는 자동차 ㉯가 있습니다. 오늘 오후 2시에 두 자동차가 같은 지점에서 서로 반대 방향으로 동시에 출발하였다면 오늘 오후 6시 32분에 두 자동차 ㉮와 ㉯ 사이의 거리는 몇 km입니까?

(단, 두 자동차의 빠르기는 일정합니다.)

( )

03 지수는 4부터 7까지의 숫자를 한 번씩 모두 사용하여 (세 자리 수) × (한 자리 수) 또는 (두 자리 수) × (두 자리 수)의 곱을 구하려고 합니다. 곱이 가장 큰 경우와 가장 작은 경우의 곱의 합을 구하시오.

( )

고대 경시 유형

04 8부터 11까지의 수를 연속하여 늘어놓으면 다음과 같이 6개의 숫자가 놓이게 됩니다. 이와 같이 18부터 250까지의 수를 연속하여 늘어놓으면 몇 개의 숫자가 놓이게 됩니까?

891011

( )

성대 경시 유형

05 ㉠㉡은 두 자리 수이고 ㉠㉡ × ㉠㉡은 일의 자리 숫자와 백의 자리 숫자가 같은 세 자리 수입니다. 이런 두 자리 수 ㉠㉡이 될 수 있는 수를 모두 구하시오.

( )

해법 경시 유형

06 다음을 모두 만족하는 ●와 ▲의 곱을 구하시오.

- ●는 합이 51 × 41인 연속하는 41개의 수 중에서 가장 작은 수입니다.
- ▲는 합이 49 × 45인 연속하는 45개의 수 중에서 가장 큰 수입니다.

(1, 2, 3과 7, 8, 9, 10 등과 같은 수를 연속하는 수라고 합니다.)

( )

최고 수준 생각하기

인도 사람들이 사용한 곱셈법을 아나요?

고대 인도 사람들은 격자 곱셈법(겔로시아 곱셈법)을 사용했습니다.

(격자: 바둑판처럼 가로, 세로를 일정한 간격으로 직각이 되게 짠 것)

겔로시아 곱셈법은 격자를 그리고 대각선도 그려야 해서 불편해 보이지만 큰 자리 수의 곱셈에 유용할 수 있답니다.

그럼, 격자 곱셈법은 어떻게 곱셈을 하면 되는지 35×12로 알아봅시다.

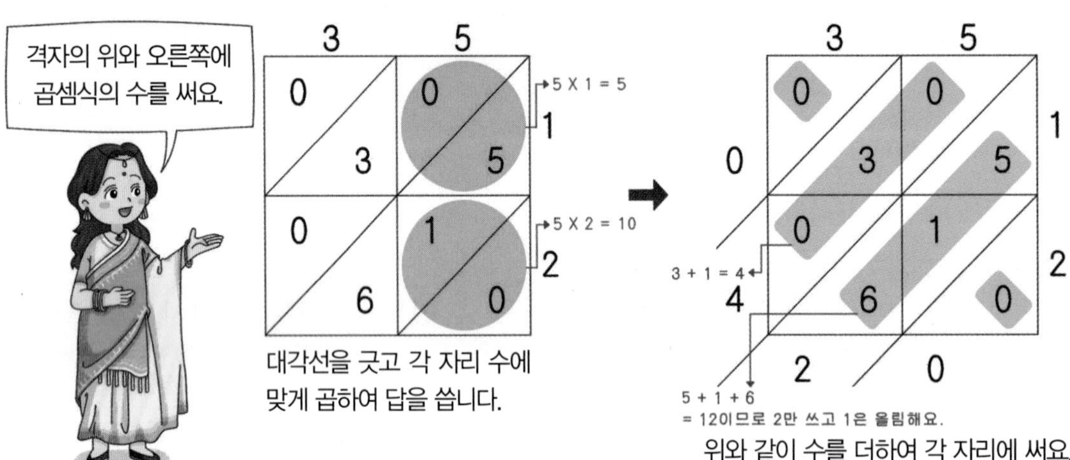

대각선을 긋고 각 자리 수에 맞게 곱하여 답을 씁니다.

위와 같이 수를 더하여 각 자리에 써요.

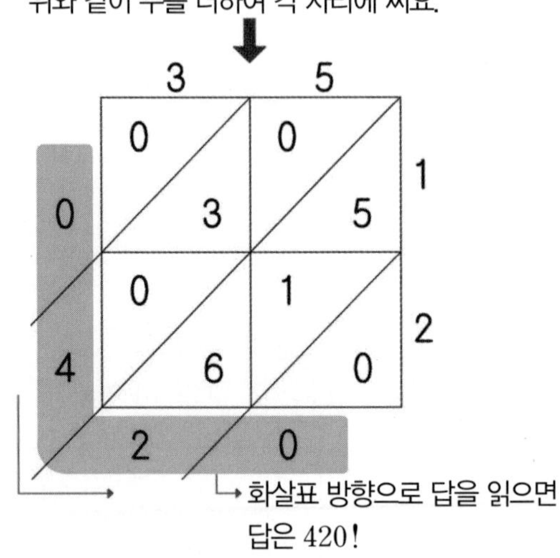

화살표 방향으로 답을 읽으면 답은 420!

인도 사람들이 사용한 격자 곱셈법! 신기하죠?

격자 곱셈법으로 다른 수의 곱셈을 해 보는 건 어떨까요?

예 26×32

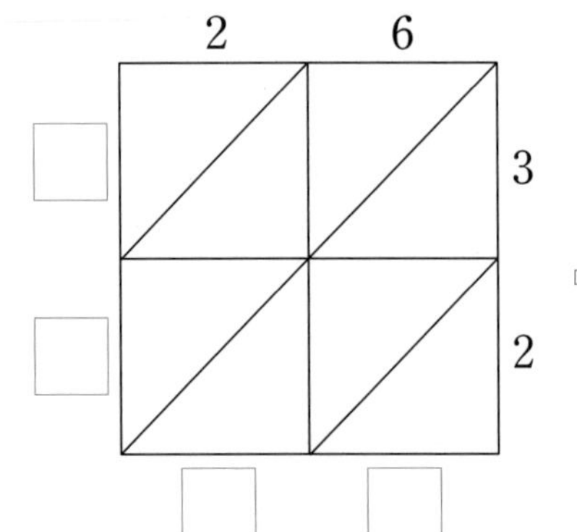

⇨ $26 \times 32 =$ ☐

• 정답은 15쪽에

2 나눗셈

꼭! 알아야 할 대표 유형

유형 ❶ □ 안에 들어갈 수 있는 수를 구하는 문제

유형 ❷ 약속에 따라 값을 구하는 문제

유형 ❸ 일정한 간격으로 놓인 물건의 수를 구하는 문제

유형 ❹ 나누어지는 수를 알아보는 나눗셈 활용 문제

유형 ❺ 적어도 더 필요한 물건의 수를 구하는 문제

유형 ❻ 나눗셈식에서 알맞은 숫자를 구하는 문제

유형 ❼ 수 카드를 사용하여 나눗셈식을 만드는 문제

유형 ❽ [창의 · 융합] 조건을 만족하는 수를 구하는 문제

단계	쪽수	공부한 날	점수
1단계 Start 개념	28~33	월 일	O X
2단계 Jump 유형	34~41	월 일	O X
3단계 Master 심화	42~47	월 일	O X
4단계 Top 최고수준	48~49	월 일	O X

※ O에는 맞힌 개수, X에는 틀린 개수를 써넣으세요.

1 내림이 없는 (몇십)÷(몇)

• 80÷2의 계산

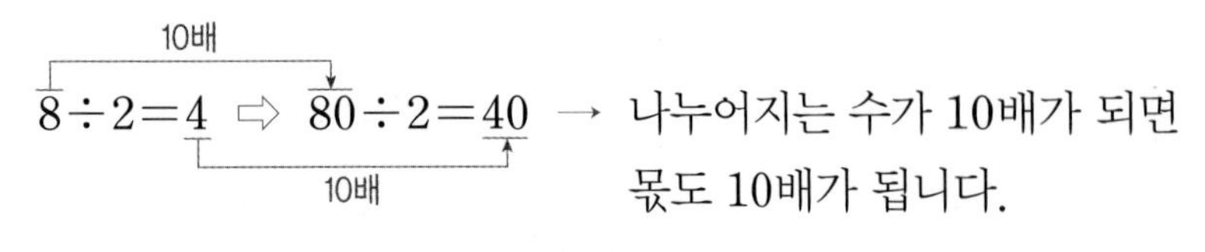

10배
8÷2=4 ⇨ 80÷2=40 → 나누어지는 수가 10배가 되면 몫도 10배가 됩니다.
10배

⇨ 80÷2=40

2 내림이 있는 (몇십)÷(몇)

• 60÷5의 계산

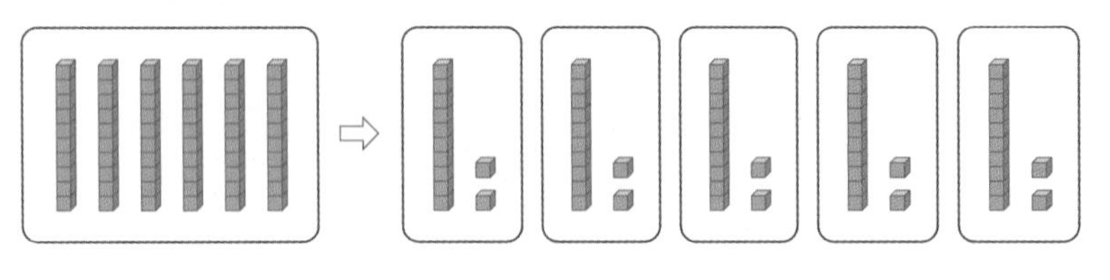

⇨ 60÷5=12

3 나머지가 없는 (몇십몇)÷(몇)

• 36÷3의 계산

나눗셈식을 세로로 쓰는 방법

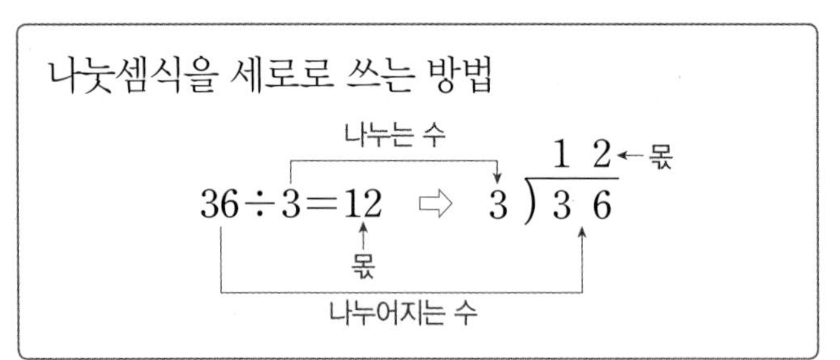

⇨ 36÷3=12

미리보기 4-1

(몇백몇십)÷(몇십)

●▲0÷★0의 몫은
●▲÷★의 몫과 같습니다.

예 120÷30의 계산
120÷30=4
12÷3=4

개념 활용 1

나누어지는 수 구하기

나눗셈식에서 나누어지는 수를 모를 때에는 나눗셈을 곱셈으로 바꾸어 나누어지는 수를 구합니다.

예 ■÷5=16에서 ■ 구하기
■÷5=16 ⇨ 5×16=■,
■=80

개념 활용 2

몫이 가장 크거나 작은 (두 자리 수)÷(한 자리 수) 만들기

수의 크기가 ③>②>①>0일 때

• 몫이 가장 큰 경우
③②÷①
가장 크게 / 가장 작게

• 몫이 가장 작은 경우
①②÷③
가장 작게 / 가장 크게

1 사다리를 타고 내려가서 만나는 곳에 몫을 써넣으시오.

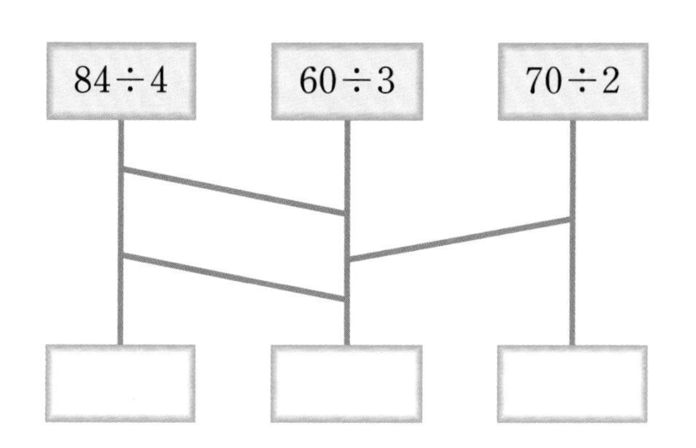

2 몫의 크기를 비교하여 ○ 안에 >, =, <를 알맞게 써넣으시오.

$80 \div 4$ ○ $69 \div 3$

3 빈칸에 알맞은 수를 써넣으시오.

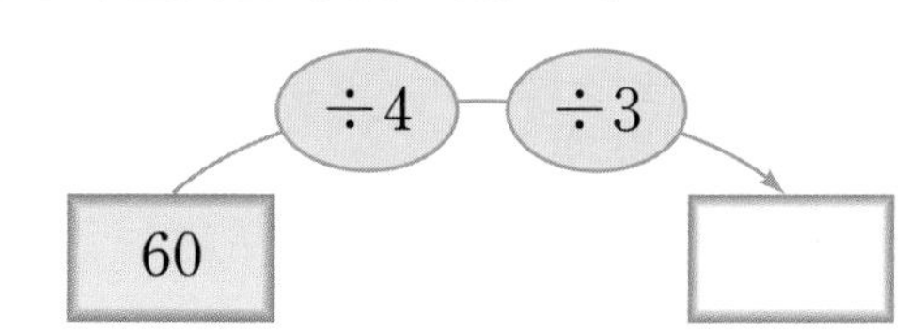

4 □ 안에 알맞은 수가 가장 큰 것을 찾아 기호를 쓰시오.

㉠ $88 \div 4 = \square$

㉡ $\square \div 3 = 13$

㉢ $2 \times \square = 48$

( )

5 색종이 48장을 친구 4명에게 똑같이 나누어 주려고 합니다. 색종이를 한 명에게 몇 장씩 나누어 줄 수 있습니까?

식 ______________________

답 ______________________

6 수 카드 [2], [4], [6]을 한 번씩 모두 사용하여 몫이 가장 큰 (두 자리 수)÷(한 자리 수)를 만들고, 계산하시오.

$\square\square \div \square$

( )

2 나눗셈

1 내림이 있고 나머지가 없는 (몇십몇)÷(몇)

• 96÷6의 계산

$$6\overline{)96} \Rightarrow \begin{array}{r} 1 \\ 6\overline{)96} \\ 60 \end{array} \leftarrow 6\times10 \Rightarrow \begin{array}{r} 16 \\ 6\overline{)96} \\ 6 \\ \hline 36 \\ 36 \\ \hline 0 \end{array} \leftarrow 6\times6$$

⇨ 96÷6=16

2 나머지가 있는 (몇십몇)÷(몇)

• 26÷4의 계산

26을 4로 나누면 몫은 6이고 2가 남습니다.
이때 2를 26÷4의 나머지라고 합니다.

$$\begin{array}{r} 6 \\ 4\overline{)26} \\ 24 \\ \hline 2 \end{array}$$

(6 ←몫, 4 ←나누는 수, 26 ←나누어지는 수, 2 ←나머지)

⇨ 26÷4=6 … 2

참고 나머지는 나누는 수보다 항상 작습니다.

• 나머지가 없으면 나머지가 0이라고 말할 수 있습니다.
나머지가 0일 때, 나누어떨어진다고 합니다.

3 내림이 있고 나머지가 있는 (몇십몇)÷(몇)

• 98÷4의 계산

$$\begin{array}{r} 4 \\ 20 \\ 4\overline{)98} \\ 80 \\ \hline 18 \\ 16 \\ \hline 2 \end{array} \quad \begin{array}{r} 24 \\ 4\overline{)98} \\ 8 \\ \hline 18 \\ 16 \\ \hline 2 \end{array}$$

(4+20 → 24, 4×20 → 80, 4×4 → 16)

⇨ 98÷4=24 … 2

개념 활용 1

■÷▲의 나머지가 가장 크거나 작은 경우

• 나머지가 가장 큰 자연수인 경우: 나머지는 ▲−1
• 나머지가 가장 작은 수인 경우: 나머지는 0

개념 활용 2

■가 자연수일 때 ■÷▲에서 ■가 ▲로 나누어떨어지는 경우

▲=2 ⇨ ■의 일의 자리 숫자가 0, 2, 4, 6, 8인 경우
▲=5 ⇨ ■의 일의 자리 숫자가 0, 5인 경우
▲=3(9) ⇨ ■의 각 자리 숫자의 합이 3(9)으로 나누어떨어지는 경우

미리보기 4-1

(두 자리 수)÷(두 자리 수)

예 82÷13의 계산

$$\begin{array}{r} 6 \\ 13\overline{)82} \\ 78 \\ \hline 4 \end{array}$$

(6 ←몫, 78 ←13×6, 4 ←나머지)

⇨ 82÷13=6 … 4

1 나머지가 가장 큰 나눗셈식에 ○표 하시오.

$28 \div 5$	$76 \div 6$	$72 \div 7$
(　　　)	(　　　)	(　　　)

2 계산에서 잘못된 곳을 찾아 바르게 고쳐 보시오.

$$\begin{array}{r} 12 \\ 5\overline{)67} \\ 5 \\ \hline 17 \\ 10 \\ \hline 7 \end{array}$$

⇨

3 어떤 자연수를 8로 나누었습니다. 나머지가 될 수 있는 수 중에서 가장 큰 수를 쓰시오.

(　　　　　　　　)

4 다음 중 5로 나누어떨어지는 수를 모두 쓰시오.

75　82　60　91

(　　　　　　　　)

5 종이테이프 7 cm로 리본을 1개 만들 수 있습니다. 종이테이프 84 cm로는 리본을 몇 개까지 만들 수 있습니까?

(　　　　　　　　)

6 □ 안에 들어갈 수 있는 자연수는 모두 몇 개입니까?

$65 \div 5 < \square < 76 \div 4$

(　　　　　　　　)

7 지아는 사탕 78개를 한 봉지에 5개씩 담으려고 합니다. 봉지에 담고 남은 사탕을 동생에게 모두 준다면 동생에게 사탕을 몇 개 줄 수 있습니까?

(　　　　　　　　)

1 나머지가 없는 (세 자리 수)÷(한 자리 수)

• 560÷4의 계산 – 백의 자리부터 순서대로 계산합니다.

```
    1              1 4              1 4 0
4)5 6 0        4)5 6 0          4)5 6 0
  4         ⇨    4         ⇨      4
  1              1 6              1 6
                 1 6              1 6
                   0                0
```

5÷4	56÷4	560÷4

⇨ 560÷4=140

2 나머지가 있는 (세 자리 수)÷(한 자리 수)

• 127÷3의 계산

```
                     4                4 2
3)1 2 7          3)1 2 7          3)1 2 7
  ↑         ⇨      1 2       ⇨      1 2
백의 자리에서는       0                  7
나누지 못합니다.                          6
                                     1 ← 나머지
```

1÷3	12÷3	127÷3

⇨ 127÷3=42 ··· 1

3 나눗셈을 맞게 계산했는지 확인

• 16÷3을 계산하고 맞게 계산했는지 확인하기

```
     5
3)1 6
  1 5
    1
```

16÷3=5 ··· 1

3×5=15 ⇨ 15+1=16

나누는 수와 몫의 곱에 나머지를 더하면 나누어지는 수가 되어야 합니다.

참고

나눗셈의 검산

• 나머지가 있는 경우

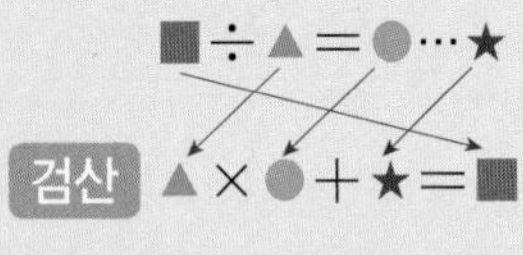

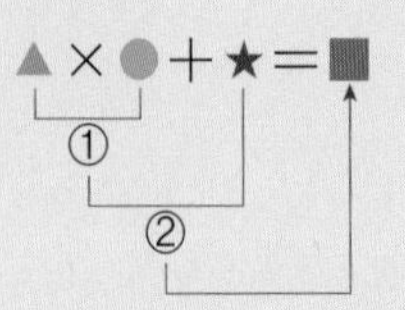

• 나누어떨어지는 경우

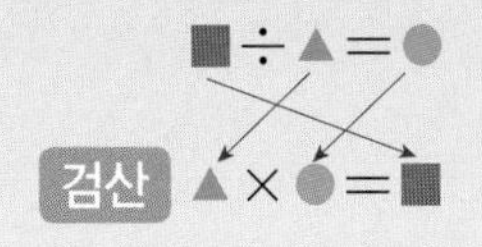

미리보기 5-1

약수: 어떤 수를 나누어떨어지게 하는 수

예 6의 약수 구하기

6÷1=6, 6÷2=3,

6÷3=2, 6÷4=1 ··· 2,

6÷5=1 ··· 1, 6÷6=1

⇨ 6의 약수: 1, 2, 3, 6

개념 활용

나눗셈식에서 나누어지는 수를 모를 때 나누어지는 수 구하기

예 □÷7=2 ··· 3

7×2=14

⇨ 14+3=□, □=17

1 빈칸에 알맞은 수를 써넣으시오.

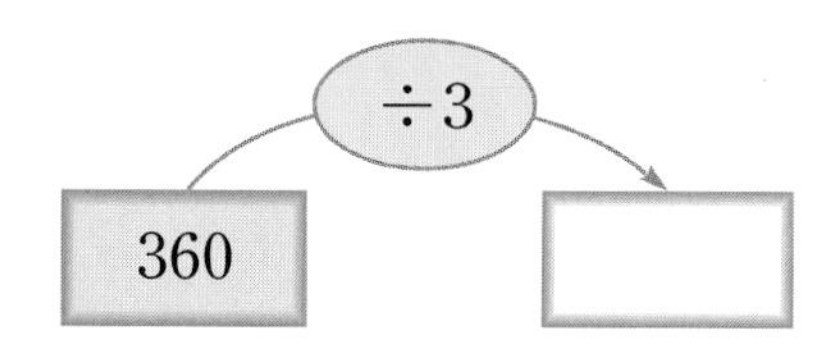

2 계산에서 잘못된 곳을 찾아 바르게 계산하시오.

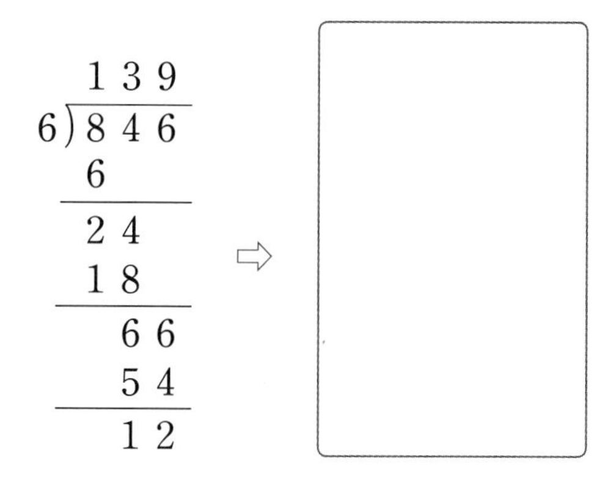

3 나눗셈을 하고 맞게 계산했는지 확인한 식이 보기 와 같습니다. 계산한 나눗셈식을 쓰고, 몫과 나머지를 각각 구하시오.

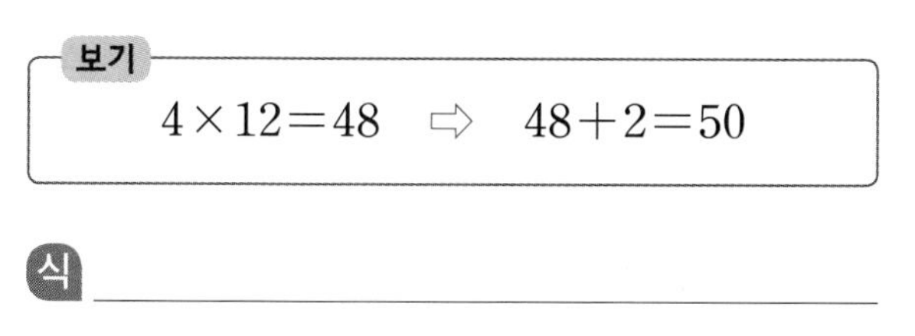

식 ______________________

몫 ____________, 나머지 ____________

4 □ 안에 알맞은 수를 구하시오.

$\square \div 6 = 10 \cdots 3$

(   )

5 서윤이는 리본 112 cm를 5명에게 똑같이 나누어 주려고 합니다. 리본을 가장 긴 길이로 나누어 줄 경우 한 명에게 리본을 몇 cm씩 줄 수 있고, 남은 리본은 몇 cm인지 차례로 쓰시오.

남은 리본이 5 cm이거나
5 cm보다 더 길면 잘못
나누어 준 거야.
서윤

(   ), (   )

6 어떤 수에 5를 곱해야 할 것을 잘못하여 5로 나누었더니 몫이 13, 나머지가 1이었습니다. 바르게 계산하면 얼마입니까?

(   )

STEP 2 Jump 유형

유형 ❶ □ 안에 들어갈 수 있는 수를 구하는 문제

예제 **1-1** □ 안에 들어갈 수 있는 자연수 중에서 4로 나누어떨어지는 수를 모두 구하시오.

$$50 < \square < 60$$

문제해결 Key

■가 4로 나누어떨어지면 ■+4, ■+4+4……도 4로 나누어떨어집니다.

❶ 4로 나누어떨어지는 가장 작은 수 구하기

❷ 4로 나누어떨어지는 수 모두 구하기

풀이

❶ 50보다 크고 60보다 작은 자연수를 4로 나누면

$51 \div 4 = 12 \cdots 3$, $52 \div 4 = \square$, $53 \div 4 = 13 \cdots \square$, ……

⇨ 4로 나누어떨어지는 가장 작은 수는 □입니다.

❷ 52가 4로 나누어떨어지므로 $52 + 4 = \square$도 4로 나누어떨어집니다.

⇨ □ 안에 들어갈 수 있는 자연수 중에서 4로 나누어떨어지는 수는 □, □입니다.

답 □

예제 **1-2** □ 안에 들어갈 수 있는 자연수 중에서 6으로 나누어떨어지는 수를 모두 구하시오.

$$60 < \square < 75$$

(　　　　　　　　　　)

응용 **1-3** 70부터 90까지의 자연수 중에서 5로 나누었을 때 나머지가 1인 수를 모두 구하시오.

(　　　　　　　　　　)

유형 2 약속에 따라 값을 구하는 문제

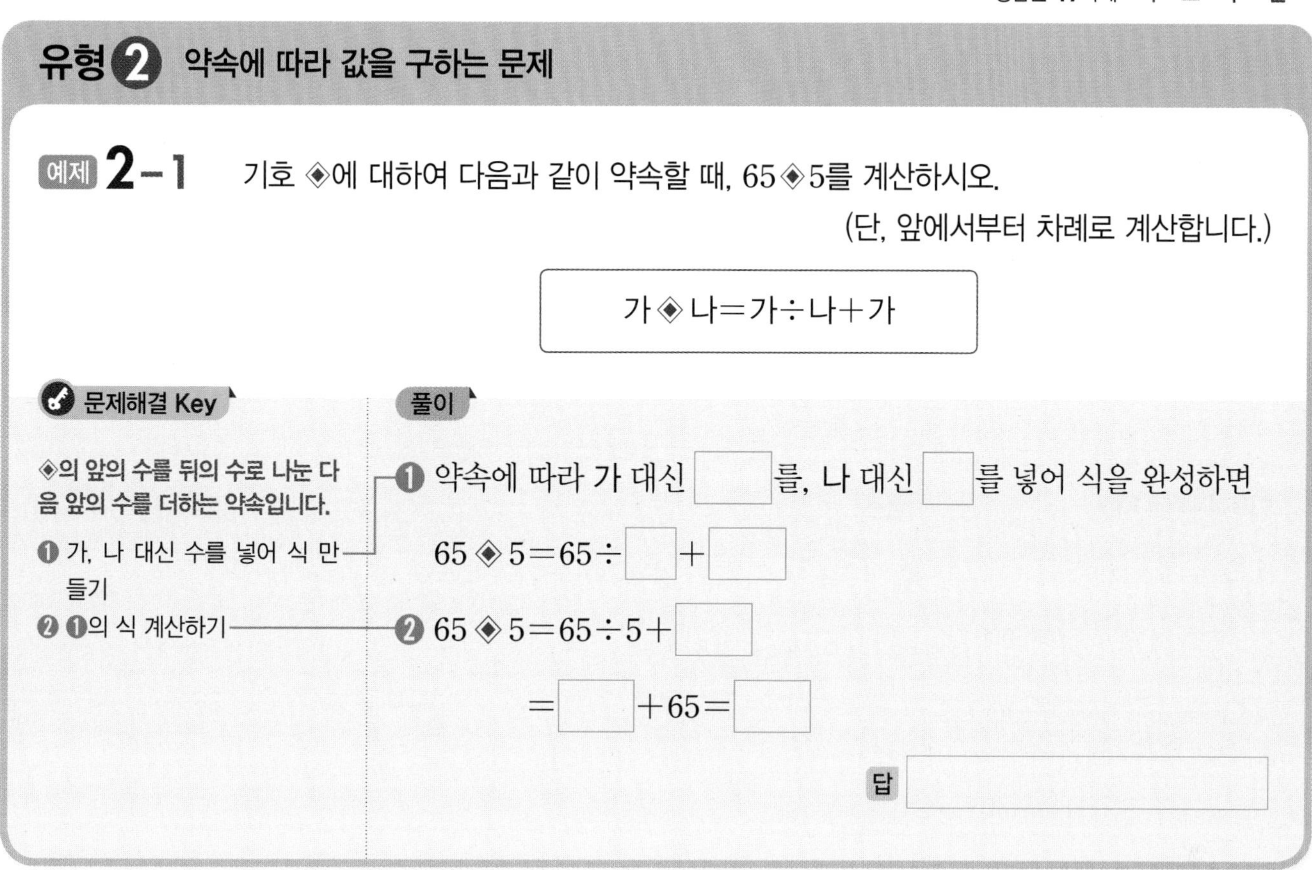

예제 2-1 기호 ◈에 대하여 다음과 같이 약속할 때, 65◈5를 계산하시오.
(단, 앞에서부터 차례로 계산합니다.)
가◈나=가÷나+가
문제해결 Key
◈의 앞의 수를 뒤의 수로 나눈 다음 앞의 수를 더하는 약속입니다.
❶ 가, 나 대신 수를 넣어 식 만들기
❷ ❶의 식 계산하기
풀이
❶ 약속에 따라 가 대신 □를, 나 대신 □를 넣어 식을 완성하면
65◈5=65÷□+□
❷ 65◈5=65÷5+□
=□+65=□
답

2 나눗셈

예제 2-2 기호 ⊙에 대하여 다음과 같이 약속할 때, 780 ⊙ 6을 계산하시오.
(단, 앞에서부터 차례로 계산합니다.)

가⊙나=가÷나−나

(　　　　　　　　　　)

응용 2-3 기호 ♠에 대하여 다음과 같이 약속할 때, 49 ♠ 42를 계산하시오.
(단, (　) 안에 있는 식을 먼저 계산합니다.)

가♠나=(가+나)÷(가−나)

(　　　　　　　　　　)

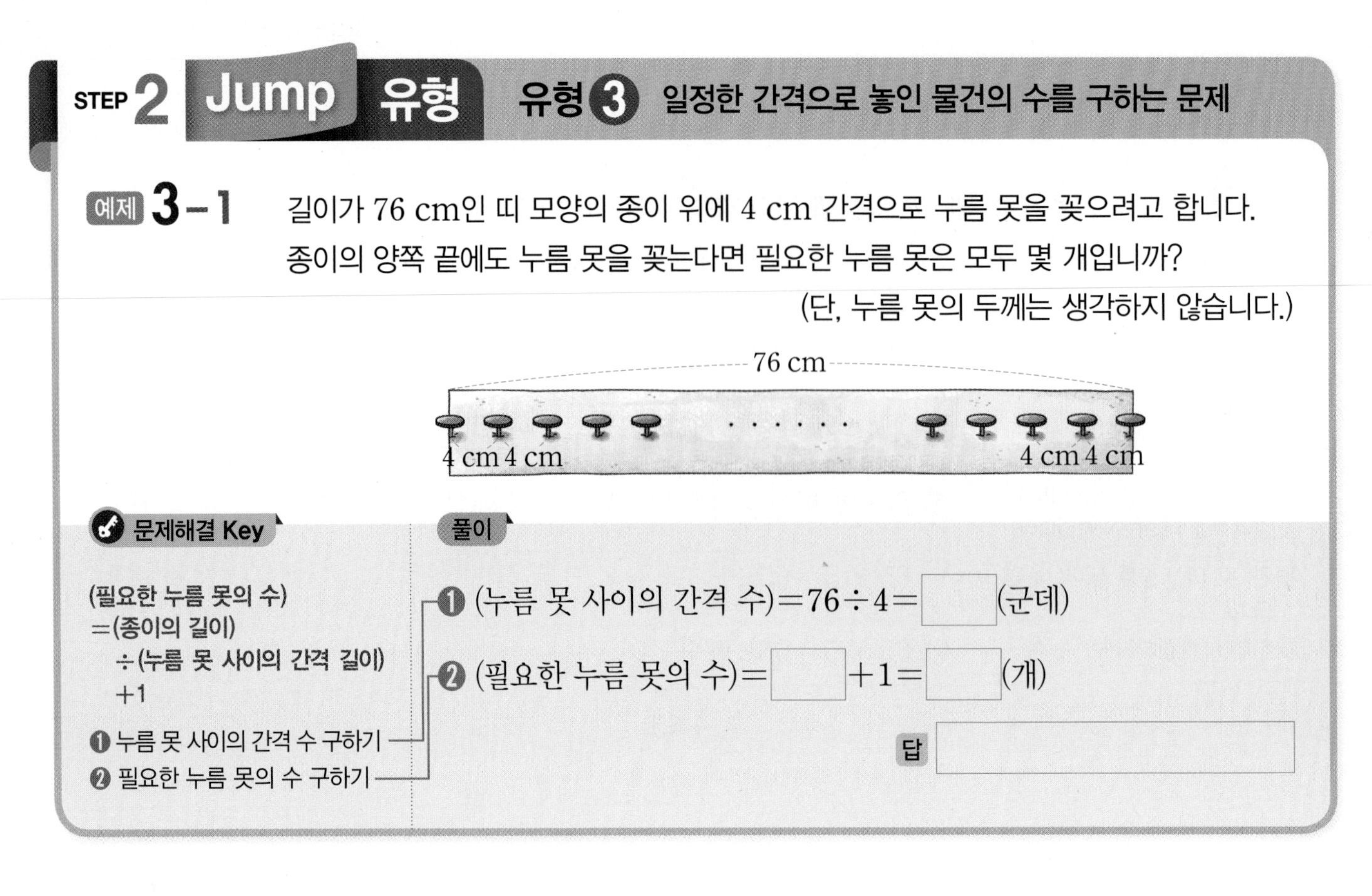

STEP 2 Jump 유형

유형 3 일정한 간격으로 놓인 물건의 수를 구하는 문제

예제 3-1 길이가 76 cm인 띠 모양의 종이 위에 4 cm 간격으로 누름 못을 꽂으려고 합니다. 종이의 양쪽 끝에도 누름 못을 꽂는다면 필요한 누름 못은 모두 몇 개입니까?

(단, 누름 못의 두께는 생각하지 않습니다.)

문제해결 Key

(필요한 누름 못의 수)
=(종이의 길이)
÷(누름 못 사이의 간격 길이)
+1

❶ 누름 못 사이의 간격 수 구하기
❷ 필요한 누름 못의 수 구하기

풀이

❶ (누름 못 사이의 간격 수)$=76\div4=$☐(군데)

❷ (필요한 누름 못의 수)$=$☐$+1=$☐(개)

답 ☐

예제 3-2 길이가 84 m인 도로 한쪽에 나무 8그루를 일정한 간격으로 심으려고 합니다. 도로의 처음과 끝에도 나무를 심는다면 나무 사이의 간격은 몇 m입니까?

(단, 나무의 두께는 생각하지 않습니다.)

(　　　　　　　　)

예제 3-3 길이가 91 m인 도로의 양쪽에 7 m 간격으로 가로등을 설치하려고 합니다. 도로의 처음과 끝에도 가로등을 설치한다면 필요한 가로등은 모두 몇 개입니까?

(단, 가로등의 두께는 생각하지 않습니다.)

(　　　　　　　　)

응용 3-4 둘레가 90 m인 원 모양의 연못이 있습니다. 이 연못의 둘레에 6 m 간격으로 나무를 심으려고 합니다. 필요한 나무는 모두 몇 그루입니까? (단, 나무의 두께는 생각하지 않습니다.)

(　　　　　　　　)

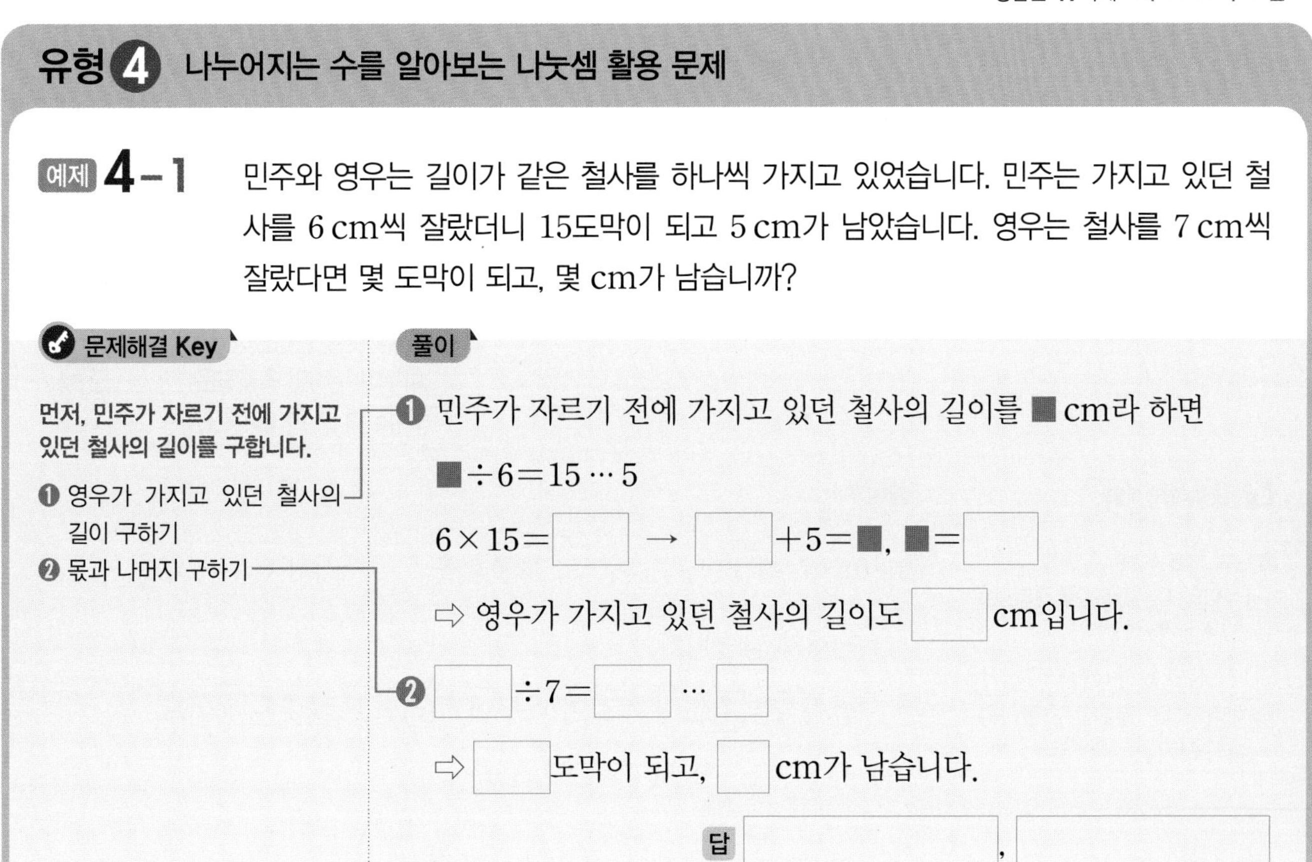

유형 4 나누어지는 수를 알아보는 나눗셈 활용 문제

예제 4-1 민주와 영우는 길이가 같은 철사를 하나씩 가지고 있었습니다. 민주는 가지고 있던 철사를 6 cm씩 잘랐더니 15도막이 되고 5 cm가 남았습니다. 영우는 철사를 7 cm씩 잘랐다면 몇 도막이 되고, 몇 cm가 남습니까?

문제해결 Key

먼저, 민주가 자르기 전에 가지고 있던 철사의 길이를 구합니다.

❶ 영우가 가지고 있던 철사의 길이 구하기

❷ 몫과 나머지 구하기

풀이

❶ 민주가 자르기 전에 가지고 있던 철사의 길이를 ■ cm라 하면

■ $\div 6 = 15 \cdots 5$

$6 \times 15 =$ □ → □ $+5=$ ■, ■ $=$ □

⇨ 영우가 가지고 있던 철사의 길이도 □ cm입니다.

❷ □ $\div 7 =$ □ $\cdots$ □

⇨ □ 도막이 되고, □ cm가 남습니다.

답 □, □

2 나눗셈

예제 4-2 길이가 같은 빨간색 테이프와 파란색 테이프가 있었습니다. 빨간색 테이프를 8 cm씩 잘랐더니 12도막이 되고 3 cm가 남았습니다. 파란색 테이프를 7 cm씩 자른다면 몇 도막이 되고, 몇 cm가 남습니까?

( ), ( )

응용 4-3 편의점에서 음료수를 한 줄에 7개씩 놓았더니 12줄이 되고 6개가 남았습니다. 이 음료수를 8개까지 넣을 수 있는 상자에 넣으려고 합니다. 음료수를 모두 상자에 넣으려면 상자는 적어도 몇 개 필요합니까?

( )

유형 5 적어도 더 필요한 물건의 수를 구하는 문제

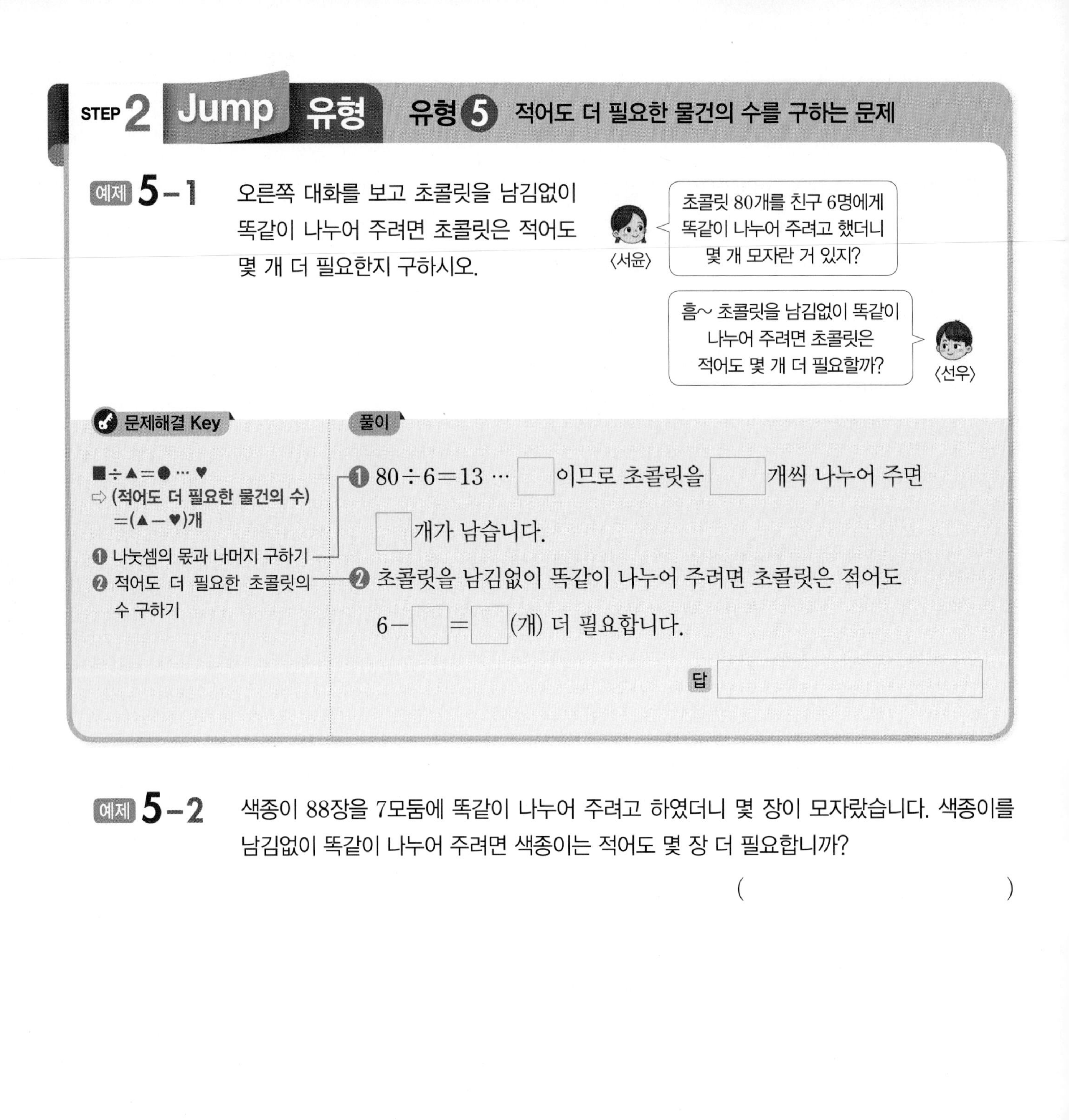

예제 5-1
오른쪽 대화를 보고 초콜릿을 남김없이 똑같이 나누어 주려면 초콜릿은 적어도 몇 개 더 필요한지 구하시오.
초콜릿 80개를 친구 6명에게 똑같이 나누어 주려고 했더니 몇 개 모자란 거 있지?
〈서윤〉
흠~ 초콜릿을 남김없이 똑같이 나누어 주려면 초콜릿은 적어도 몇 개 더 필요할까?
〈선우〉
문제해결 Key
■÷▲=●…♥
⇨ (적어도 더 필요한 물건의 수) =(▲−♥)개
❶ 나눗셈의 몫과 나머지 구하기
❷ 적어도 더 필요한 초콜릿의 수 구하기
풀이
❶ 80÷6=13 … □이므로 초콜릿을 □개씩 나누어 주면 □개가 남습니다.
❷ 초콜릿을 남김없이 똑같이 나누어 주려면 초콜릿은 적어도 6−□=□(개) 더 필요합니다.
답

예제 5-2 색종이 88장을 7모둠에 똑같이 나누어 주려고 하였더니 몇 장이 모자랐습니다. 색종이를 남김없이 똑같이 나누어 주려면 색종이는 적어도 몇 장 더 필요합니까?

(　　　　　　　　)

응용 5-3 한 상자에 23개씩 들어 있는 사과가 4상자 있습니다. 이 사과를 한 봉지에 8개씩 담아 판매하려고 합니다. 사과를 남김없이 봉지에 담아 팔려면 사과는 적어도 몇 개 더 필요합니까?

(　　　　　　　　)

유형 6 나눗셈식에서 알맞은 숫자를 구하는 문제

예제 6-1 오른쪽 나눗셈식에서 ㉠, ㉡, ㉢, ㉣, ㉤에 알맞은 숫자를 각각 구하시오.

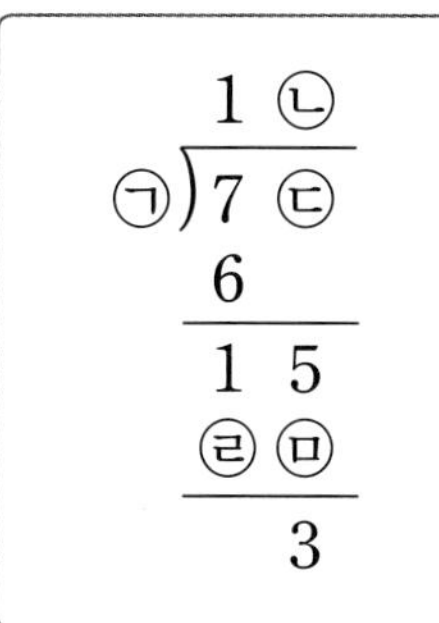

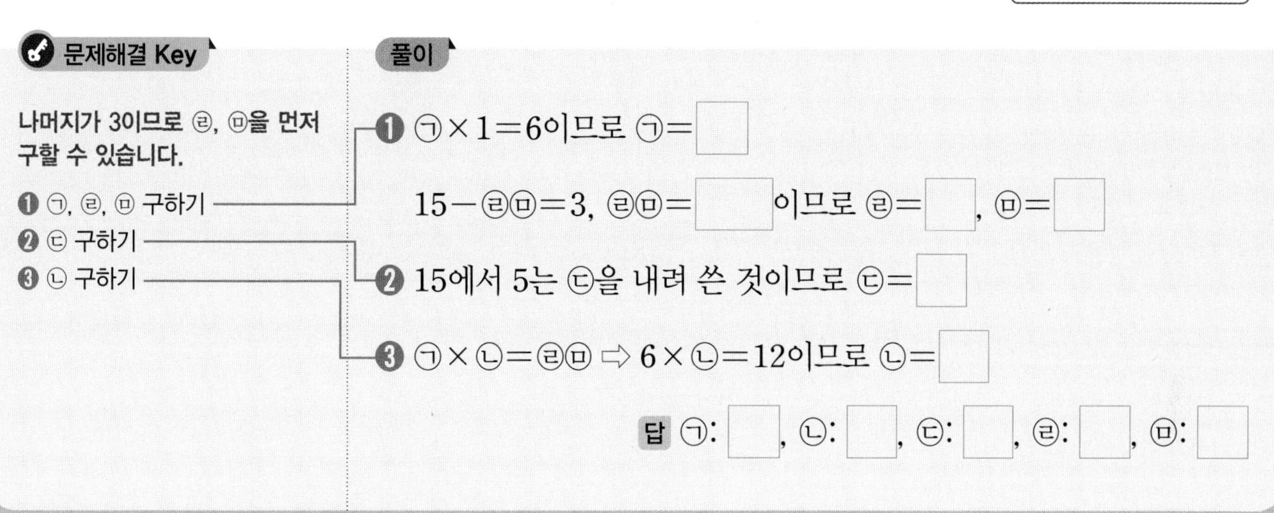

문제해결 Key

나머지가 3이므로 ㉣, ㉤을 먼저 구할 수 있습니다.

❶ ㉠, ㉣, ㉤ 구하기
❷ ㉢ 구하기
❸ ㉡ 구하기

풀이

❶ ㉠×1=6이므로 ㉠=☐

15−㉣㉤=3, ㉣㉤=☐이므로 ㉣=☐, ㉤=☐

❷ 15에서 5는 ㉢을 내려 쓴 것이므로 ㉢=☐

❸ ㉠×㉡=㉣㉤ ⇨ 6×㉡=12이므로 ㉡=☐

답 ㉠: ☐, ㉡: ☐, ㉢: ☐, ㉣: ☐, ㉤: ☐

예제 6-2 오른쪽 나눗셈식에서 ☐ 안에 알맞은 숫자를 써넣으시오.

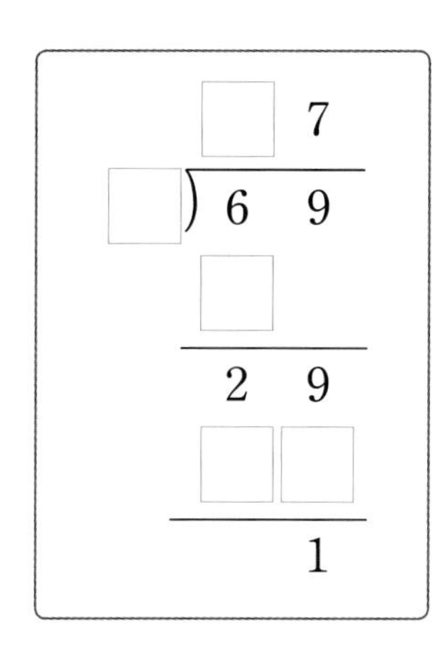

응용 6-3 오른쪽 나눗셈식에서 ☐ 안에 알맞은 숫자를 써넣으시오.

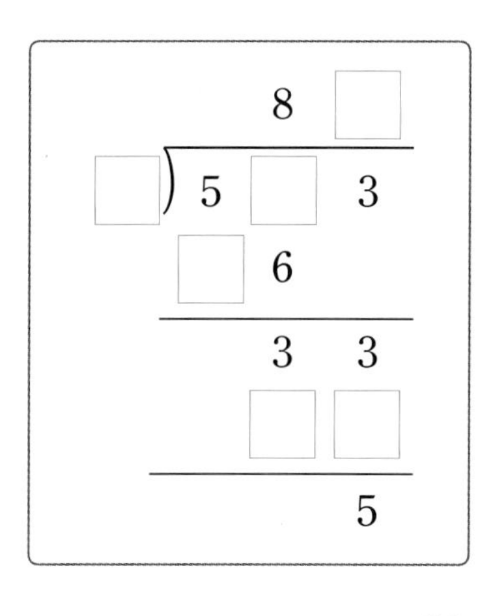

2 나눗셈

유형 7 수 카드를 사용하여 나눗셈식을 만드는 문제

예제 7-1 3장의 수 카드를 한 번씩 모두 사용하여 나눗셈식 □□÷□를 만들었습니다. 나누어떨어지는 나눗셈식은 모두 몇 가지입니까?

2 8 4

문제해결 Key

먼저 만들 수 있는 나눗셈식을 모두 구해 봅니다.

① 나눗셈식 만들기
② 나눗셈식 계산하기
③ 나누어떨어지는 나눗셈식은 모두 몇 가지인지 구하기

풀이

① 만들 수 있는 □□÷□를 알아보면

$28 \div 4$, $24 \div$ □, $82 \div$ □, $84 \div 2$, □ $\div 8$, $48 \div 2$

② 나눗셈식을 계산하면

$28 \div 4=$ □, $24 \div 8=3$, $82 \div 4=$ □ $\cdots 2$,

$84 \div 2=42$, $42 \div 8=$ □ $\cdots 2$, $48 \div 2=$ □

③ 나누어떨어지는 나눗셈식은 모두 □가지입니다.

답

예제 7-2 3장의 수 카드를 한 번씩 모두 사용하여 나눗셈식 □□÷□를 만들었습니다. 나누어떨어지지 않는 나눗셈식은 모두 몇 가지입니까?

6 4 5

(　　　　　　)

응용 7-3 3장의 수 카드를 한 번씩 모두 사용하여 나눗셈식 □□÷□를 만들었습니다. 나머지가 가장 큰 나눗셈식의 몫을 구하시오.

7 2 8

(　　　　　　)

창의·융합

유형 8 조건을 만족하는 수를 구하는 문제

[수학+게임]

예제 8-1 *젠가는 한 층에 블록을 3개씩 쌓은 탑에서 맨 위층에 놓인 3개의 블록을 제외하고, 나머지 층에서 블록 하나를 빼내 다시 맨 위층에 쌓는 게임입니다. 게임에 사용되는 나무 블록은 모두 ★개입니다. ★이 다음 조건을 만족할 때 젠가를 블록 3개씩 몇 층으로 쌓았는지 구하시오.

*젠가: 젠가는 영국에서 개발된 게임으로 블록을 제대로 빼내지 못하거나 쌓을 때 무너지면 지는 게임

▲ 젠가

조건
- 40보다 크고 60보다 작은 수 중 6으로 나누어떨어집니다.
- 십의 자리 숫자와 일의 자리 숫자의 합은 9입니다.

문제해결 Key

(블록의 층 수)
=(블록의 수)
÷(한 층에 쌓은 블록의 수)

❶ 6으로 나누었을 때 나누어떨어지는 수 구하기
❷ ★ 구하기
❸ 젠가를 몇 층으로 쌓았는지 구하기

풀이

❶ 40보다 크고 60보다 작은 수 중 6으로 나누어떨어지는 수는 42, $42+6=$ ☐, ☐ $+6=$ ☐ 입니다.

❷ 42, ☐, 54 중에서 십의 자리 숫자와 일의 자리 숫자의 합이 9인 것은 ☐ 이므로 ★$=$ ☐ 입니다.

❸ (블록의 층 수)$=$ ☐ $\div 3=$ ☐ (층)

답 ☐

[수학+과학]

응용 8-2 다음 뉴스를 보고 물음에 답하시오.

→5보다 크거나 5와 같은

기상청은 앞으로 규모 5 이상의 지진이 발생하면 국민들에게 2분 안에 문자를 발송한다고 합니다. *'지진파'의 빠르기는 1초에 약 4 km입니다. 서울에서 약 400 km 떨어진 부산에서 지진이 나면 서울까지 약 100초면 지진파가 도달합니다.

*지진파: 지진에 의해 발생하는 진동. 지진이 발생하면 지진이 일어나는 곳을 중심으로 진동이 지진파의 형태로 사방으로 퍼져갑니다.

상우네 집에서 지진이 발생한 곳까지의 거리는 ● km입니다. ●가 다음 조건을 만족할 때 지진 발생 후 상우네 집에 지진파가 도착할 때까지 약 몇 초가 걸리겠습니까?

조건
- 60보다 크고 90보다 작은 수 중 5로 나누면 3이 남습니다.
- 일의 자리 숫자와 십의 자리 숫자가 같습니다.

( )

2
나눗셈

문제 풀이 동영상 >>

01 다음 중 □÷6의 나머지가 될 수 <u>없는</u> 수는 몇 개입니까?

2	3	4	5	6	7	8	9

(　　　　　　　　　　)

유형 ❶ □ 안에 들어갈 수 있는 수를 구하는 문제

02 다음 나눗셈이 나누어떨어지게 하려고 합니다. 0부터 9까지의 숫자 중에서 □ 안에 들어갈 수 있는 숫자를 모두 쓰시오.

9□÷7

(　　　　　　　　　　)

창의·융합

[수학 + 국어] 유형 ❹ 나누어지는 수를 알아보는 나눗셈 활용 문제

03 *정월대보름에는 **부럼을 깨서 먹는 풍습이 있습니다. 수연이는 부럼으로 깨 먹을 호두를 사 왔습니다. 4명에게 똑같이 나누어 주었더니 한 사람이 19개씩 가지고 3개가 남았습니다. 이 호두를 다시 6명에게 똑같이 나누어 주면 한 사람이 최대 몇 개씩 가지고, 몇 개가 남는지 차례로 쓰시오.

*정월대보름: 우리나라 명절 중 하나로 음력 1월 15일

**부럼: 정월대보름날 아침에 깨먹는 밤 · 호두 · 땅콩 등의 견과류

(　　　　　　　　　　), (　　　　　　　　　　)

유형 4 나누어지는 수를 알아보는 나눗셈 활용 문제

04 다음은 나머지가 있는 나눗셈식입니다. ㉮에 들어갈 수 있는 수 중에서 가장 큰 수를 구하시오. (단, □는 자연수입니다.)

㉮÷6=15 … □

( )

유형 3 일정한 간격으로 놓인 물건의 수를 구하는 문제

05 운동장에 한 변이 70 m인 정사각형을 그리고, 그 정사각형의 모든 변에 5 m 간격으로 표지판을 세우려고 합니다. 정사각형의 네 꼭짓점에 모두 표지판을 세운다고 할 때, 표지판을 모두 몇 개 세울 수 있습니까?

(단, 표지판의 두께는 생각하지 않습니다.)

( )

유형 5 적어도 더 필요한 물건의 수를 구하는 문제

06 대화를 보고 과자는 적어도 몇 상자 더 필요한지 구하시오.

( )

07 체육 시간에 학생 95명이 짝짓기 놀이를 했습니다. 첫 번째에는 7명씩 짝을 짓고, 두 번째에는 첫 번째에서 짝을 지었던 학생들끼리 6명씩 짝을 지었습니다. 첫 번째와 두 번째에서 짝을 짓지 못하고 남은 학생은 모두 몇 명입니까?

( )

유형 ② 약속에 따라 값을 구하는 문제

08 보기 와 같이 [ ]와 ⊙를 약속할 때, 다음을 계산하시오.

(단, 앞에서부터 차례로 계산합니다.)

보기

[가, 나]: 가÷나의 몫

㉠⊙㉡=㉠÷㉡+㉡

[193, 3]⊙8

( )

유형 ⑦ 수 카드를 사용하여 나눗셈식을 만드는 문제

09 3장의 수 카드 [3], [6], [9] 중에서 2장을 골라 한 번씩만 사용하여 두 자리 수를 만들었습니다. 만든 두 자리 수를 나머지 수 카드의 수로 나누었을 때, 가장 큰 몫과 가장 작은 몫을 구하여 차를 구하시오.

( )

유형 ❻ 나눗셈식에서 알맞은 숫자를 구하는 문제

10 오른쪽 나눗셈식에서 ㉡이 1일 때 ㉠에 들어갈 수 있는 숫자를 모두 구하시오.

$$
\begin{array}{r}
\square\,\square \\
6\,\overline{)\,7\;㉠} \\
\square \\
\hline
\square\,\square \\
\square\,\square \\
\hline
㉡
\end{array}
$$

( )

유형 ❼ 수 카드를 사용하여 나눗셈식을 만드는 문제

11 나눗셈식이 성립하도록 수 카드 [2], [3], [4], [6], [7] 중에서 4장을 골라 □ 안에 한 번씩만 넣으려고 합니다. ㉡에 들어갈 수 있는 수를 모두 구하시오.

㉠5÷㉡=㉢…㉣

( )

고대 경시 유형

12 달력에서 모양으로 오른쪽 그림과 같이 5개의 수를 선택하여 모두 더하면 40입니다. 이와 같은 방법으로 어느 달의 달력에 모양을 그리고 그 안의 5개의 수를 모두 더했더니 85가 되었습니다. 이때 모양 안의 5개의 수 중에서 가장 큰 수를 구하시오.

( )

2
나눗셈

유형 8 조건을 만족하는 수를 구하는 문제

13 다음 조건 을 모두 만족하는 자연수를 구하시오.

조건
- 40보다 크고 80보다 작습니다.
- 5로 나누어떨어집니다.
- 8로 나누면 나머지는 3입니다.

( )

창의·융합

[수학+음악]

14 한 마디 안에 사분음표가 4개 들어 있는 것을 $\frac{4}{4}$박자라고 합니다. 오른쪽 공책에 쓴 음표를 모두 사용하여 $\frac{4}{4}$박자의 곡을 작곡한다면 몇 마디를 작곡할 수 있습니까?

♩	𝅗𝅥	♪	𝅗𝅥.
사분음표	이분음표	팔분음표	점이분음표
1박	2박	$\frac{1}{2}$박	3박

♩ : 11개
𝅗𝅥 : 7개
♪ : 10개
𝅗𝅥. : 6개

( )

참고

음표	이름	박
𝅝	온음표	4박
♩.	점사분음표	1과 $\frac{1}{2}$박
♪.	점팔분음표	$\frac{3}{4}$박
𝅘𝅥𝅯	십육분음표	$\frac{1}{4}$박

성대 경시 유형 유형 4 나누어지는 수를 알아보는 나눗셈 활용 문제

15 6으로 나누었을 때 나머지가 5인 두 자리 수 중에서 가장 큰 수는 얼마입니까?

( )

성대 경시 유형

16 **보기** 는 35022053을 계속 이어 붙여 14자리 수를 만든 것입니다. 이때 마지막 세 자리 수는 220입니다. **보기** 와 같은 방법으로 100자리 수를 만들 때, 마지막 네 자리 수는 무엇입니까?

보기

35022053350220

(   )

유형 ❸ 일정한 간격으로 놓인 물건의 수를 구하는 문제

17 운동장에 한 변이 80 m인 정사각형 모양의 선을 긋고 그 위에 4 m 간격으로 여학생을 세운 다음, 여학생 사이에 남학생을 한 명씩 세우려고 합니다. 정사각형의 네 꼭짓점 부분에 모두 여학생을 세운다고 할 때 학생은 모두 몇 명 세울 수 있습니까?

(   )

성대 경시 유형

18 70과 91을 어떤 한 자리 수 ㉠으로 나누었더니 각각 나머지가 한 자리 수인 ㉡으로 같았습니다. 이때 ㉠+㉡을 구하시오.

(   )

문제 풀이 동영상 >>

창의·융합

01 [수학 + 음악]

피아노는 손가락으로 건반을 두드려 소리를 내는 건반 악기로 검은 건반과 흰 건반이 있습니다. 다음과 같이 흰 건반은 음계의 각 음에 주어진 이름을 도, 레, 미, 파, 솔, 라, 시라고 부르고 이 7음계가 반복됩니다. 일반적인 피아노에서 흰 건반은 7음계가 7번 반복되고 3개가 남습니다. 흰 건반이 검은 검반보다 16개 많다면 일반적인 피아노의 전체 건반은 모두 몇 개입니까?

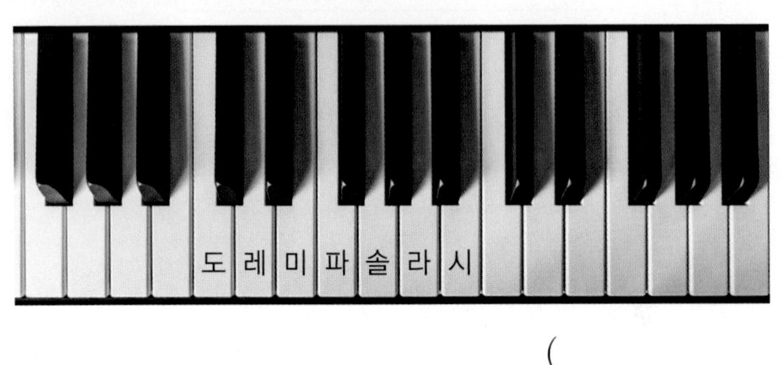

(　　　　　　　　　　　)

02 네 변의 길이의 합이 72 cm인 정사각형을 다음과 같은 규칙으로 선을 그어 크기가 같은 정사각형이 여러 개가 되도록 만들었습니다. 6째에서 만든 가장 작은 정사각형 한 개의 네 변의 길이의 합은 몇 cm입니까?

첫째　　둘째　　셋째　　넷째　　……

(　　　　　　　　　　　)

해법 경시 유형

03 [●÷▲]는 ●÷▲의 몫입니다. 예를 들어 [19÷3]=6입니다. 다음과 같은 규칙으로 늘어놓을 때 늘어놓은 수들의 합을 구하시오.

[65÷8], [66÷8], [67÷8] …… [89÷8], [90÷8]

( )

성대 경시 유형

04 ㉠, ㉡, ㉢이 서로 다른 숫자이고 두 자리 수 ㉠㉡을 한 자리 수 ㉢으로 나눈 몫과 나머지의 합이 13입니다. 이때 가장 작은 세 자리 수 ㉠㉡㉢을 구하시오.

( )

해법 경시 유형

05 어떤 두 자리 수를 그 수의 십의 자리 숫자로 나눈 몫은 10이고, 일의 자리 숫자로 나눈 몫은 13입니다. 어떤 수가 될 수 있는 수들의 합을 구하시오.

(단, 반드시 나누어떨어지는 것은 아닙니다.)

( )

고대 이집트의 곱셈과 나눗셈

이집트 사람들은 곱셈을 할 때 오른쪽과 같은 표를 만들어 계산하였습니다. 두 칸으로 나눈 표에서 왼쪽 칸은 항상 1로 시작하고, 내려갈수록 2배가 됩니다.

오른쪽 칸은 곱해지는 수부터 시작해서 아래로 내려갈수록 2배가 됩니다.

그럼 고대 이집트 사람들의 곱셈 방법으로 직접 계산해 볼까요?

1부터 내려갈수록 2배가 됩니다.

1	
2	
4	
8	
16	

곱해지는 수부터 내려갈수록 2배가 됩니다.

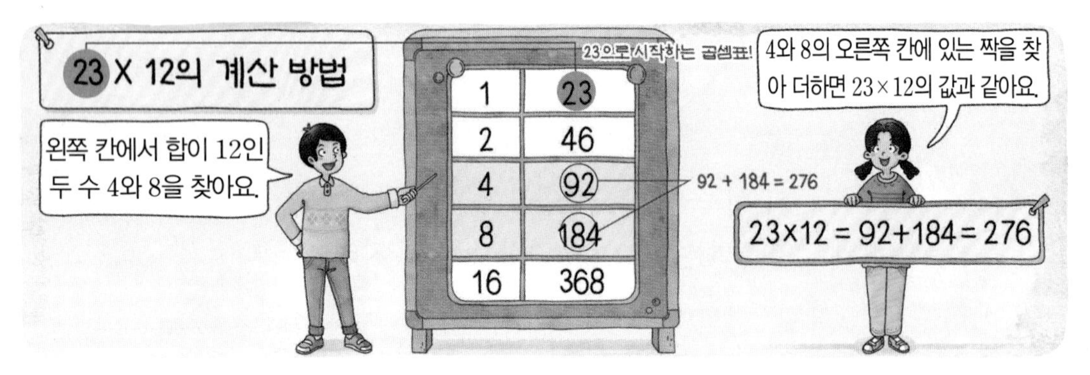

이집트 사람들은 나눗셈을 할 때에도 다음과 같은 표를 사용하였습니다.

3 원

꼭! 알아야 할 대표 유형

유형 ❶ 원의 중심의 수를 구하는 문제

유형 ❷ 사각형 안에 그릴 수 있는 원의 반지름을 구하는 문제

유형 ❸ 한 원 안에 원이 여러 개 있을 때 원의 반지름을 구하는 문제

유형 ❹ 원을 둘러싼 선의 길이를 구하는 문제

유형 ❺ 원의 지름(반지름)을 이용하여 선분의 길이를 구하는 문제

유형 ❻ 직사각형을 이용하여 원의 반지름을 구하는 문제

유형 ❼ 원의 중심을 이어서 만든 도형의 변의 길이를 구하는 문제

유형 ❽ **[창의 · 융합]** 원의 지름과 반지름의 관계에 관한 문제

단계	쪽수	공부한 날	점수
1단계 Start 개념	52~55	월 일	O X
2단계 Jump 유형	56~63	월 일	O X
3단계 Master 심화	64~69	월 일	O X
4단계 Top 최고수준	70~71	월 일	O X

※ O에는 맞힌 개수, X에는 틀린 개수를 써넣으세요.

1 원의 중심, 반지름, 지름

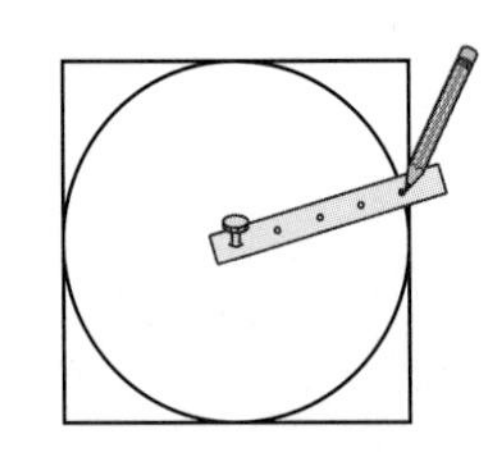

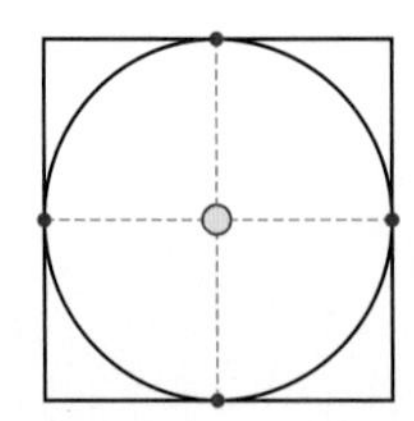

누름 못이 꽂힌 점에서 원 위의 한 점까지의 길이는 모두 같습니다.

- 원의 중심: 원을 그릴 때에 누름 못이 꽂혔던 점 ㅇ
- 원의 반지름: 원의 중심 ㅇ과 원 위의 한 점을 이은 선분
- 원의 지름: 원 위의 두 점을 이은 선분 중 원의 중심 ㅇ을 지나는 선분

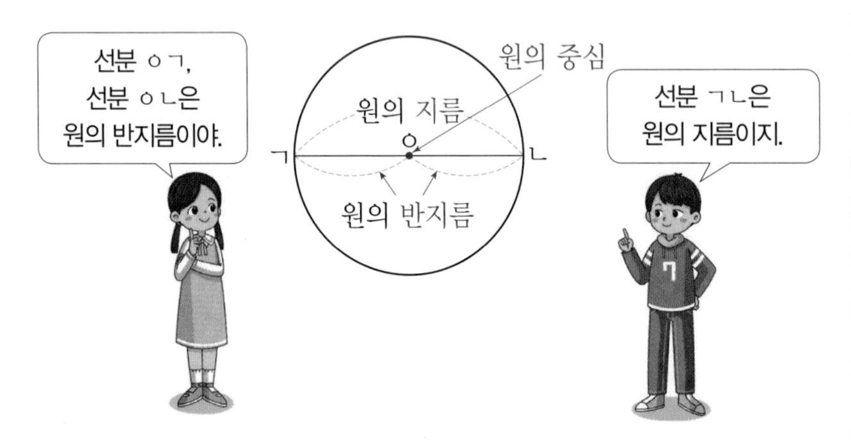

2 원의 성질

① 지름은 원을 둘로 똑같이 나눕니다.
② 지름은 원 안에 그을 수 있는 가장 긴 선분입니다.
③ 지름은 무수히 많이 그을 수 있습니다.
④ 한 원에서 지름은 반지름의 2배입니다.

(원의 지름)=(원의 반지름)$\times$2

미리보기 6-1

원주와 원주율

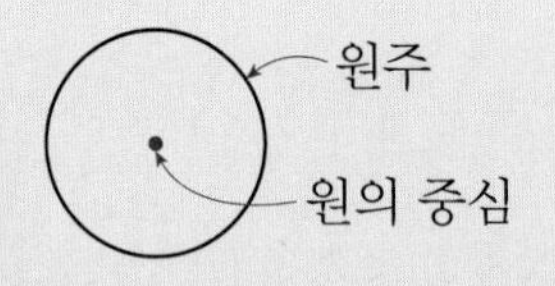

- **원주**: 원의 둘레 또는 원주의 길이
- **원주율**: 지름에 대한 원주의 비의 값

(원주율)=(원주)$\div$(지름)

참고

원의 반지름과 지름

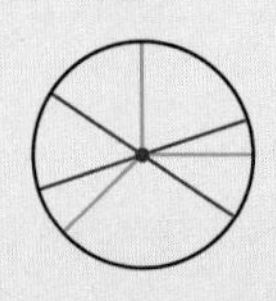

① 한 원에는 원의 반지름과 지름을 무수히 많이 그을 수 있습니다.
② 한 원에서 원의 반지름과 지름은 각각 같습니다.

개념 활용

원과 사각형의 관계

- 정사각형 안에 가장 큰 원을 그렸을 때 원의 지름은 정사각형의 한 변의 길이와 같습니다.

원의 지름

- 직사각형 안에 가장 큰 원을 그렸을 때 원의 지름은 직사각형의 가로와 세로 중 더 짧은 것의 길이와 같습니다.

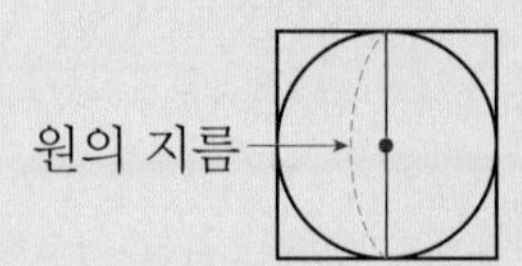

1 원의 반지름을 모두 찾아 쓰시오.

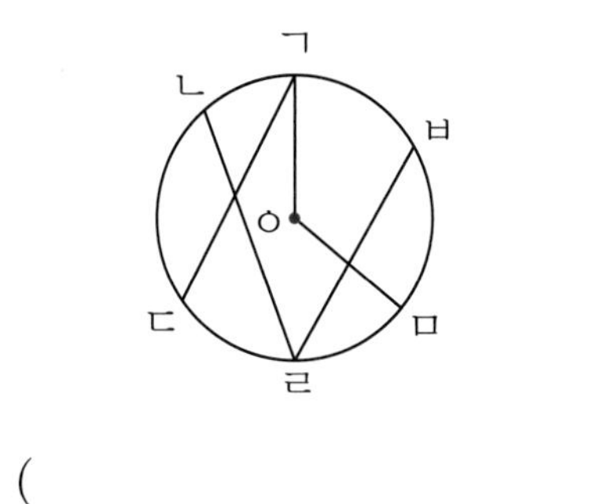

( )

2 그림에서 원의 지름과 반지름은 각각 몇 cm 입니까?

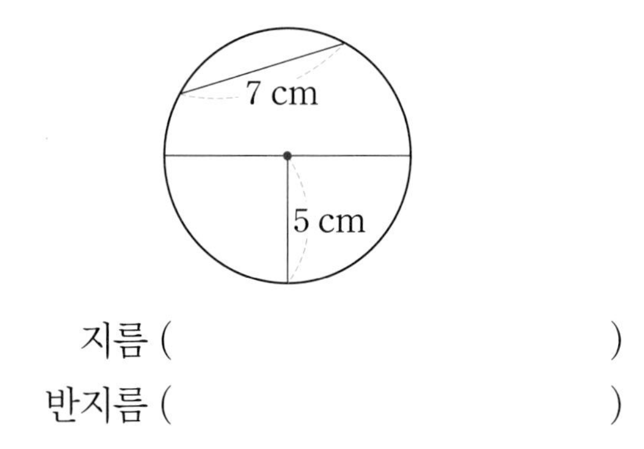

지름 ( )
반지름 ( )

3 다음 중 잘못 설명한 것을 찾아 기호를 쓰시오.

> ㉠ 반지름이 2 cm인 원의 지름은 4 cm 입니다.
> ㉡ 원의 중심을 지나는 선분의 길이는 모두 같지 않습니다.
> ㉢ 원을 둘로 똑같이 나누는 선분은 지름입니다.

( )

4 그림과 같이 정사각형 안에 가장 큰 원을 그렸습니다. 원의 지름은 몇 cm입니까?

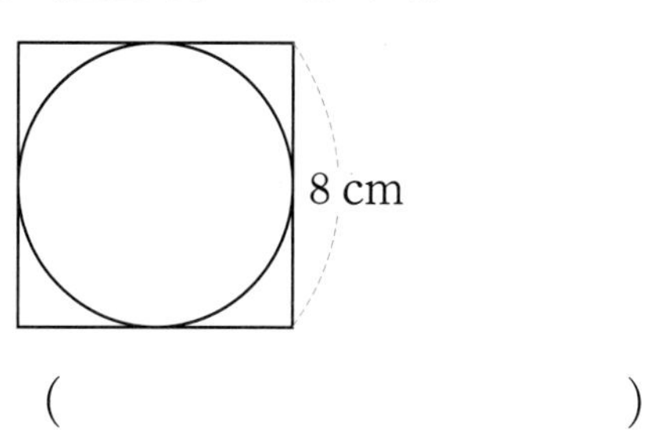

( )

5 점 ㄱ, 점 ㄴ은 원의 중심입니다. 선분 ㄱㄴ의 길이는 몇 cm입니까?

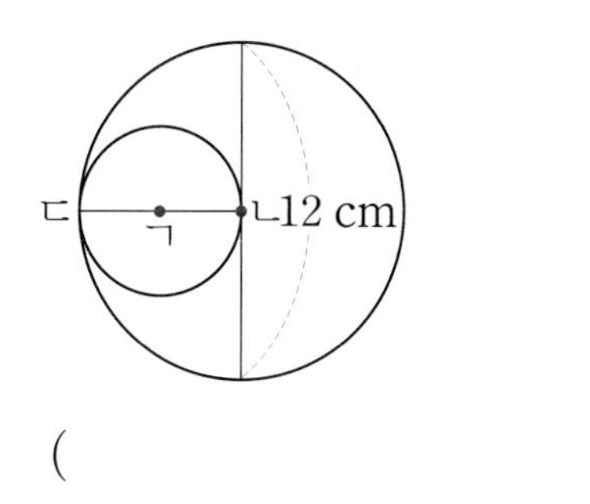

( )

6 원의 중심이 같은 3개의 원이 있습니다. 3개의 원 중에서 가장 작은 원의 지름은 몇 cm입니까?

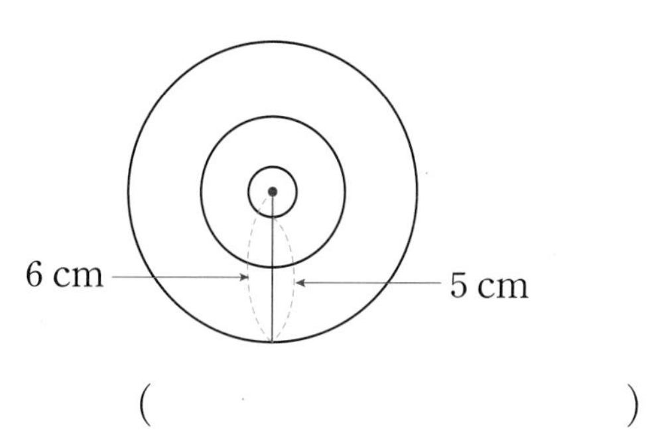

( )

1 컴퍼스를 이용하여 원 그리기

• 컴퍼스를 이용하여 반지름이 2 cm인 원을 그리는 방법

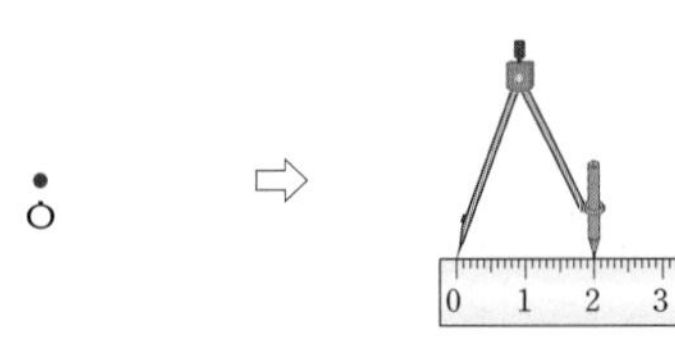

원의 중심이 되는 점 ㅇ을 정합니다.	⇨ 컴퍼스를 원의 반지름만큼 벌립니다.	⇨ 컴퍼스의 침을 점 ㅇ에 꽂고 원을 그립니다.

2 원을 이용하여 여러 가지 모양 그리기

• 규칙을 찾아 원 그리기

원의 중심은 같고 반지름이 변하는 규칙	원의 중심은 변하고 반지름이 같은 규칙	원의 중심과 반지름이 모두 변하는 규칙
예	예	예

⇨ 원의 중심과 반지름이 어떻게 변하는지 살펴보고 규칙을 찾아봅니다.

• 모양을 그리고 방법 설명하기

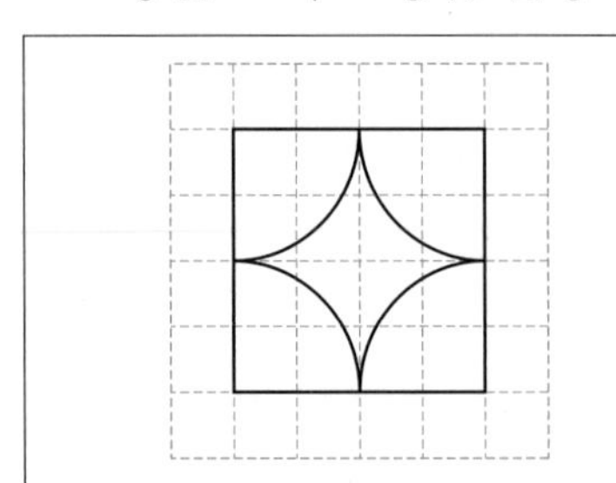

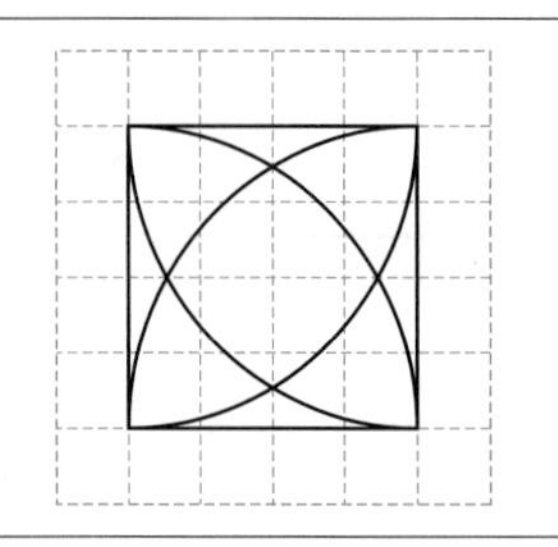

정사각형의 꼭짓점을 원의 중심으로 하는 원의 일부분을 4개 그립니다.	
(원의 지름)=(정사각형의 한 변)	(원의 반지름)=(정사각형의 한 변)

미리보기 6-1

원의 넓이

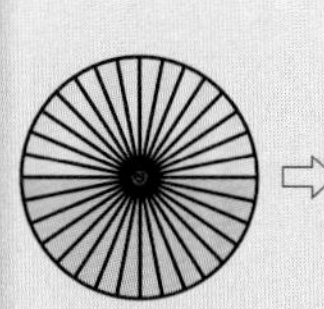

(원의 넓이)=(원주)$\times\frac{1}{2}\times$(반지름)

직사각형의 넓이 =(지름)×(원주율)$\times\frac{1}{2}\times$(반지름)

=(반지름)×(반지름)×(원주율)

개념 활용 1

원의 지름과 반지름의 관계 활용

예 선분 ㄱㄴ의 길이 구하기

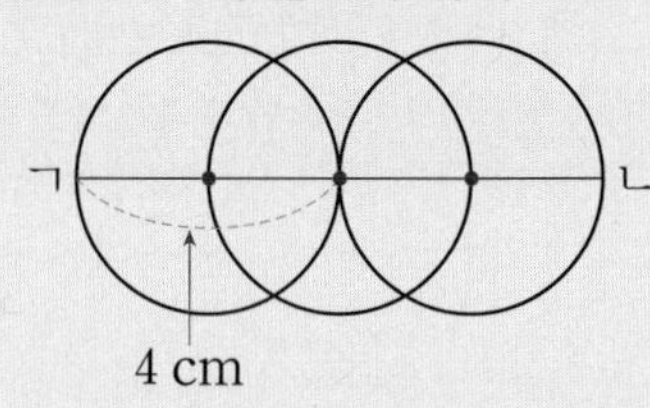

⇨ (원 1개의 반지름)$=4\div2$

$=2$ (cm)

(선분 ㄱㄴ)=(반지름의 4배)

$=2\times4$

$=8$ (cm)

개념 활용 2

원의 지름을 활용하여 직사각형의 변의 길이 구하기

예 직사각형의 가로 구하기

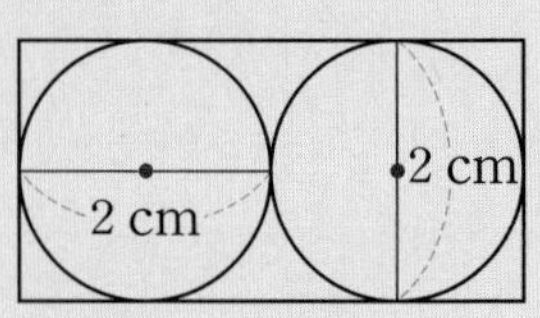

⇨ (직사각형의 가로)

=(지름의 2배)

$=2\times2=4$ (cm)

1 다음과 같은 모양을 그리기 위하여 컴퍼스의 침을 꽂아야 할 곳은 모두 몇 군데입니까?

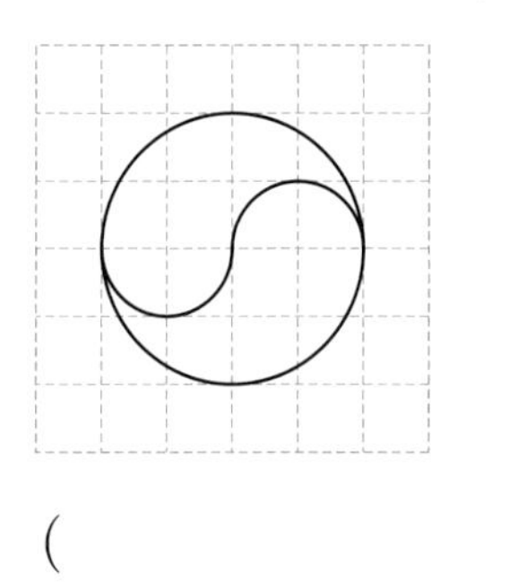

( )

2 규칙에 따라 원을 1개 더 그려 보시오.

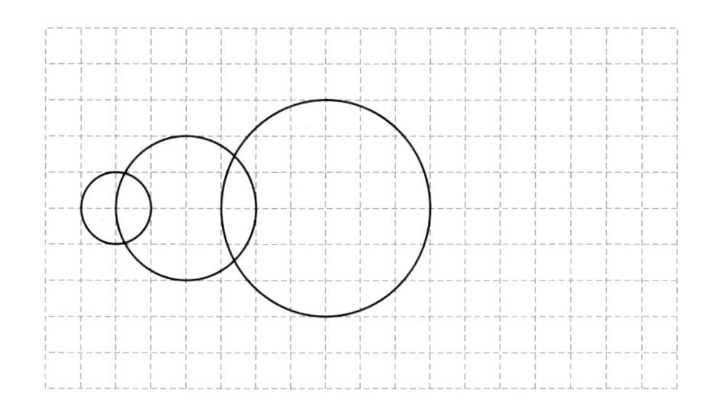

3 컴퍼스를 이용하여 다음과 같은 원을 그리려고 합니다. 컴퍼스를 몇 cm 벌려야 합니까?

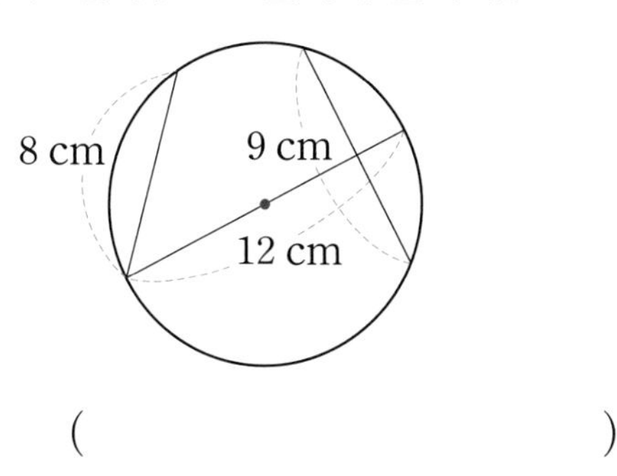

( )

4 규칙에 따라 원을 그렸습니다. 가장 작은 원의 반지름이 1 cm이면 가장 큰 원의 반지름은 몇 cm입니까?

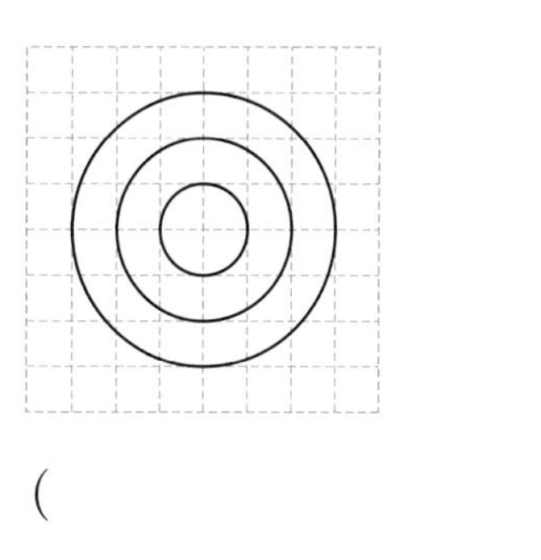

( )

5 직사각형 안에 반지름이 4 cm인 원을 그렸습니다. 직사각형의 가로는 몇 cm입니까?

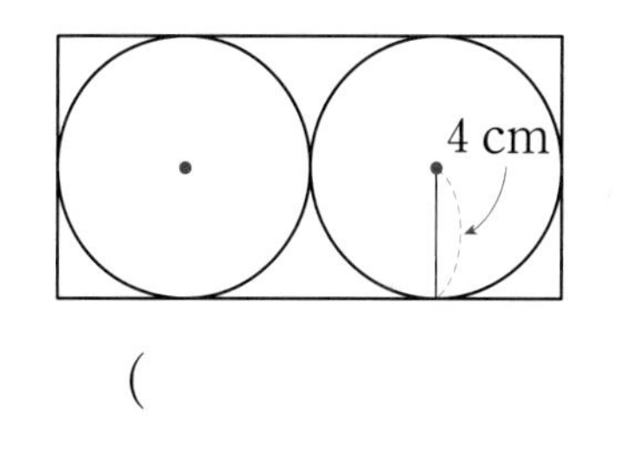

( )

6 지름이 14 cm인 원 4개를 그림과 같이 서로 중심이 지나도록 겹쳐 놓았습니다. 선분 ㄱㄴ의 길이는 몇 cm입니까?

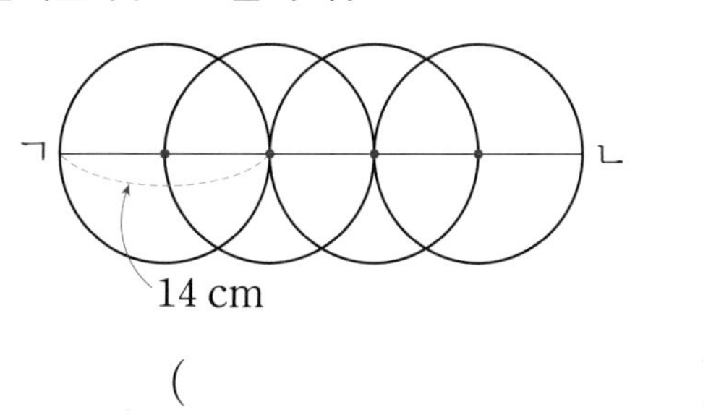

( )

STEP 2 Jump 유형

유형 ❶ 원의 중심의 수를 구하는 문제

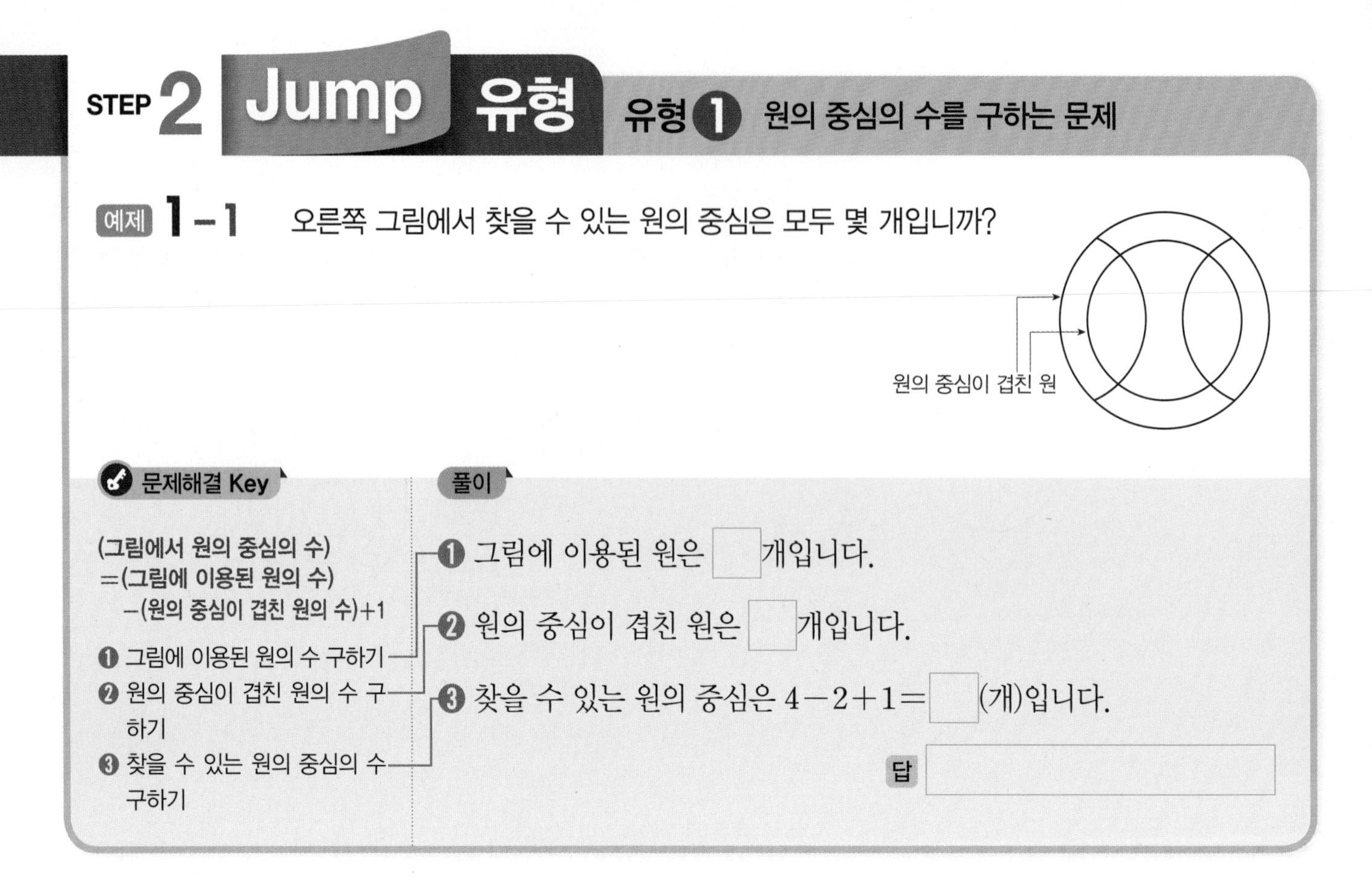

예제 1-1 오른쪽 그림에서 찾을 수 있는 원의 중심은 모두 몇 개입니까?

문제해결 Key

(그림에서 원의 중심의 수)
=(그림에 이용된 원의 수)
−(원의 중심이 겹친 원의 수)+1

❶ 그림에 이용된 원의 수 구하기
❷ 원의 중심이 겹친 원의 수 구하기
❸ 찾을 수 있는 원의 중심의 수 구하기

풀이

❶ 그림에 이용된 원은 ☐개입니다.

❷ 원의 중심이 겹친 원은 ☐개입니다.

❸ 찾을 수 있는 원의 중심은 $4-2+1=$ ☐(개)입니다.

답 ☐

예제 1-2 오른쪽 그림에서 찾을 수 있는 원의 중심은 모두 몇 개입니까?

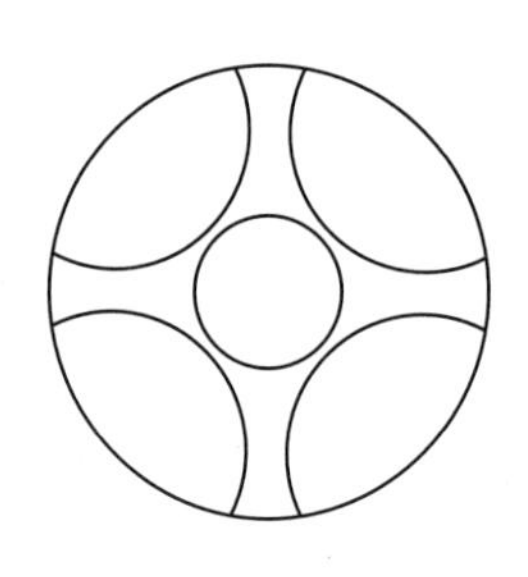

(　　　　　　　　　　)

응용 1-3 ㉮와 ㉯에서 찾을 수 있는 원의 중심의 수의 합은 모두 몇 개입니까?

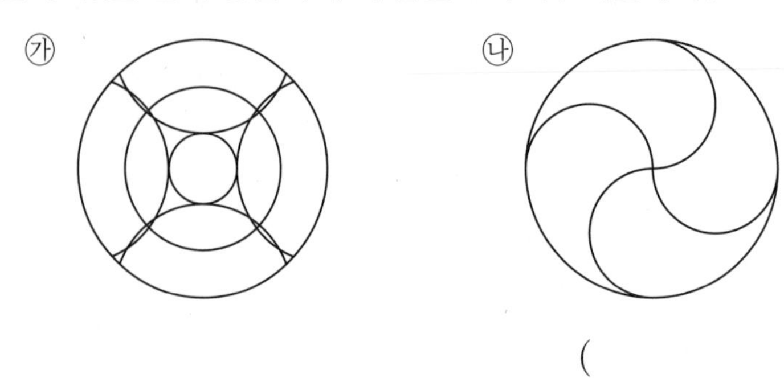

(　　　　　　　　　　)

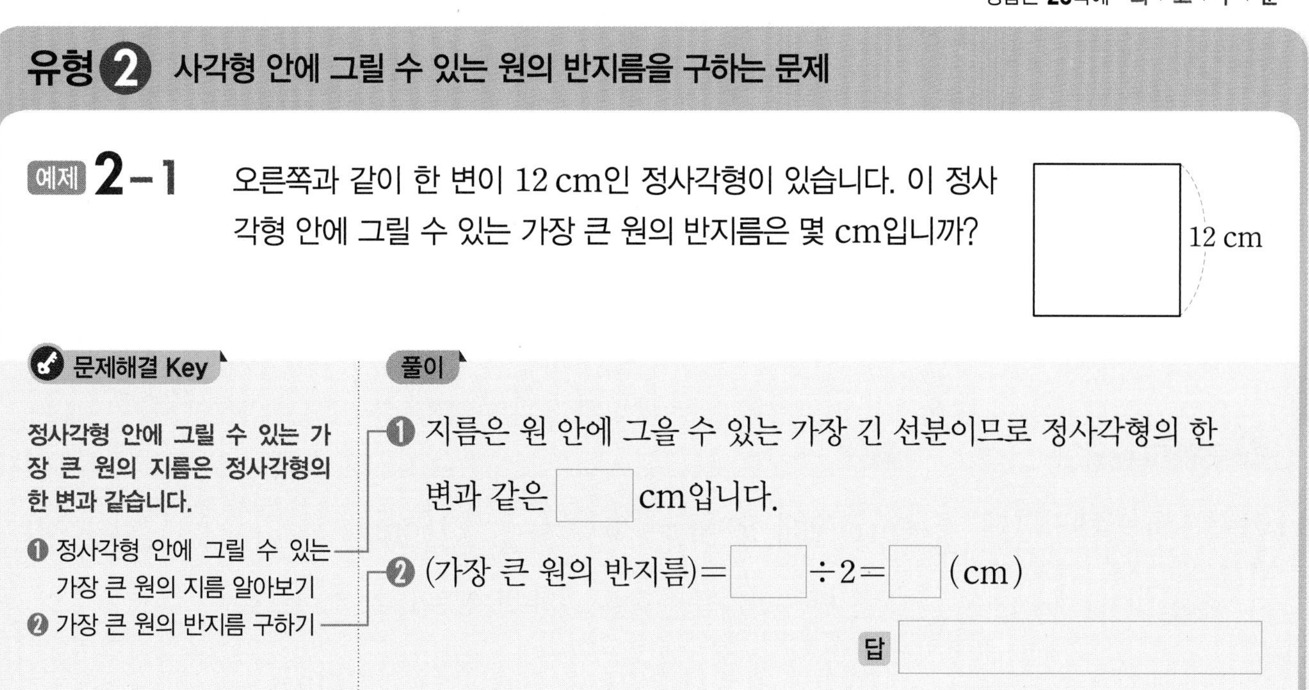

유형 ② 사각형 안에 그릴 수 있는 원의 반지름을 구하는 문제

예제 2-1 오른쪽과 같이 한 변이 12 cm인 정사각형이 있습니다. 이 정사각형 안에 그릴 수 있는 가장 큰 원의 반지름은 몇 cm입니까?

문제해결 Key

정사각형 안에 그릴 수 있는 가장 큰 원의 지름은 정사각형의 한 변과 같습니다.

❶ 정사각형 안에 그릴 수 있는 가장 큰 원의 지름 알아보기

❷ 가장 큰 원의 반지름 구하기

풀이

❶ 지름은 원 안에 그을 수 있는 가장 긴 선분이므로 정사각형의 한 변과 같은 □ cm입니다.

❷ (가장 큰 원의 반지름)=□÷2=□(cm)

답 □

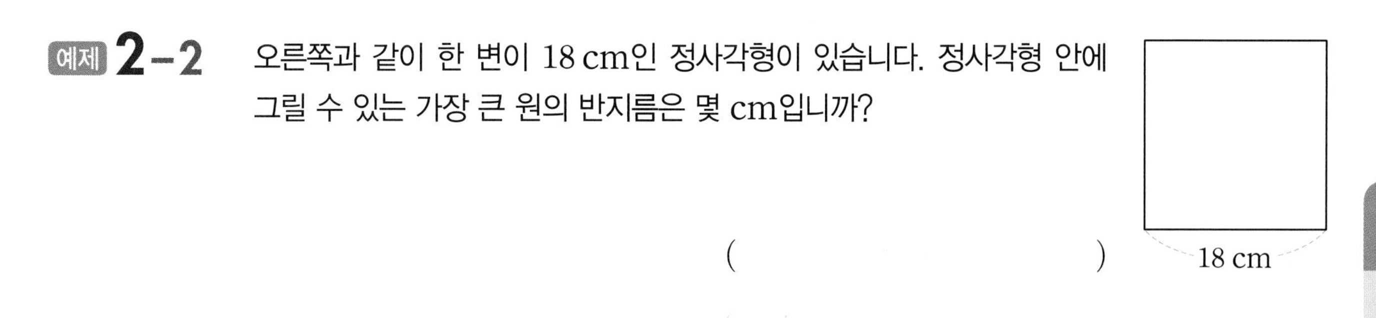

예제 2-2 오른쪽과 같이 한 변이 18 cm인 정사각형이 있습니다. 정사각형 안에 그릴 수 있는 가장 큰 원의 반지름은 몇 cm입니까?

(　　　　　　　　)

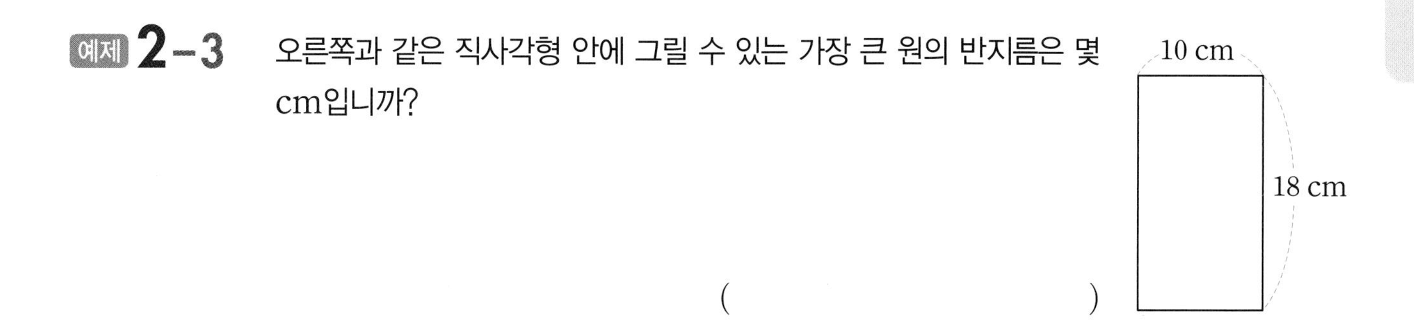

예제 2-3 오른쪽과 같은 직사각형 안에 그릴 수 있는 가장 큰 원의 반지름은 몇 cm입니까?

(　　　　　　　　)

응용 2-4 가로가 20 cm, 세로가 4 cm인 직사각형 안에 가장 큰 원을 겹치지 않게 그리려고 합니다. 원을 몇 개까지 그릴 수 있습니까?

(　　　　　　　　)

유형 3 한 원 안에 원이 여러 개 있을 때 원의 반지름을 구하는 문제

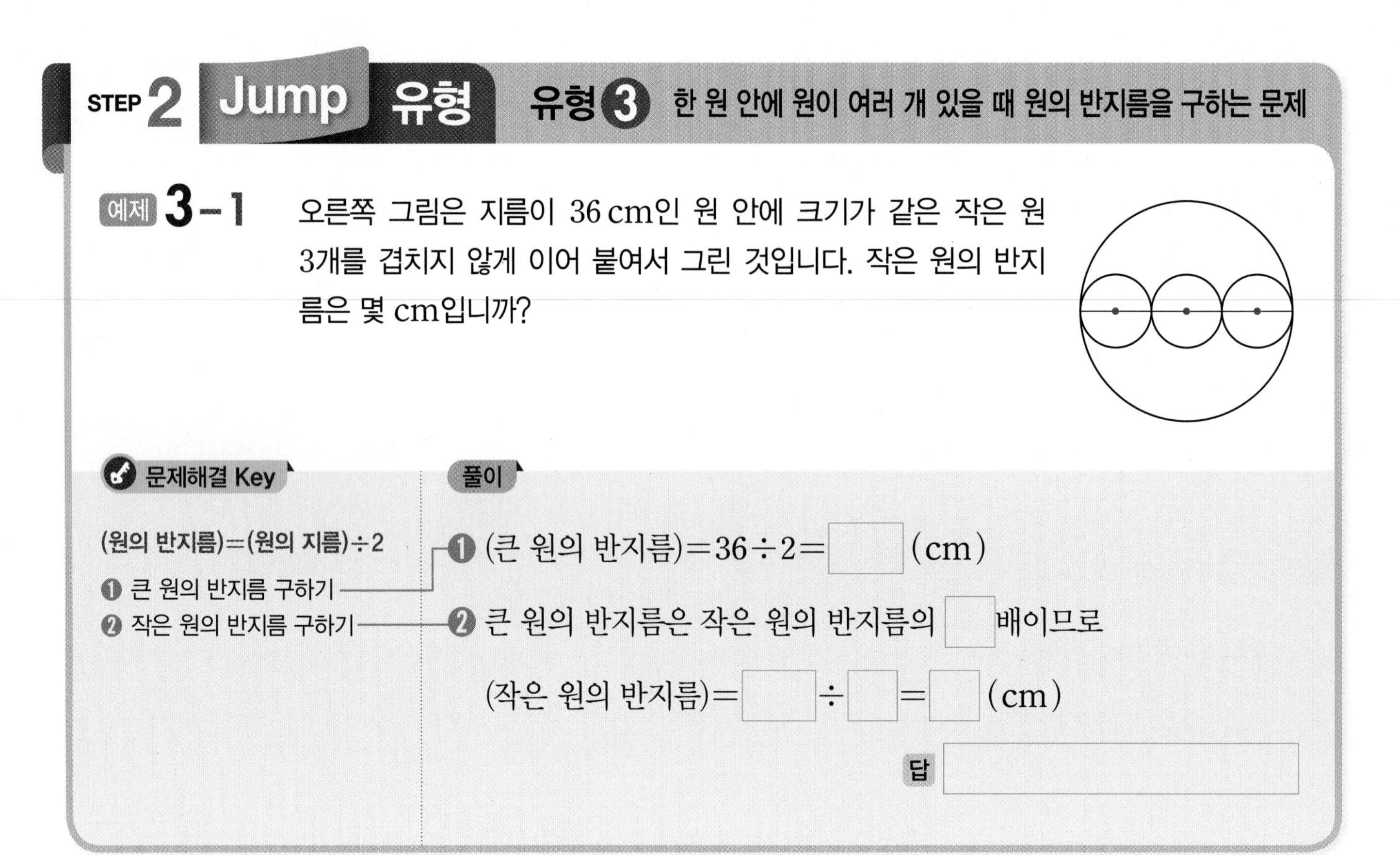

예제 3-1 오른쪽 그림은 지름이 36 cm인 원 안에 크기가 같은 작은 원 3개를 겹치지 않게 이어 붙여서 그린 것입니다. 작은 원의 반지름은 몇 cm입니까?

문제해결 Key

(원의 반지름)=(원의 지름)÷2

❶ 큰 원의 반지름 구하기

❷ 작은 원의 반지름 구하기

풀이

❶ (큰 원의 반지름)=36÷2=☐(cm)

❷ 큰 원의 반지름은 작은 원의 반지름의 ☐배이므로

(작은 원의 반지름)=☐÷☐=☐(cm)

답 ☐

예제 3-2 오른쪽 그림은 지름이 28 cm인 원 안에 크기가 같은 작은 원 3개를 중심이 서로 지나도록 겹치게 그린 것입니다. 작은 원의 반지름은 몇 cm입니까?

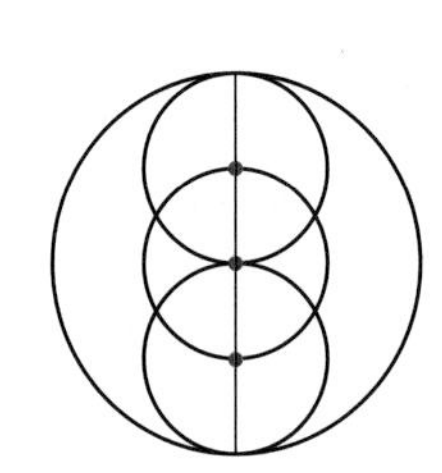

(　　　　　　　　)

응용 3-3 오른쪽 그림에서 각 점은 원의 중심이고 가장 큰 원 안에 크기가 다른 원 2개를 겹치지 않게 이어 붙여서 그렸습니다. 가장 큰 원의 지름은 몇 cm입니까?

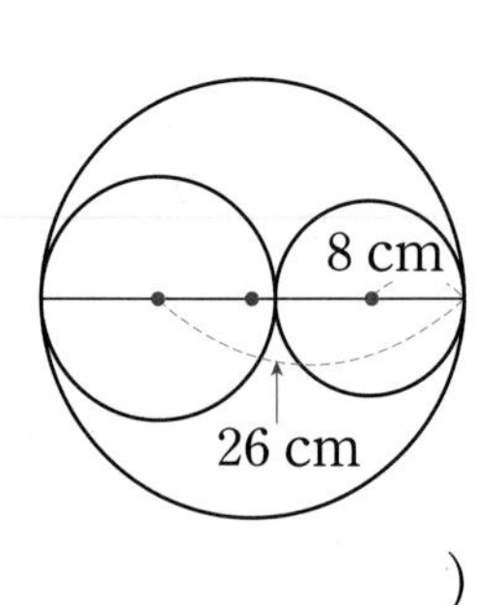

(　　　　　　　　)

유형 4 원을 둘러싼 선의 길이를 구하는 문제

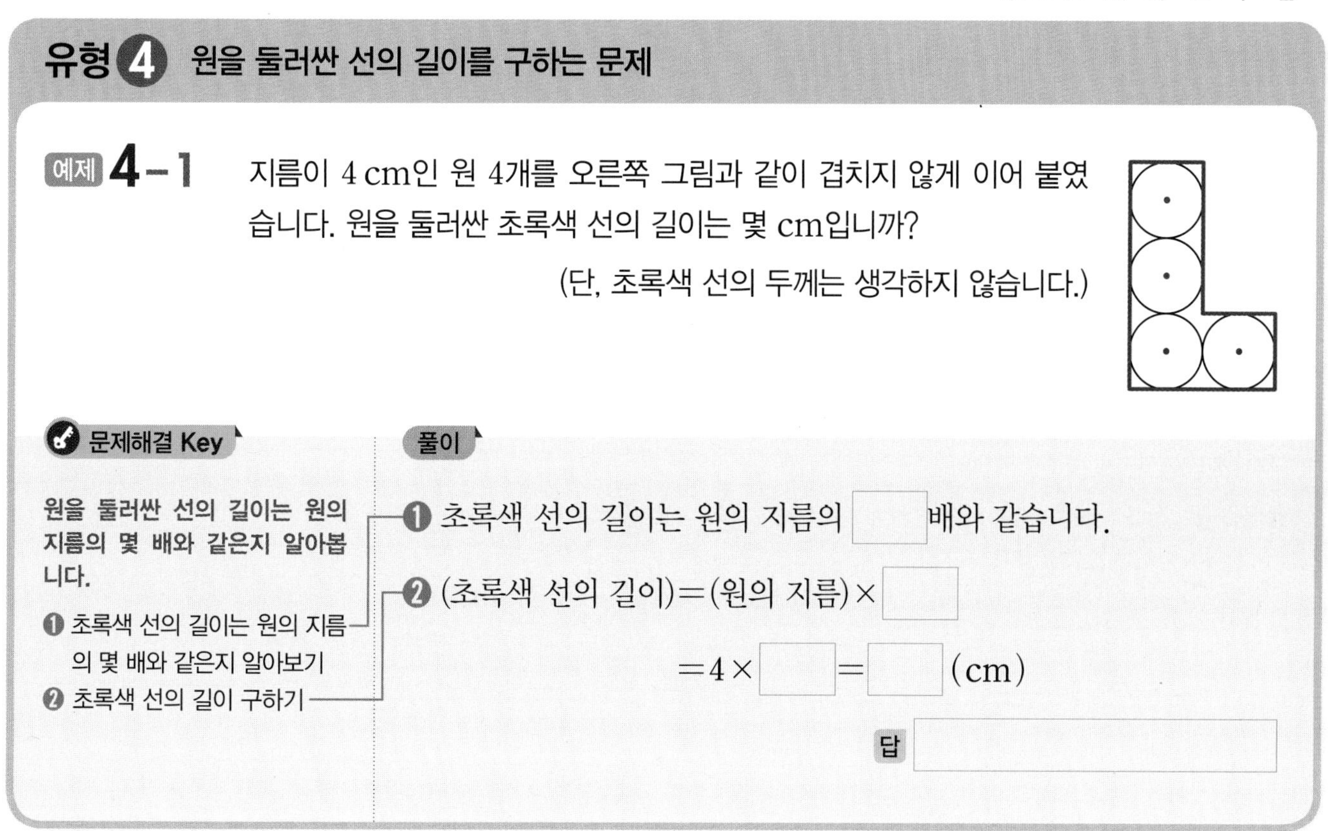

예제 4-1 지름이 4 cm인 원 4개를 오른쪽 그림과 같이 겹치지 않게 이어 붙였습니다. 원을 둘러싼 초록색 선의 길이는 몇 cm입니까?

(단, 초록색 선의 두께는 생각하지 않습니다.)

문제해결 Key

원을 둘러싼 선의 길이는 원의 지름의 몇 배와 같은지 알아봅니다.

❶ 초록색 선의 길이는 원의 지름의 몇 배와 같은지 알아보기

❷ 초록색 선의 길이 구하기

풀이

❶ 초록색 선의 길이는 원의 지름의 ☐배와 같습니다.

❷ (초록색 선의 길이)=(원의 지름)×☐

=4×☐=☐(cm)

답 ☐

예제 4-2 지름이 5 cm인 원 5개를 오른쪽 그림과 같이 겹치지 않게 이어 붙였습니다. 원을 둘러싼 분홍색 선의 길이는 몇 cm입니까?

(단, 분홍색 선의 두께는 생각하지 않습니다.)

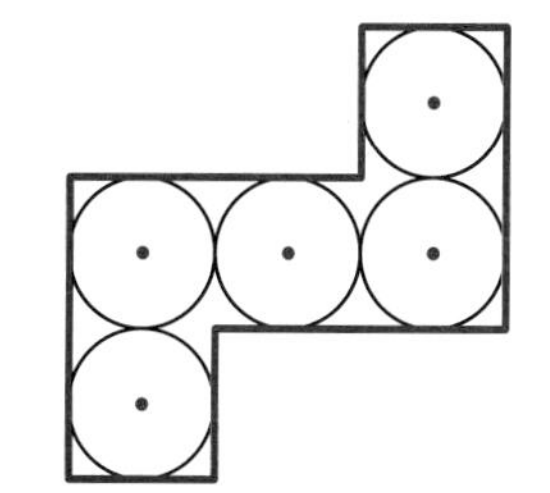

(　　　　　　　　)

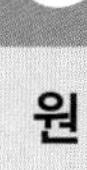

3

원

응용 4-3 오른쪽 그림은 직사각형 모양의 상자에 도넛 12개를 꼭 맞게 넣은 것입니다. 상자 바닥의 네 변의 길이의 합이 140 cm일 때 상자 바닥의 가로는 세로보다 몇 cm 더 깁니까? (단, 각 도넛은 모두 크기가 같은 원 모양입니다.)

(　　　　　　　　)

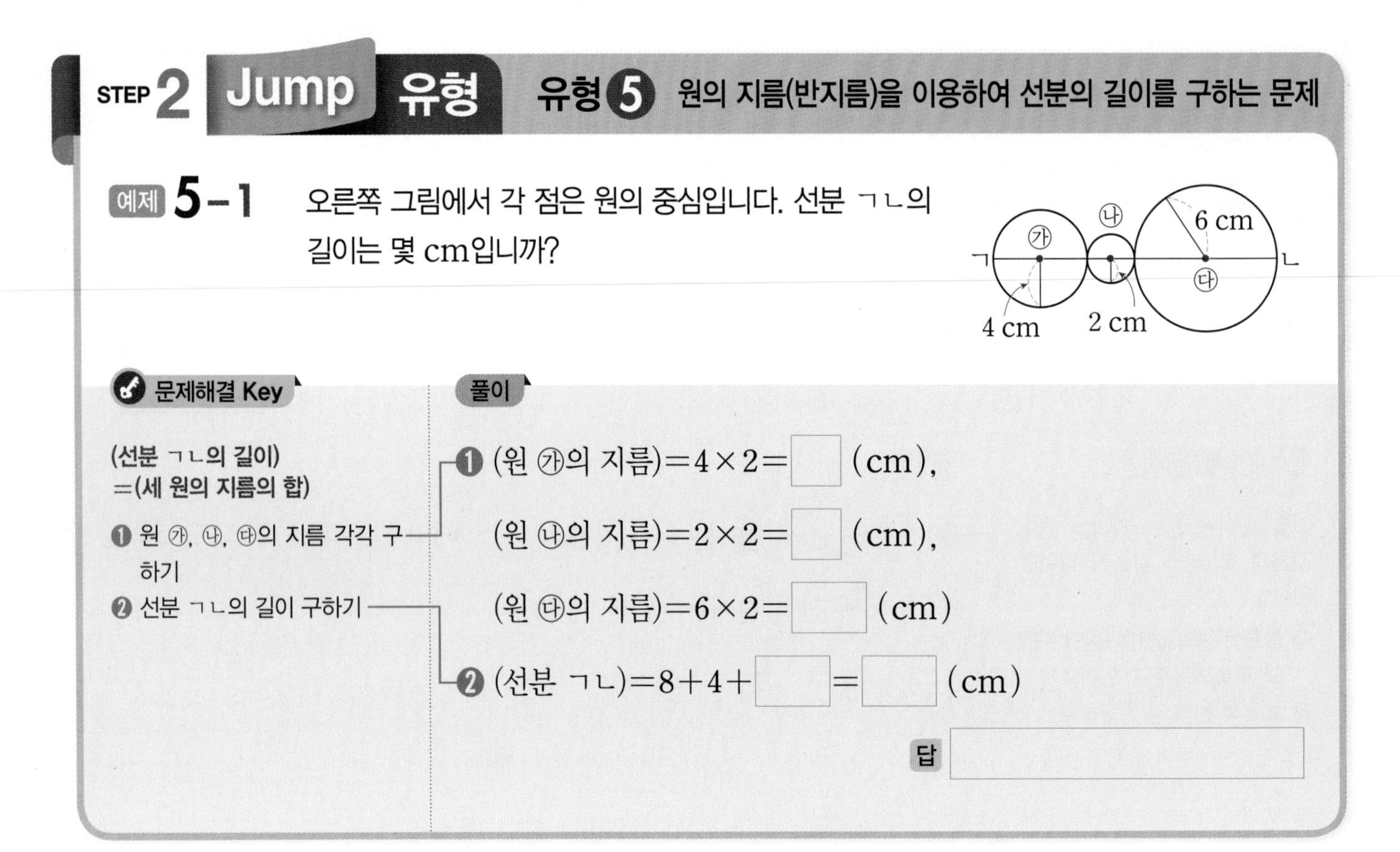

STEP 2 Jump 유형

유형 5 원의 지름(반지름)을 이용하여 선분의 길이를 구하는 문제

예제 5-1 오른쪽 그림에서 각 점은 원의 중심입니다. 선분 ㄱㄴ의 길이는 몇 cm입니까?

문제해결 Key

(선분 ㄱㄴ의 길이)
=(세 원의 지름의 합)

❶ 원 ㉮, ㉯, ㉰의 지름 각각 구하기

❷ 선분 ㄱㄴ의 길이 구하기

풀이

❶ (원 ㉮의 지름)$=4\times2=$ ☐ (cm),

(원 ㉯의 지름)$=2\times2=$ ☐ (cm),

(원 ㉰의 지름)$=6\times2=$ ☐ (cm)

❷ (선분 ㄱㄴ)$=8+4+$ ☐ $=$ ☐ (cm)

답 ☐

예제 5-2 오른쪽 그림에서 각 점은 원의 중심입니다. 선분 ㄷㄹ의 길이는 몇 cm입니까?

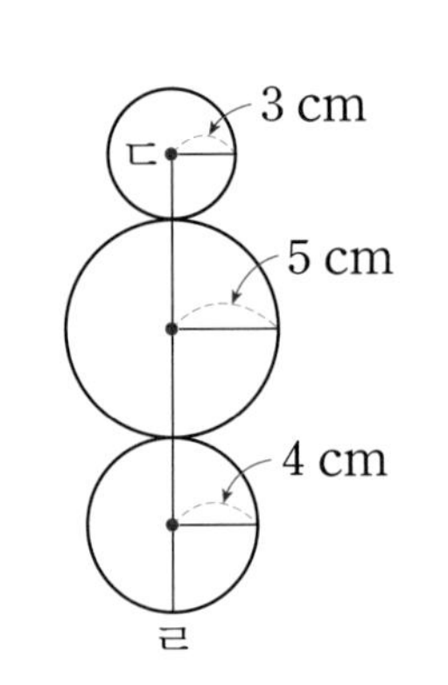

( )

응용 5-3 오른쪽 그림에서 각 점은 원의 중심이고 원 2개를 서로 겹치게 그렸습니다. 선분 ㅁㅂ의 길이는 몇 cm입니까?

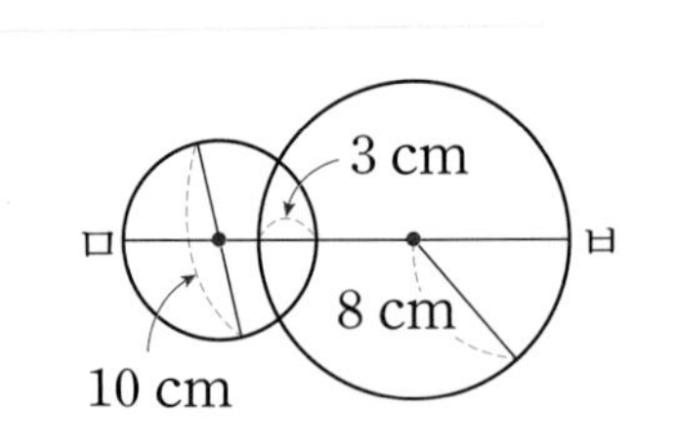

( )

유형 6 직사각형을 이용하여 원의 반지름을 구하는 문제

예제 6-1 직사각형 안에 크기가 같은 원 4개를 오른쪽 그림과 같이 겹치지 않게 이어 붙여 그렸습니다. 직사각형의 네 변의 길이의 합이 80 cm일 때 원의 반지름은 몇 cm입니까?

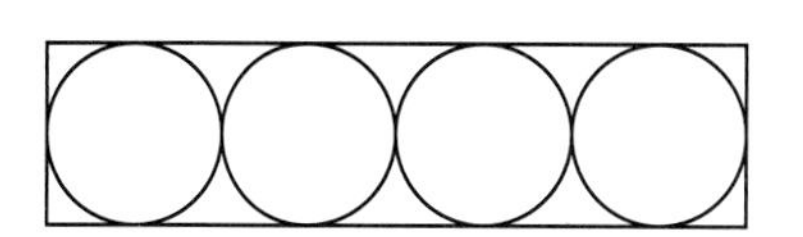

문제해결 Key

(직사각형의 네 변의 길이의 합)
=(가로)+(세로)+(가로)+(세로)

❶ 직사각형의 네 변의 길이의 합은 원의 지름의 몇 배와 같은지 구하기
❷ 원의 지름 구하기
❸ 원의 반지름 구하기

풀이

❶ 직사각형의 가로는 원의 지름의 □배이고 세로는 원의 지름과 같으므로 직사각형의 네 변의 길이의 합은 원의 지름의 □배와 같습니다.

❷ (원의 지름)×□=80, (원의 지름)=□ cm

❸ (원의 반지름)=□÷2=□(cm)

답 □

예제 6-2 정사각형 안에 크기가 같은 원 4개를 오른쪽 그림과 같이 겹치지 않게 이어 붙여 그렸습니다. 정사각형 ㄱㄴㄷㄹ의 네 변의 길이의 합이 96 cm일 때 원의 반지름은 몇 cm입니까?

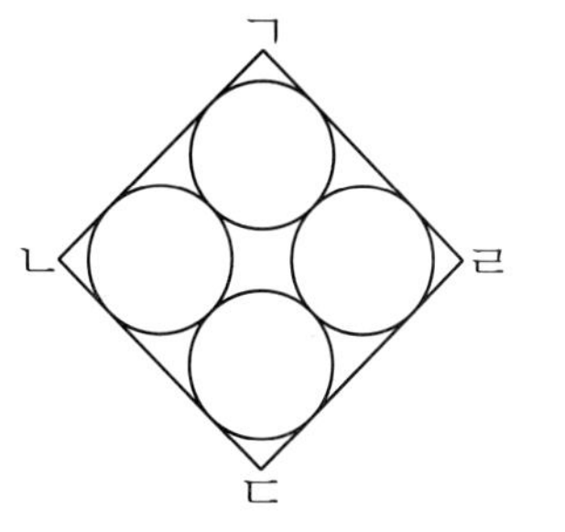

(　　　　　　　　)

응용 6-3 오른쪽 그림은 크기가 같은 원 8개를 겹치게 그린 것입니다. 원을 둘러싼 직사각형 ㄱㄴㄷㄹ의 네 변의 길이의 합이 90 cm일 때 원의 지름은 몇 cm입니까?

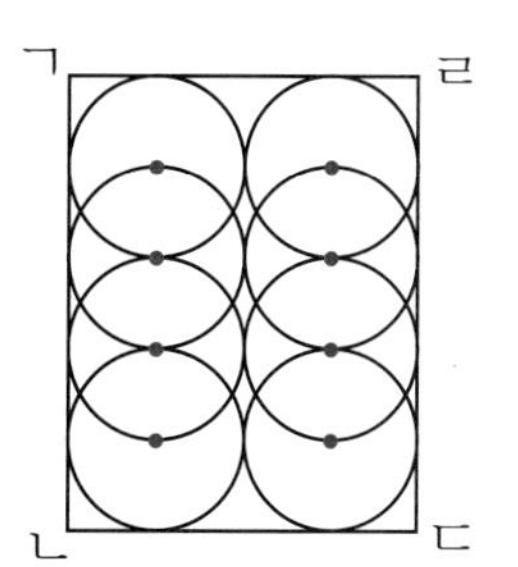

(　　　　　　　　)

유형 7 원의 중심을 이어서 만든 도형의 변의 길이를 구하는 문제

예제 7-1 오른쪽 그림에서 각 점은 원의 중심이고 작은 두 원의 크기는 같습니다. 큰 원의 지름은 작은 원의 지름의 2배일 때 삼각형 ㄱㄴㄷ의 세 변의 길이의 합은 몇 cm입니까?

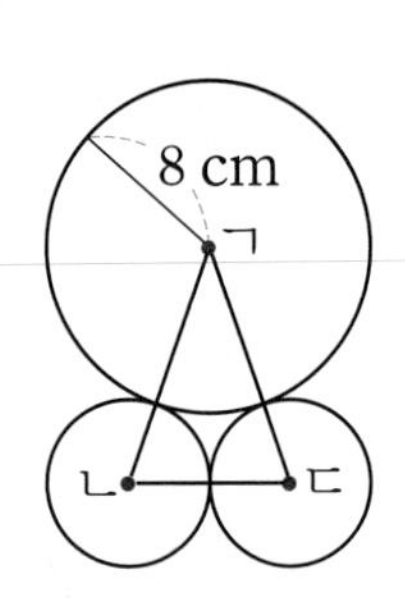

문제해결 Key

(삼각형의 세 변의 길이의 합)
=(선분 ㄱㄴ)+(선분 ㄴㄷ)
+(선분 ㄷㄱ)

❶ 작은 원의 반지름 구하기
❷ 삼각형의 세 변의 길이 각각 구하기
❸ 삼각형의 세 변의 길이의 합 구하기

풀이

❶ 큰 원의 지름이 작은 원의 지름의 2배이면 큰 원의 반지름도 작은 원의 반지름의 2배입니다.

(작은 원의 반지름)$=8\div2=$□(cm)

❷ (선분 ㄱㄴ)$=8+4=$□(cm)

(선분 ㄴㄷ)$=4+4=$□(cm)

(선분 ㄷㄱ)$=4+8=$□(cm)

❸ (삼각형 ㄱㄴㄷ의 세 변의 길이의 합)$=12+8+$□

$=$□(cm)

답 □

예제 7-2 반지름이 6 cm인 원 3개의 중심을 선분으로 이어 오른쪽 그림과 같이 삼각형을 만들었습니다. 삼각형 ㄹㅁㅂ의 세 변의 길이의 합은 몇 cm입니까?

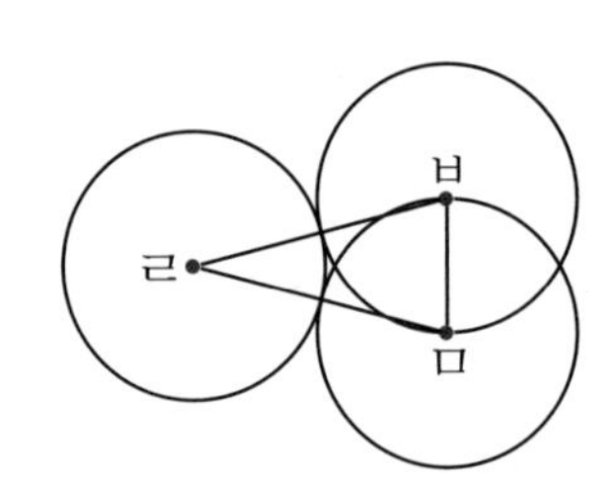

(　　　　　　)

응용 7-3 오른쪽 그림에서 각 점은 원의 중심이고 삼각형 ㄱㄴㄷ의 세 변의 길이의 합은 42 cm입니다. 선분 ㄹㅁ의 길이는 몇 cm입니까?

(　　　　　　)

창의·융합

유형 8 원의 지름과 반지름의 관계에 관한 문제

예제 8-1

[수학+음악]

우리나라 *타악기 중 꽹과리, 장구, 소고, 징은 몸체가 원 모양입니다. 이 악기의 몸체를 따라 그렸을 때의 원의 지름 또는 반지름은 다음과 같습니다. 원 모양의 몸체의 크기가 작은 것부터 차례로 악기 이름을 쓰시오.

*타악기: 손이나 채로 두드리거나 흔들어 소리 내는 악기

▲ 꽹과리

지름: 26 cm

▲ 장구

반지름: 20 cm

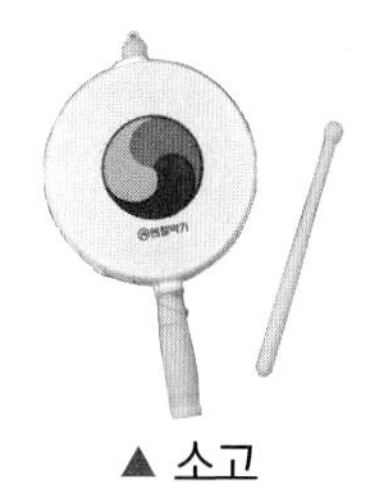

▲ 소고

지름: 21 cm

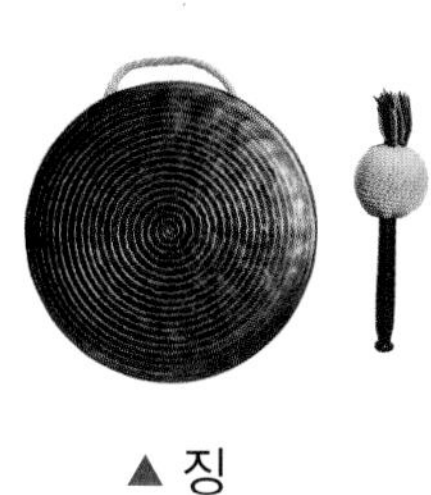

▲ 징

반지름: 17 cm

문제해결 Key

몸체를 따라 그린 원의 지름을 비교합니다.

❶ 원의 지름 각각 알아보기

❷ 크기가 작은 원부터 차례로 악기의 이름 쓰기

풀이

❶ 원의 지름을 각각 알아보면

꽹과리: 26 cm, 장구: $20\times2=$ ☐ (cm),

소고: 21 cm, 징: $17\times2=$ ☐ (cm)

❷ 원의 지름이 짧을수록 크기가 작은 원이므로 차례로 이름을 쓰면

☐, ☐, ☐, ☐입니다.

답 ☐

응용 8-2

[수학+사회]

다음은 우리나라 동전 중 10원짜리, 50원짜리, 100원짜리, 500원짜리 동전의 크기와 동전에 있는 그림입니다. 크기가 두 번째로 큰 동전과 그림이 다보탑인 동전의 지름의 합은 몇 mm인지 구하시오.

동전	10원	50원	100원	500원
크기	반지름 9 mm	지름 21.6 mm	반지름 12 mm	지름 26.5 mm
그림	다보탑	벼 이삭	이순신 장군	학

(   )

3
원

문제 풀이 동영상 >>

유형 8 원의 지름과 반지름의 관계에 관한 문제

01 원의 크기가 큰 것부터 차례로 기호를 쓰시오.

㉠ 지름이 6 cm인 원
㉡ 반지름이 원 ㉠의 반지름보다 2 cm 더 긴 원
㉢ 반지름이 원 ㉠의 반지름의 2배인 원

( )

02 반지름이 모두 다르고 원의 중심은 모두 같은 모양을 찾아 기호를 쓰시오.

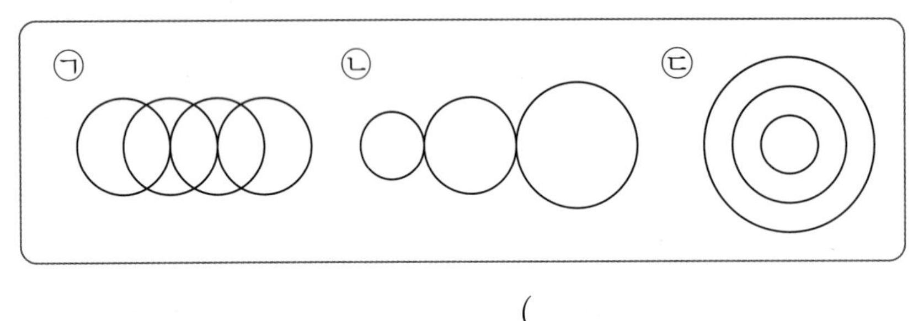

( )

유형 3 한 원 안에 원이 여러 개 있을 때 원의 반지름을 구하는 문제

03 오른쪽 그림은 큰 원 안에 크기가 같은 원 4개를 겹치지 않게 이어 붙여서 그린 것입니다. 원의 중심을 지나는 선분 ㄱㄴ의 길이가 40 cm일 때 큰 원의 반지름과 작은 원의 반지름의 차는 몇 cm입니까?

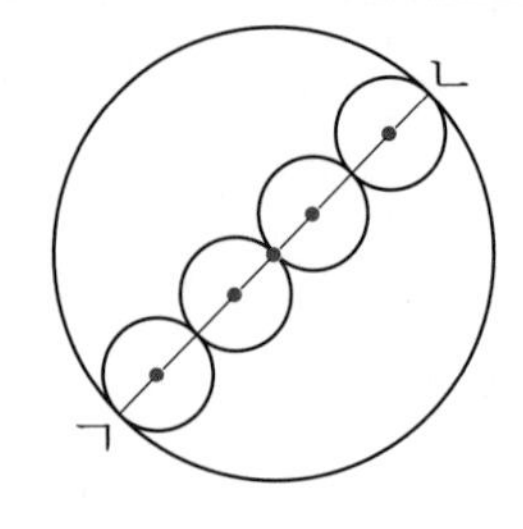

( )

04 아인이는 반지름이 18 cm인 원 모양의 접시에 지름이 4 cm인 원 모양의 쿠키를 한 줄로 겹치지 않고 접시를 벗어나지 않게 최대한 많이 놓으려고 합니다. 쿠키는 몇 개까지 놓을 수 있습니까?

( )

유형 ❶ 원의 중심의 수를 구하는 문제

05 오른쪽과 같은 모양을 그리기 위해서 컴퍼스의 침을 꽂아야 할 곳은 몇 군데입니까?

( )

성대 경시 유형 **유형 ❺** 원의 지름(반지름)을 이용하여 선분의 길이를 구하는 문제

06 그림에서 각 점은 원의 중심입니다. 가장 작은 원의 반지름이 5 cm일 때 선분 ㄱㄴ의 길이는 몇 cm입니까?

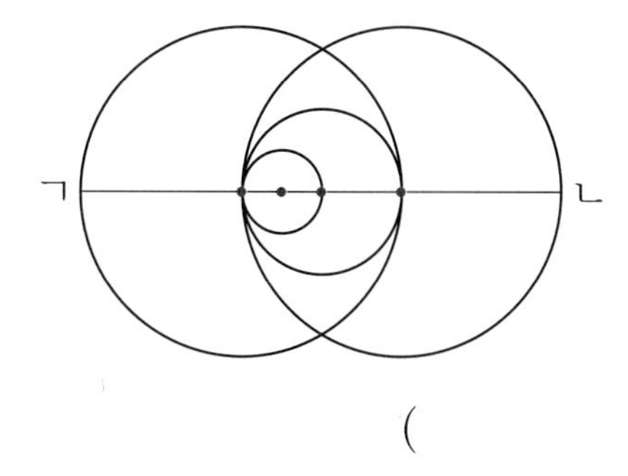

( )

창의·융합

[수학 + 체육] **유형 8** 원의 지름과 반지름의 관계에 관한 문제

07 오른쪽은 *양궁의 과녁판입니다. 색깔이 바뀔 때마다 반지름을 8 cm씩 늘려가며 과녁판에 초록색 선으로 원을 그렸습니다. 초록색 선으로 그린 원 중 가장 큰 원의 지름이 80 cm일 때 가장 작은 원의 반지름인 ㉠은 몇 cm입니까?

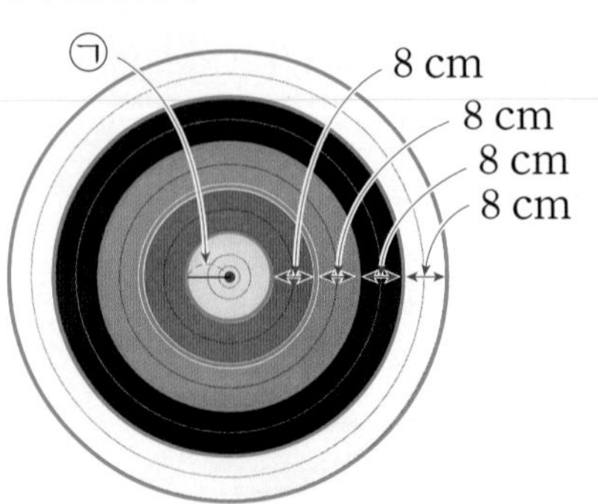

▲ 양궁

(   )

*양궁: 활을 이용하여 일정한 거리에 떨어져 있는 과녁판을 향해 화살을 쏘아 점수를 얻는 종목입니다. 올림픽에서 우리나라의 대표 종목이기도 합니다.

유형 7 원의 중심을 이어서 만든 도형의 변의 길이를 구하는 문제

08 오른쪽 그림에서 점 ㄴ, 점 ㄹ은 원의 중심이고 사각형 ㄱㄴㄷㄹ의 네 변의 길이의 합은 38 cm입니다. 큰 원의 반지름은 몇 cm입니까?

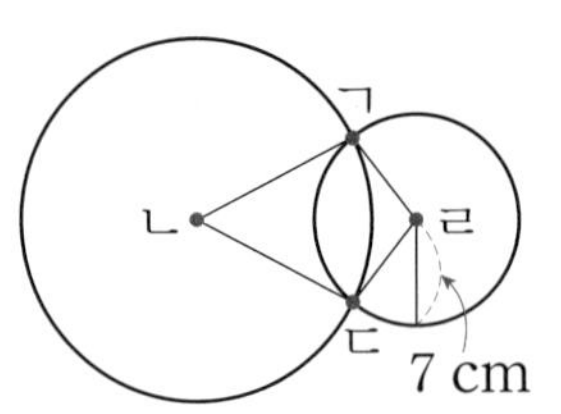

(   )

유형 4 원을 둘러싼 선의 길이를 구하는 문제

09 오른쪽 그림은 반지름이 3 cm인 원 10개를 겹치지 않게 이어 붙여 알파벳 'F' 모양을 만든 것입니다. 원을 둘러싼 빨간색 선의 길이는 몇 cm입니까? (단, 빨간색 선의 두께는 생각하지 않습니다.)

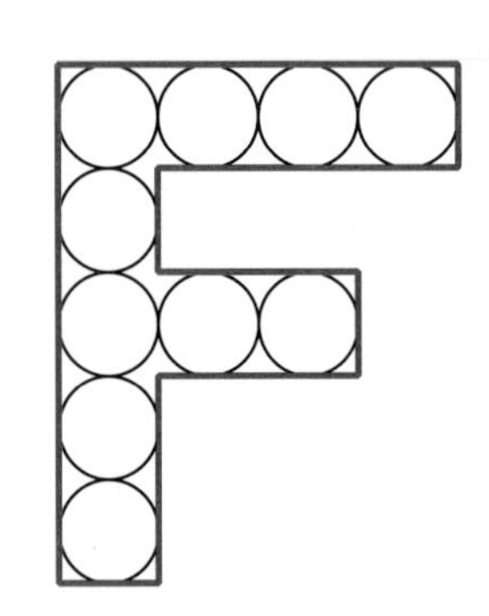

(   )

유형 ⑦ 원의 중심을 이어서 만든 도형의 변의 길이를 구하는 문제

10 오른쪽 그림과 같이 직사각형 안에 서로 원의 중심을 지나도록 원 3개를 겹치게 그렸습니다. 색칠한 사각형 2개의 모든 변의 길이의 합은 몇 cm입니까?

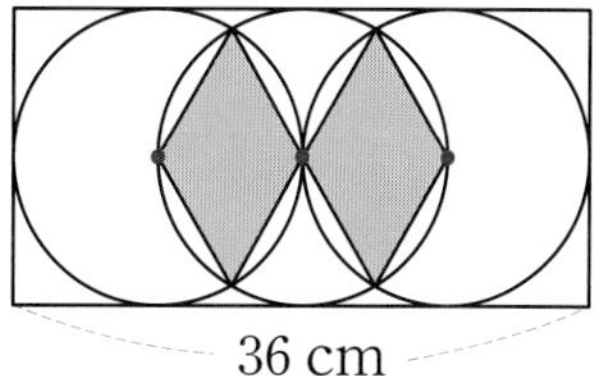

( )

유형 ② 사각형 안에 그릴 수 있는 원의 반지름을 구하는 문제

11 가로가 30 cm이고, 세로가 7 cm인 직사각형 안에 그릴 수 있는 가장 큰 원을 겹치지 않게 그리려고 합니다. 원을 몇 개까지 그릴 수 있습니까?

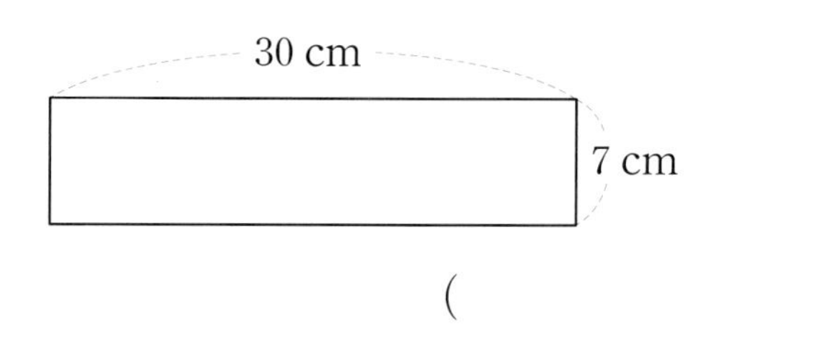

( )

유형 ⑦ 원의 중심을 이어서 만든 도형의 변의 길이를 구하는 문제

12 오른쪽 그림에서 세 원의 중심을 이어 만든 삼각형 ㄱㄴㄷ의 세 변의 길이의 합은 34 cm입니다. 세 원의 반지름의 합은 몇 cm입니까?

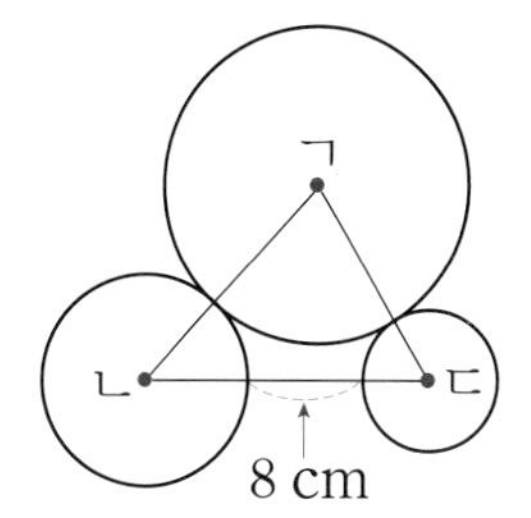

( )

3 원

유형 6 직사각형을 이용하여 원의 반지름을 구하는 문제

13 그림에서 각 점은 원의 중심이고 직사각형 안에 크기가 다른 두 원을 여러 개 이용하여 겹치지 않게 이어 그렸습니다. 선분 ㅁㅈ의 길이는 몇 cm입니까?

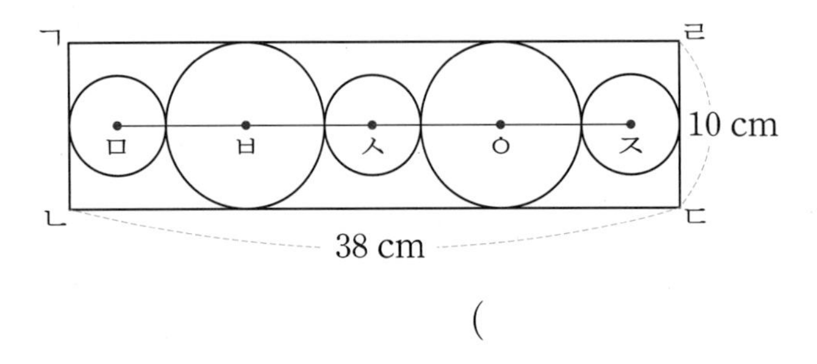

(　　　　　　　　　　)

유형 3 한 원 안에 원이 여러 개 있을 때 원의 반지름을 구하는 문제

14 오른쪽 그림과 같이 반지름이 20 cm인 큰 원 안에 크기가 같은 원을 중심이 서로 지나도록 그렸습니다. 큰 원 안에 그린 작은 원의 수가 9개일 때 작은 원의 반지름은 몇 cm입니까?

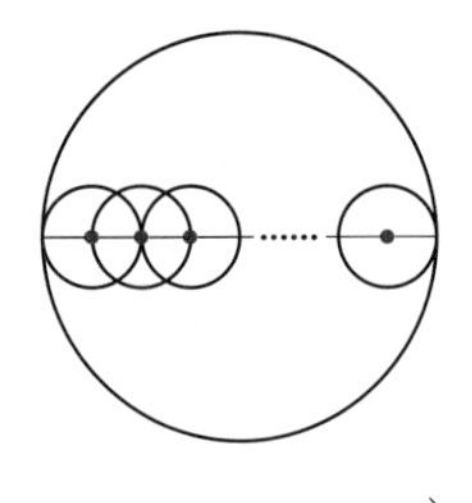

(　　　　　　　　　　)

성대 경시 유형 유형 4 원을 둘러싼 선의 길이를 구하는 문제

15 반지름이 4 cm인 원을 이용하여 오른쪽과 같은 모양을 만들었습니다. 각 점은 원의 중심일 때 빨간색 선의 길이의 합은 몇 cm입니까? (단, 빨간색 선의 두께는 생각하지 않습니다.)

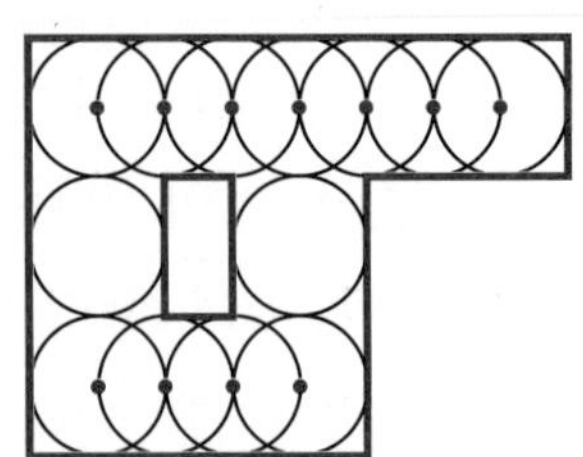

(　　　　　　　　　　)

유형 ③ 한 원 안에 원이 여러 개 있을 때 원의 반지름을 구하는 문제

16 크기가 다른 원 4개를 오른쪽과 같이 이어 붙여 그렸습니다. 원 ㉰의 반지름은 원 ㉯의 반지름의 2배이고, 원 ㉯의 반지름은 원 ㉮의 반지름의 2배입니다. 원 ㉮와 원 ㉰의 중심을 이은 선분의 길이가 27 cm라 할 때 원 ㉱의 반지름은 몇 cm입니까?

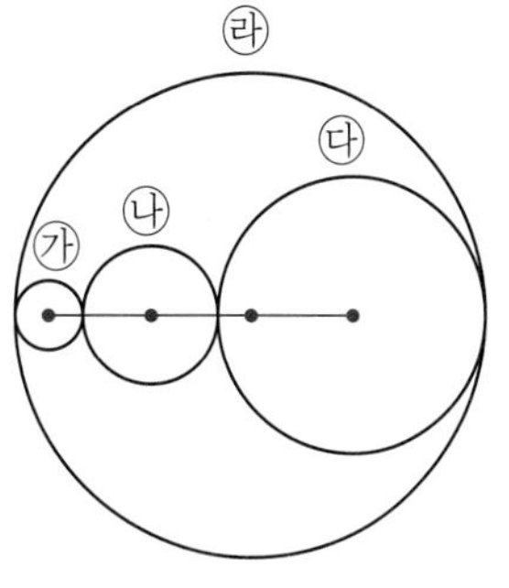

(　　　　　　　　　　)

성대 경시 유형

17 오른쪽 직사각형 안에 크기가 같은 두 원의 일부를 그렸습니다. 점 ㄴ, 점 ㄷ이 그린 원의 중심이고, 직사각형의 세로가 20 cm일 때, 삼각형 ㄱㄴㄷ의 세 변의 길이의 합은 몇 cm입니까?

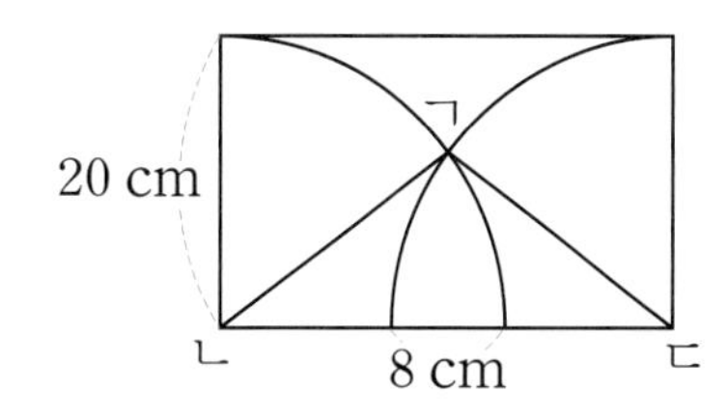

(　　　　　　　　　　)

해법 경시 유형 유형 ⑦ 원의 중심을 이어서 만든 도형의 변의 길이를 구하는 문제

18 오른쪽 그림에서 원 ㉯의 반지름은 원 ㉮의 반지름의 2배이고, 원 ㉰의 반지름은 원 ㉮의 반지름의 3배입니다. 세 원의 중심을 이어 만든 삼각형 ㄱㄴㄷ의 세 변의 길이의 합이 60 cm일 때 원 ㉮의 반지름은 몇 cm입니까?

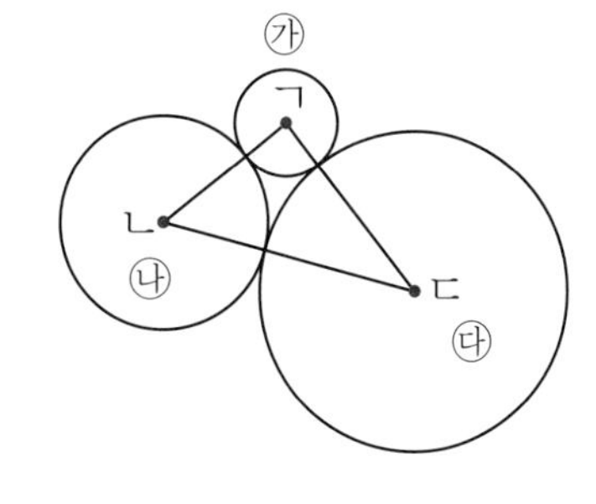

(　　　　　　　　　　)

문제 풀이 동영상 >>

창의·융합

01 [수학 + 과학]
미스터리 서클은 밭이나 논의 곡물이 일정한 방향으로 눕혀져 있어 전체적으로 위에서 보면 어떤 무늬가 만들어지는 것을 말합니다. 성재는 미스터리 서클 모양을 보고 오른쪽과 같이 그렸습니다. 그림에서 가장 작은 원의 지름이 6 cm라고 할 때 가장 큰 원의 반지름은 몇 cm입니까? (단, 가장 작은 원 9개의 크기는 같습니다.)

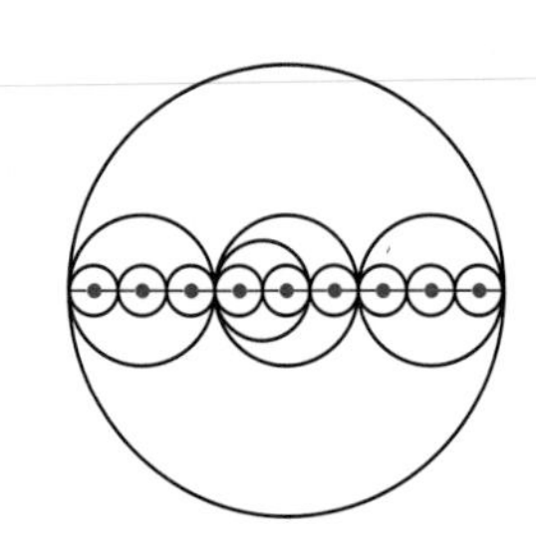

▲ 미스터리 서클

(　　　　　　　　　　　　)

02 가로가 22 cm, 세로가 12 cm인 직사각형의 네 변에 지름이 2 cm인 원을 그림과 같이 겹치지 않게 이어 붙이려고 합니다. 이어 붙인 원은 모두 몇 개이고, 원의 중심을 이어서 만든 초록색 직사각형의 네 변의 길이의 합은 몇 cm인지 차례로 쓰시오.

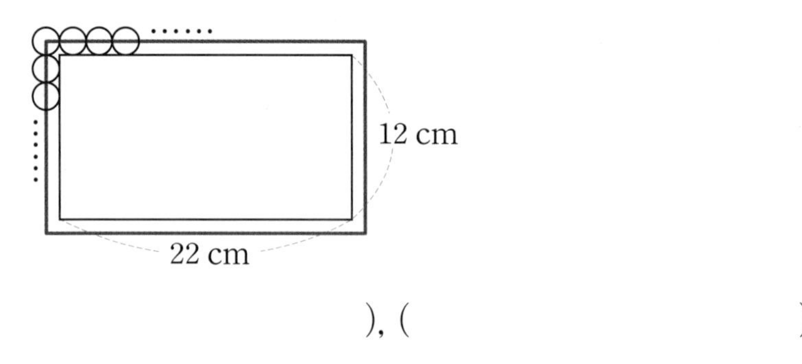

(　　　　　　　　　　　　), (　　　　　　　　　　　　)

고대 경시 유형

03 크기가 같은 원 29개를 겹치지 않게 이어 붙여 오른쪽과 같은 모양을 만들었습니다. 빨간색 선의 길이가 360 cm일 때 이 원의 반지름은 몇 cm입니까?

(단, 빨간색 선의 두께는 생각하지 않습니다.)

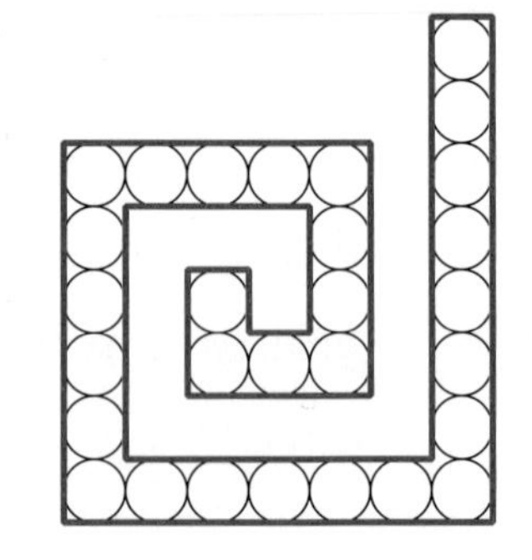

(　　　　　　　　　　　　)

고대 경시 유형

04 반지름이 2 cm인 원을 그림과 같이 여러 개 이어 붙여서 그린 후, 바깥에 있는 원의 중심을 이어 정사각형을 만들었습니다. 정사각형의 네 변의 길이의 합이 80 cm가 되려면 원이 모두 몇 개 필요한지 구하시오.

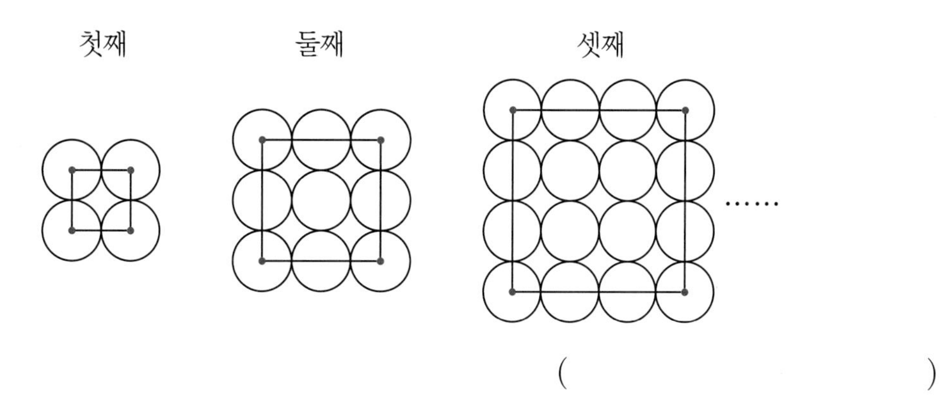

(　　　　　　　　　　)

성대 경시 유형

05 **보기** 는 가로가 12 cm, 세로가 4 cm인 직사각형 안에 반지름이 2 cm인 원과 반지름이 1 cm인 원을 각각 가득 채운 그림입니다. 가로가 60 cm이고, 세로가 24 cm인 직사각형 안에 **보기** 와 같이 반지름이 ㉠ cm인 원을 가득 채우려고 합니다. ㉠이 한 자리 수일 때 ㉠이 될 수 있는 수 중 가장 큰 수를 구하시오.

보기

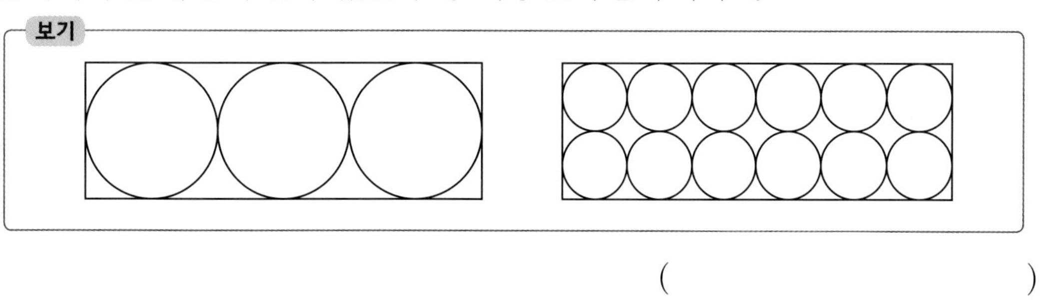

(　　　　　　　　　　)

생활 속에 숨어 있는 원 모양

바퀴는 왜 둥근 모양을 하고 있을까요?

바퀴의 중심에는 축이 있어서 이를 중심으로 바퀴가 돌아가며 굴러갑니다. 이때 원의 중심에서 땅에 이르는 거리가 항상 일정하기 때문에 튕기지 않고 부드럽게 굴러갈 수 있답니다.

맨홀 뚜껑 또한 바퀴처럼 원 모양인데 왜 그럴까요?

원으로 맨홀 뚜껑을 만들면 맨홀 뚜껑이 그 속으로 빠지지 않습니다. 원은 사방이 같은 모양으로 구멍을 그보다 좁게 만들면 어느 방향으로도 빠지지 않게 됩니다. 또, 맨홀 위로 사람이나 자동차가 지날 때 맨홀이 조금 비뚤어져 튀어나오게 되더라도 모나지 않아 안전하답니다.

케이크는 기능보다는 다른 이유로 원 모양으로 만들게 되었답니다.

케이크는 아주 먼 옛날 고대인이 1년 중 특정일이 되면 신에게 제사를 지내며 바쳤던 음식입니다.
그 시대 사람들은 태양과 달을 무척 중요하게 여겨 케이크가 태양이나 달의 모양과 같은 원 모양이 된 것이랍니다.

4 분수

꼭! 알아야 할 대표 유형

유형 ❶ 분수만큼은 얼마인지 알아보는 문제

유형 ❷ 어떤 수의 분수만큼을 구하는 문제

유형 ❸ □가 있는 분수의 크기 비교를 하는 문제

유형 ❹ 수 카드로 분수를 만드는 문제

유형 ❺ 조건을 만족하는 분수를 구하는 문제

유형 ❻ 분모와 분자의 합, 차를 이용하여 분수를 구하는 문제

유형 ❼ 분수의 규칙을 찾는 문제

유형 ❽ [창의 · 융합] 부분으로 전체를 알아보는 문제

유형 ❾ 튀어 오른 공의 높이를 구하는 문제

단계	쪽수	공부한 날	점수
1단계 Start 개념	74~79	월 일	O X
2단계 Jump 유형	80~88	월 일	O X
3단계 Master 심화	89~93	월 일	O X
4단계 Top 최고수준	94~95	월 일	O X

※ O에는 맞힌 개수, X에는 틀린 개수를 써넣으세요.

1 분수로 나타내기

• 클립 18개를 똑같이 3부분으로 나누고 분수로 나타내기

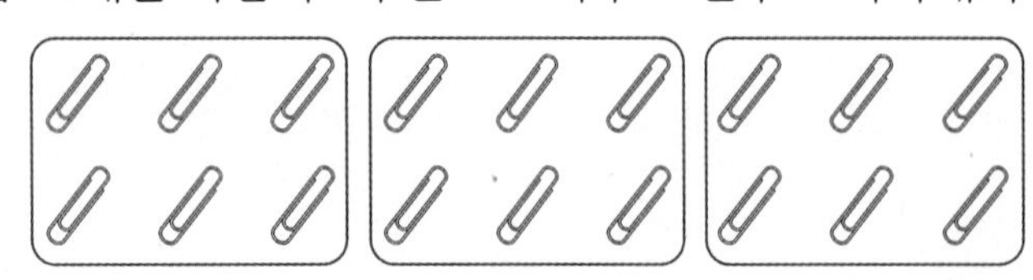

클립 전체(18개)를 똑같이 3부분으로 나누면 1부분은 6개입니다.

① 6은 18의 $\frac{1}{3}$입니다. →전체 3묶음 중 1묶음

② 12는 18의 $\frac{2}{3}$입니다. →전체 3묶음 중 2묶음

> '부분'은 '전체'의 $\frac{(부분\ 묶음\ 수)}{(전체\ 묶음\ 수)}$입니다.

• 구슬 8개를 여러 가지 방법으로 똑같이 묶고 분수로 나타내기

   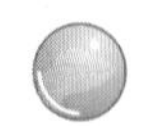 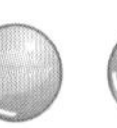 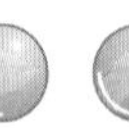 

① 8을 2씩 묶으면 2는 8의 $\frac{1}{4}$입니다.

② 8을 4씩 묶으면 4는 8의 $\frac{1}{2}$입니다.

2 분수만큼은 얼마인지 알아보기

• 연필 6자루를 3묶음으로 똑같이 나누기

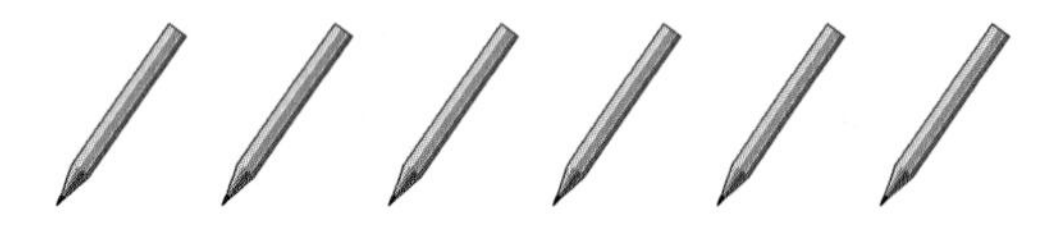

① 6의 $\frac{1}{3}$은 2입니다. ② 6의 $\frac{2}{3}$는 4입니다.

• 종이띠 10 m를 5부분으로 똑같이 나누기

0 1 2 3 4 5 6 7 8 9 10(m)

① 10 m의 $\frac{1}{5}$은 2 m입니다. ② 10 m의 $\frac{3}{5}$은 6 m입니다.

미리보기 5-1

크기가 같은 분수 만들기

① 분모와 분자에 0이 아닌 같은 수를 곱하기

예 $\frac{1}{3}=\frac{1\times2}{3\times2}=\frac{1\times3}{3\times3}=\cdots\cdots$

⇨ $\frac{1}{3}=\frac{2}{6}=\frac{3}{9}=\cdots\cdots$

② 분모와 분자를 0이 아닌 같은 수로 나누기

예 $\frac{24}{40}=\frac{24\div2}{40\div2}=\frac{24\div4}{40\div4}=\cdots\cdots$

⇨ $\frac{24}{40}=\frac{12}{20}=\frac{6}{10}=\cdots\cdots$

참고

• ■의 $\frac{1}{▲}$ ⇨ ■÷▲

예 12의 $\frac{1}{3}$ ⇨ 12÷3=4

• ■의 $\frac{●}{▲}$ ⇨ ■÷▲×●

예 16의 $\frac{3}{4}$ ⇨ 16÷4×3

=4×3=12

개념 활용

■의 $\frac{1}{㉠}$은 ㉡일 때 ■ 구하기

■의 $\frac{1}{㉠}$은 ■÷㉠=㉡ ⇨ ㉠×㉡=■

예 ■의 $\frac{1}{4}$은 5일 때 ■ 구하기

■÷4=5 ⇨ 4×5=■, ■=20

1 □ 안에 알맞은 수를 써넣으시오.

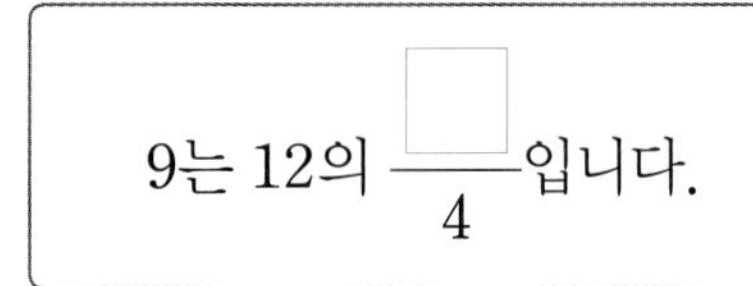

9는 12의 $\frac{\square}{4}$입니다.

2 ○ 안에 >, =, <를 알맞게 써넣으시오.

25의 $\frac{2}{5}$ ○ 48의 $\frac{1}{8}$

3 ㉠+㉡+㉢+㉣을 구하시오.

㉠ 20의 $\frac{1}{4}$	㉡ 30의 $\frac{3}{5}$
㉢ 18의 $\frac{4}{9}$	㉣ 42의 $\frac{1}{3}$

(　　　　　　　　　　)

4 ㉠+㉡을 구하시오.

- 6은 ㉠의 $\frac{1}{4}$입니다.
- ㉡은 20의 $\frac{2}{5}$입니다.

(　　　　　　　　　　)

5 바구니에 귤이 10개 있습니다. 바구니에 있는 귤의 $\frac{3}{5}$은 몇 개입니까?

(　　　　　　　　　　)

6 어떤 철사의 $\frac{1}{3}$은 6 m입니다. 이 철사의 $\frac{2}{9}$는 몇 m입니까?

(　　　　　　　　　　)

1 진분수, 가분수

• 진분수: $\frac{1}{4}$, $\frac{2}{4}$, $\frac{3}{4}$과 같이 분자가 분모보다 작은 분수

• 가분수: $\frac{4}{4}$, $\frac{5}{4}$와 같이 분자가 분모와 같거나 분모보다 큰 분수

• 자연수: 1, 2, 3과 같은 수

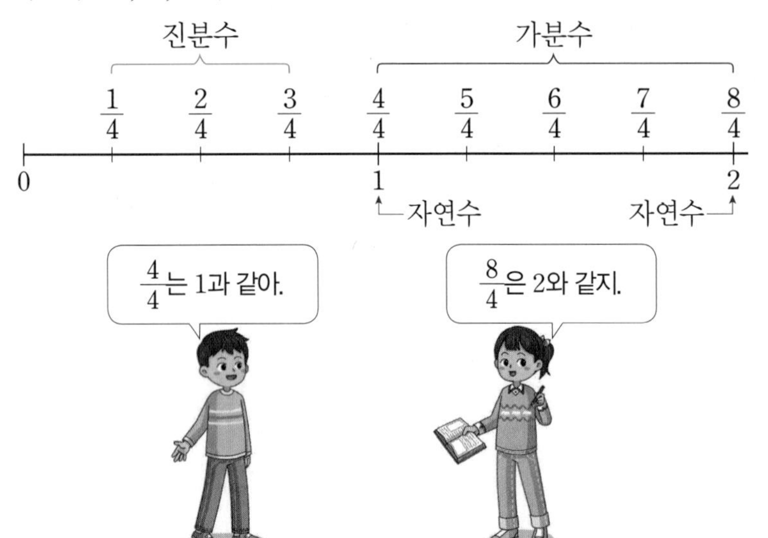

2 대분수

• 대분수: 자연수와 진분수로 이루어진 분수

예 1과 $\frac{1}{4}$ — 쓰기 $1\frac{1}{4}$ / 읽기 1과 4분의 1

• 대분수는 가분수로, 가분수는 대분수로 나타내기

① 대분수 → 가분수

$1\frac{2}{5}$ → $1(=\frac{5}{5})$, $\frac{2}{5}$ → $\frac{1}{5}$이 5개, $\frac{1}{5}$이 2개 → $\frac{1}{5}$이 7개 ⇨ $\frac{7}{5}$

② 가분수 → 대분수

$\frac{7}{4}$ → $\frac{1}{4}$이 7개 → $\frac{1}{4}$이 4개, $\frac{1}{4}$이 3개 → $\frac{4}{4}(=1)$, $\frac{3}{4}$ → $1\frac{3}{4}$

개념 활용 1

• 분모가 ■인 진분수는 $\frac{1}{■}$, ……, $\frac{■-1}{■}$입니다.

• 분모가 ▲인 가분수는 $\frac{▲}{▲}$, $\frac{▲+1}{▲}$……입니다.

참고

• 자연수 1을 분수로 나타내기

$1=\frac{2}{2}=\frac{3}{3}=\frac{4}{4}=$……

• 자연수를 분수로 나타내기

예 2를 분모가 3인 분수로 나타내기

$2=1+1=\frac{3}{3}+\frac{3}{3}=\frac{6}{3}$

개념 활용 2

• 대분수 → 가분수의 다른 방법

$■\frac{●}{▲}=\frac{■\times▲+●}{▲}$

예 $2\frac{1}{4}=\frac{2\times4+1}{4}=\frac{9}{4}$

• 가분수 → 대분수의 다른 방법

$\frac{★}{▲}$ ⇨ ★÷▲=■…● ⇨ $■\frac{●}{▲}$

예 $\frac{17}{6}$ ⇨ 17÷6=2…5 ⇨ $2\frac{5}{6}$

1 다음 분수를 수직선 위에 나타내시오.

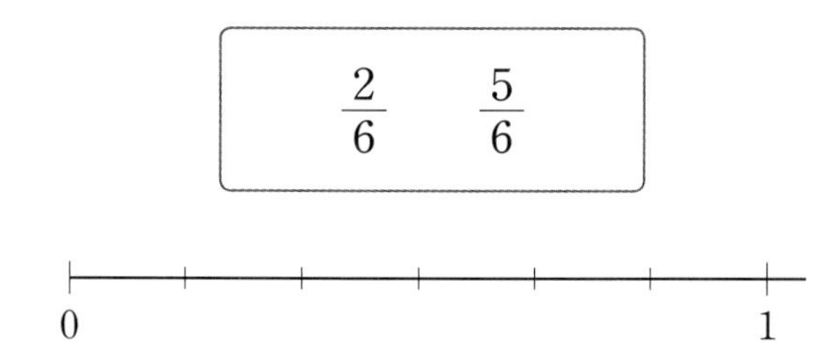

2 분모가 3인 진분수를 모두 쓰시오.

( )

3 $3\frac{\square}{7}$를 가분수로 나타내었더니 $\frac{23}{7}$이 되었습니다. □ 안에 알맞은 수를 구하시오.

( )

4 분모가 12인 가분수 중 가장 작은 수를 쓰시오.

( )

5 다음 설명에 알맞은 분수를 쓰시오.

- 가분수입니다.
- 분모는 5입니다.
- 분모와 분자의 차는 3입니다.

( )

6 분모가 4인 대분수 중에서 3보다 작은 수는 모두 몇 개입니까?

( )

3. 분모가 같은 분수의 크기 비교

1 가분수끼리의 크기 비교

• $\frac{7}{5}$과 $\frac{9}{5}$의 크기 비교

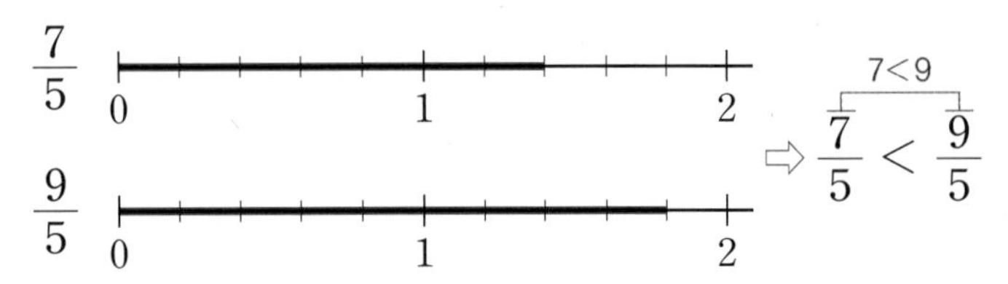

7<9 ⇨ $\frac{7}{5} < \frac{9}{5}$

⇨ 분자의 크기가 큰 가분수가 더 큽니다.

2 대분수끼리의 크기 비교

• $2\frac{1}{3}$과 $1\frac{2}{3}$의 크기 비교

$2\frac{1}{3}$, $1\frac{2}{3}$

2>1 ⇨ $2\frac{1}{3} > 1\frac{2}{3}$

⇨ 먼저 자연수의 크기를 비교하고 자연수의 크기가 같으면 분자의 크기를 비교합니다.

3 가분수와 대분수의 크기 비교

• $\frac{4}{3}$와 $1\frac{2}{3}$의 크기 비교

방법 1 대분수 → 가분수

$1\frac{2}{3}=\frac{5}{3}$

⇨ $\frac{4}{3}<\frac{5}{3}$

⇨ $\frac{4}{3}<1\frac{2}{3}$

방법 2 가분수 → 대분수

$\frac{4}{3}=1\frac{1}{3}$

⇨ $1\frac{1}{3}<1\frac{2}{3}$

⇨ $\frac{4}{3}<1\frac{2}{3}$

⇨ 가분수 또는 대분수로 바꾸어 분수의 크기를 비교합니다.

미리보기 5-1

분모가 다른 분수의 크기 비교

예 $\frac{3}{5}$과 $\frac{2}{4}$의 크기 비교

$\frac{3}{5}=\frac{3\times4}{5\times4}=\frac{12}{20}$

$\frac{2}{4}=\frac{2\times5}{4\times5}=\frac{10}{20}$

분수의 분모와 분자에 0이 아닌 같은 수를 곱합니다.

$\frac{12}{20}>\frac{10}{20}$이므로 $\frac{3}{5}>\frac{2}{4}$입니다.

⇨ 분수의 분모를 같게 한 다음 크기를 비교합니다.

개념 활용

세 분수의 크기 비교

가분수와 대분수 중 더 많은 쪽으로 바꾸어 비교하면 더 편리합니다.

예 $1\frac{1}{7}$, $\frac{11}{7}$, $1\frac{3}{7}$의 크기 비교

$\frac{11}{7}=1\frac{4}{7}$

⇨ $\frac{11}{7}(=1\frac{4}{7})>1\frac{3}{7}>1\frac{1}{7}$

→ 대분수가 2개, 가분수가 1개이므로 가분수를 대분수로 바꾸는 것이 더 편리합니다.

1 ◯ 안에 >, =, <를 알맞게 써넣으시오.

$\frac{8}{5}$ ◯ $1\frac{4}{5}$

2 두 분수의 크기를 비교하여 더 큰 분수를 □ 안에 써넣으시오.

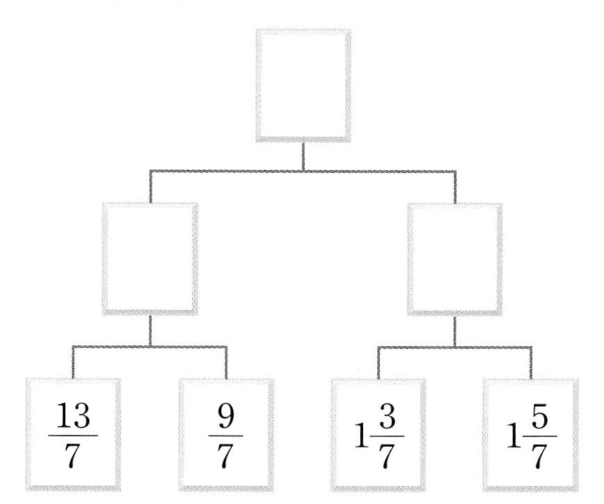

3 $1\frac{2}{6}$보다 크고 $\frac{10}{6}$보다 작은 분수를 찾아 쓰시오.

$\frac{11}{6}$　$1\frac{3}{6}$　$1\frac{1}{6}$　$\frac{8}{6}$

(　　　　　　　　)

4 가장 큰 분수를 찾아 쓰시오.

$3\frac{3}{10}$　$\frac{37}{10}$　$3\frac{1}{10}$

(　　　　　　　　)

5 다음은 동희, 선우, 보라가 가진 끈의 길이입니다. 가장 짧은 끈을 가진 사람의 이름을 쓰시오.

동희	선우	보라
$\frac{17}{8}$ m	2 m	$\frac{18}{8}$ m

(　　　　　　　　)

6 5장의 수 카드에서 3장을 골라 분모가 5인 대분수를 만들려고 합니다. 가장 큰 대분수를 만들어 보시오.

3　4　5　6　7

(　　　　　　　　)

STEP 2
Jump 유형
유형 1 분수만큼은 얼마인지 알아보는 문제

예제 **1-1** 라임이는 사탕 15개를 가지고 있었습니다. 사탕 전체의 $\frac{2}{5}$는 친구에게 주고 전체의 $\frac{1}{3}$은 동생에게 주었습니다. 남은 사탕은 몇 개입니까?

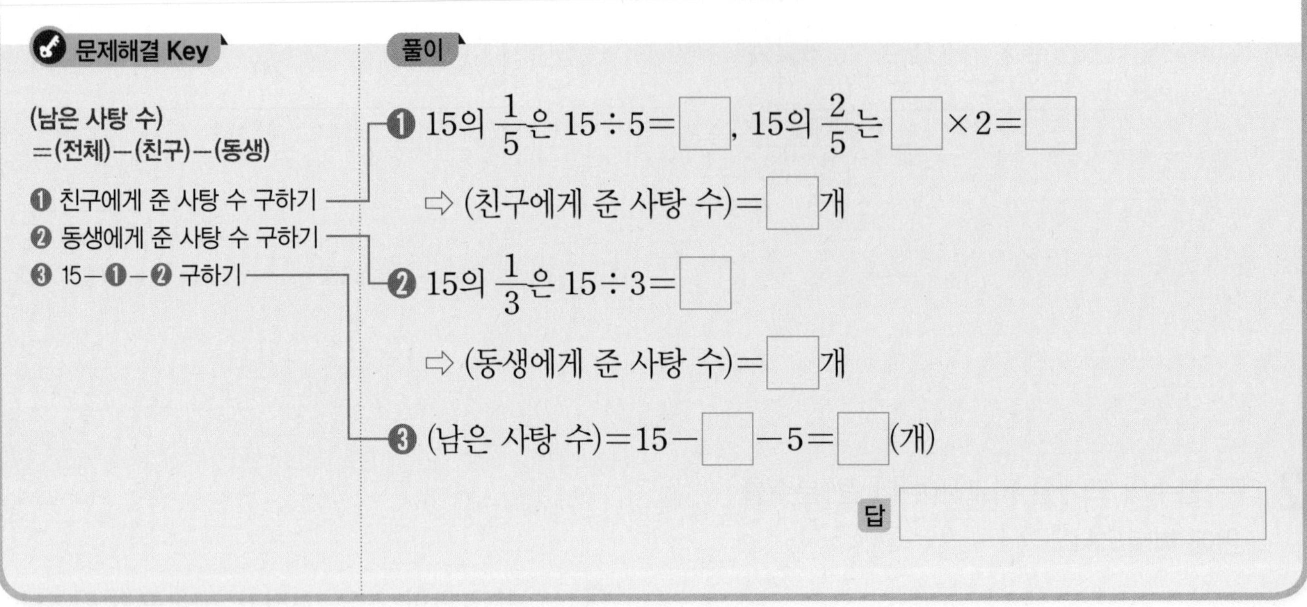

문제해결 Key
(남은 사탕 수)
=(전체)−(친구)−(동생)
❶ 친구에게 준 사탕 수 구하기
❷ 동생에게 준 사탕 수 구하기
❸ 15−❶−❷ 구하기
풀이
❶ 15의 $\frac{1}{5}$은 15÷5=□, 15의 $\frac{2}{5}$는 □×2=□
⇨ (친구에게 준 사탕 수)=□개
❷ 15의 $\frac{1}{3}$은 15÷3=□
⇨ (동생에게 준 사탕 수)=□개
❸ (남은 사탕 수)=15−□−5=□(개)
답

예제 **1-2** 민주는 구슬 10개를 가지고 있었습니다. 구슬 전체의 $\frac{1}{2}$은 현수에게 주고 전체의 $\frac{1}{5}$은 정호에게 주었습니다. 남은 구슬은 몇 개입니까?

( )

응용 **1-3** 민정이는 귤 27개를 가지고 있었습니다. 귤 전체의 $\frac{1}{3}$은 언니에게 주고 나머지의 $\frac{1}{3}$은 동생에게 주었습니다. 남은 귤은 몇 개입니까?

( )

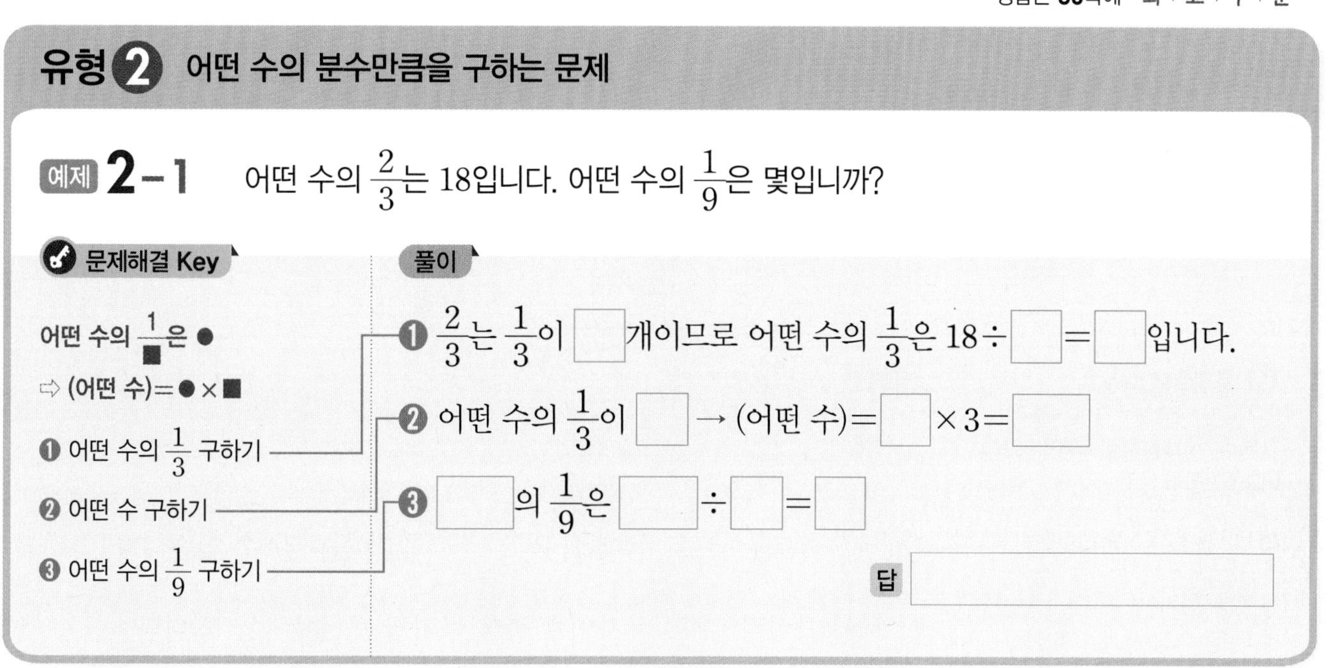

유형 2 어떤 수의 분수만큼을 구하는 문제
예제 2-1 어떤 수의 $\frac{2}{3}$는 18입니다. 어떤 수의 $\frac{1}{9}$은 몇입니까?
문제해결 Key
어떤 수의 $\frac{1}{■}$은 ●
⇨ (어떤 수)=●×■
❶ 어떤 수의 $\frac{1}{3}$ 구하기
❷ 어떤 수 구하기
❸ 어떤 수의 $\frac{1}{9}$ 구하기
풀이
❶ $\frac{2}{3}$는 $\frac{1}{3}$이 □개이므로 어떤 수의 $\frac{1}{3}$은 18÷□=□입니다.
❷ 어떤 수의 $\frac{1}{3}$이 □ → (어떤 수)=□×3=□
❸ □의 $\frac{1}{9}$은 □÷□=□
답

예제 2-2 어떤 수의 $\frac{4}{5}$는 16입니다. 어떤 수의 $\frac{1}{2}$은 몇입니까?

( )

예제 2-3 어떤 수의 $\frac{3}{7}$은 9입니다. 어떤 수의 $\frac{2}{3}$는 몇입니까?

( )

응용 2-4 다음을 만족하는 ㉠을 구하시오. (단, □는 같은 수입니다.)

- □의 $\frac{3}{4}$은 24입니다.
- □의 $\frac{5}{8}$는 ㉠입니다.

( )

STEP 2 Jump 유형

유형 3 □가 있는 분수의 크기 비교를 하는 문제

예제 3-1 ㉠에 들어갈 수 있는 자연수 중에서 가장 큰 수를 구하시오.

$$㉠\frac{1}{7} < \frac{36}{7}$$

문제해결 Key

가분수 → 대분수로 바꾸어 크기 비교를 합니다.

❶ $\frac{36}{7}$을 대분수로 나타내기

❷ ㉠ 구하기

❸ ㉠ 중 가장 큰 수 구하기

풀이

❶ $\frac{36}{7}=5\frac{\square}{7}$

❷ $㉠\frac{1}{7}<5\frac{1}{7}$이므로 ㉠에 1, 2, □, □가 들어갈 수 있습니다.

❸ ㉠에 들어갈 수 있는 자연수 중에서 가장 큰 수는 □입니다.

답

예제 3-2 □ 안에 들어갈 수 있는 자연수 중에서 가장 작은 수를 구하시오.

$$\square\frac{1}{6} > \frac{73}{6}$$

(　　　　　　　　)

응용 3-3 □ 안에 들어갈 수 있는 자연수는 모두 몇 개입니까?

$$3\frac{6}{7}<\frac{\square}{7}<4\frac{4}{7}$$

(　　　　　　　　)

유형 4 수 카드로 분수를 만드는 문제

예제 4-1 3장의 수 카드를 한 번씩만 사용하여 만들 수 있는 진분수는 모두 몇 개입니까?

4 2 5

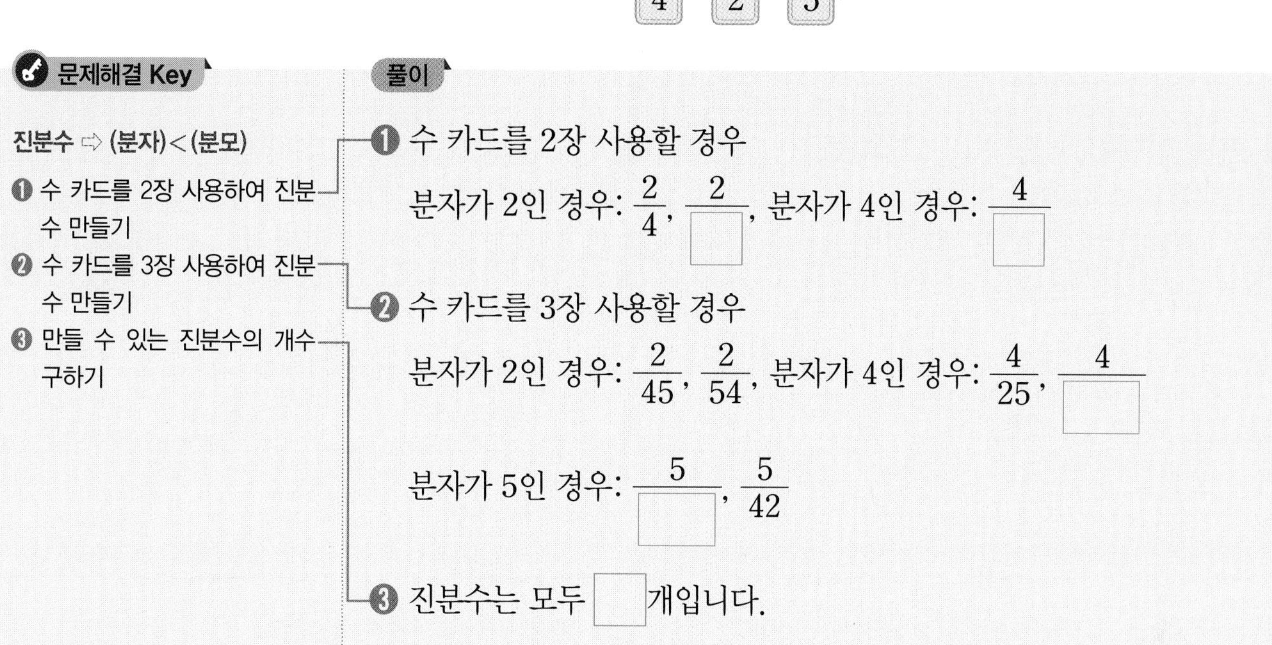

문제해결 Key

진분수 ⇨ (분자)<(분모)

❶ 수 카드를 2장 사용하여 진분수 만들기
❷ 수 카드를 3장 사용하여 진분수 만들기
❸ 만들 수 있는 진분수의 개수 구하기

풀이

❶ 수 카드를 2장 사용할 경우

분자가 2인 경우: $\frac{2}{4}$, $\frac{2}{\square}$, 분자가 4인 경우: $\frac{4}{\square}$

❷ 수 카드를 3장 사용할 경우

분자가 2인 경우: $\frac{2}{45}$, $\frac{2}{54}$, 분자가 4인 경우: $\frac{4}{25}$, $\frac{4}{\square}$

분자가 5인 경우: $\frac{5}{\square}$, $\frac{5}{42}$

❸ 진분수는 모두 □개입니다.

답

예제 4-2 3장의 수 카드를 한 번씩만 사용하여 만들 수 있는 가분수는 모두 몇 개입니까?

3 5 8

(　　　　　　　　)

응용 4-3 4장의 수 카드 중 3장을 뽑아 한 번씩만 사용하여 만들 수 있는 대분수는 모두 몇 개입니까?

2 5 7 9

(　　　　　　　　)

유형 5 조건을 만족하는 분수를 구하는 문제

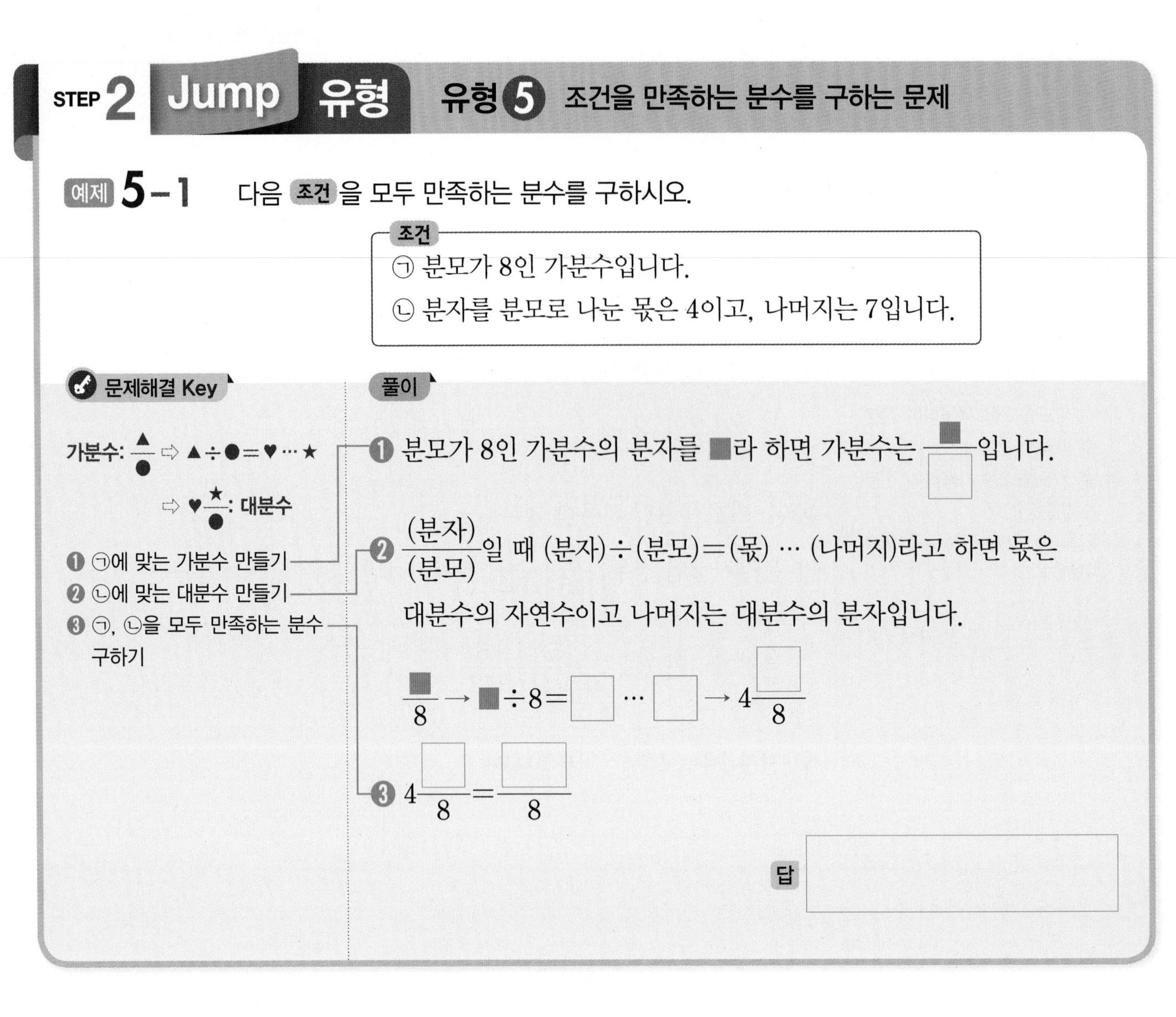

예제 5-1 다음 조건을 모두 만족하는 분수를 구하시오.
조건
㉠ 분모가 8인 가분수입니다.
㉡ 분자를 분모로 나눈 몫은 4이고, 나머지는 7입니다.
문제해결 Key
가분수: ▲/● ⇨ ▲÷●=♥…★
⇨ ♥★/●: 대분수
❶ ㉠에 맞는 가분수 만들기
❷ ㉡에 맞는 대분수 만들기
❸ ㉠, ㉡을 모두 만족하는 분수 구하기
풀이
❶ 분모가 8인 가분수의 분자를 ■라 하면 가분수는 ■/□입니다.
❷ (분자)/(분모)일 때 (분자)÷(분모)=(몫) … (나머지)라고 하면 몫은 대분수의 자연수이고 나머지는 대분수의 분자입니다.
■/8 → ■÷8=□ … □ → 4□/8
❸ 4□/8=□/8
답

예제 5-2 다음 조건을 모두 만족하는 분수를 구하시오.

조건
- 분모가 5인 가분수입니다.
- 분자를 분모로 나눈 몫은 3이고, 나머지는 2입니다.

(　　　　　　　　)

응용 5-3 어떤 가분수의 분자 19를 분모로 나누었더니 몫이 3이고 나머지가 1이었습니다. 이 가분수의 분모와 분자의 합을 구하시오.

(　　　　　　　　)

유형 6 분모와 분자의 합, 차를 이용하여 분수를 구하는 문제

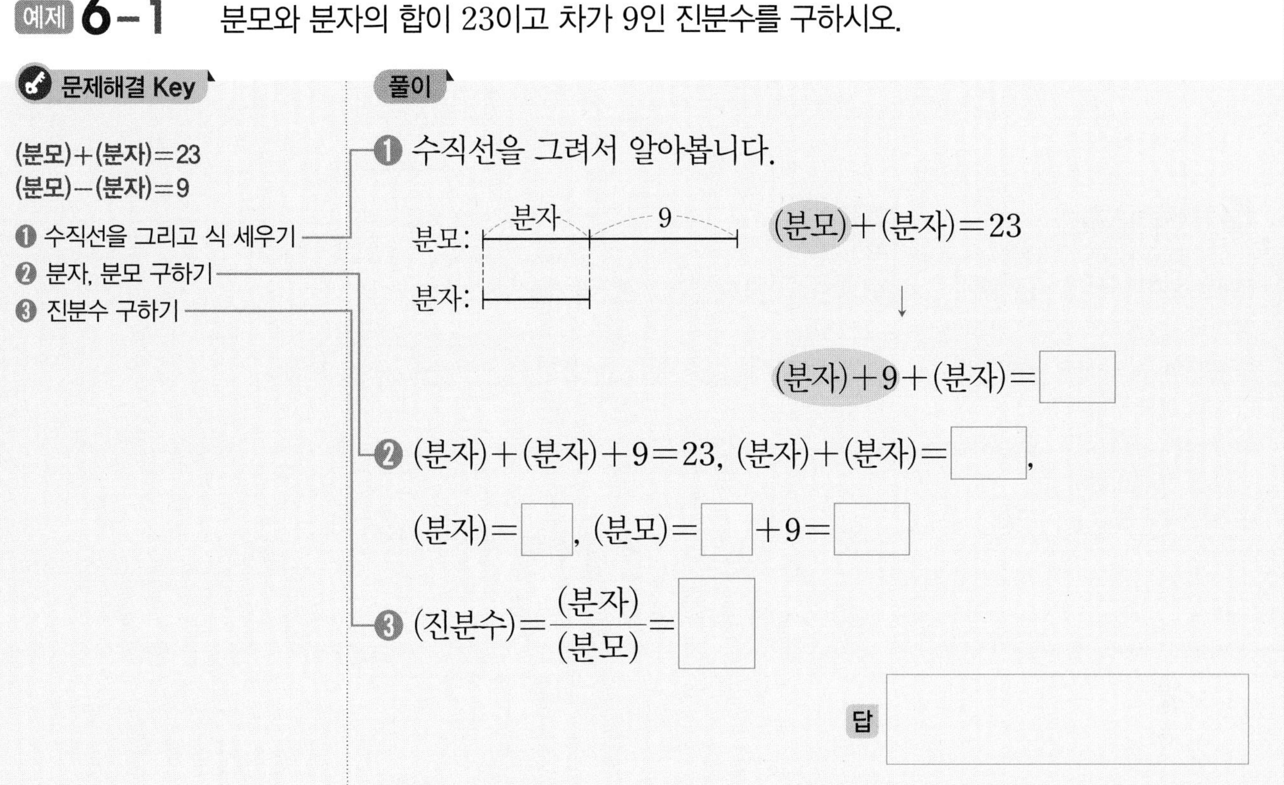

예제 6-1 분모와 분자의 합이 23이고 차가 9인 진분수를 구하시오.
문제해결 Key
(분모)+(분자)=23
(분모)−(분자)=9
❶ 수직선을 그리고 식 세우기
❷ 분자, 분모 구하기
❸ 진분수 구하기
풀이
❶ 수직선을 그려서 알아봅니다.
분모:
분자:
분자
9
(분모)+(분자)=23
(분자)+9+(분자)=
❷ (분자)+(분자)+9=23, (분자)+(분자)=,
(분자)=, (분모)=+9=
❸ (진분수)=(분자)/(분모)=
답

예제 6-2 분모와 분자의 합이 20이고 차가 8인 진분수를 구하시오.

( )

응용 6-3 분모와 분자의 합이 61이고 차가 9인 가분수를 대분수로 나타내시오.

( )

STEP 2 Jump 유형 유형 7 분수의 규칙을 찾는 문제

예제 7-1 일정한 규칙에 따라 분수를 늘어놓았을 때, 30번째에 놓을 분수를 구하시오.

$$\frac{1}{2}, \frac{3}{5}, \frac{5}{8}, \frac{7}{11}\cdots\cdots$$

문제해결 Key

분모와 분자의 규칙을 각각 알아봅니다.

❶ 분모의 규칙 찾고 30번째에 놓을 분모 구하기
❷ 분자의 규칙 찾고 30번째에 놓을 분자 구하기
❸ 30번째에 놓을 분수 구하기

풀이

❶ 분모는 2부터 ☐씩 커지는 규칙입니다.
30번째에 놓을 분모는 2부터 ☐씩 29번 커진 수
⇨ ☐ × 29 = ☐, 2 + ☐ = ☐

❷ 분자는 1부터 ☐씩 커지는 규칙입니다.
30번째에 놓을 분자는 1부터 ☐씩 29번 커진 수
⇨ ☐ × 29 = ☐, 1 + ☐ = ☐

❸ 분모: ☐, 분자: ☐ ⇨ (분수) = ☐

답 ☐

예제 7-2 일정한 규칙에 따라 분수를 늘어놓았을 때, 41번째에 놓을 분수를 구하시오.

$$\frac{50}{3}, \frac{49}{5}, \frac{48}{7}, \frac{47}{9}\cdots\cdots$$

(　　　　　　　　)

응용 7-3 일정한 규칙에 따라 분수를 늘어놓았을 때, 50번째에 놓을 분수를 구하시오.

$$\frac{12}{13}, 1\frac{4}{13}, \frac{22}{13}, 2\frac{1}{13}\cdots\cdots$$

(　　　　　　　　)

창의·융합 유형 8 부분으로 전체를 알아보는 문제

예제 8-1 [수학+과학]

다음 신문 기사를 읽고 *크론병 실험에서 미미하게 **호전 증세를 보인 사람은 몇 명인지 구하시오.

*크론병: 우리 몸의 위나 장에 발생하는 병

**호전: 병이 나아짐

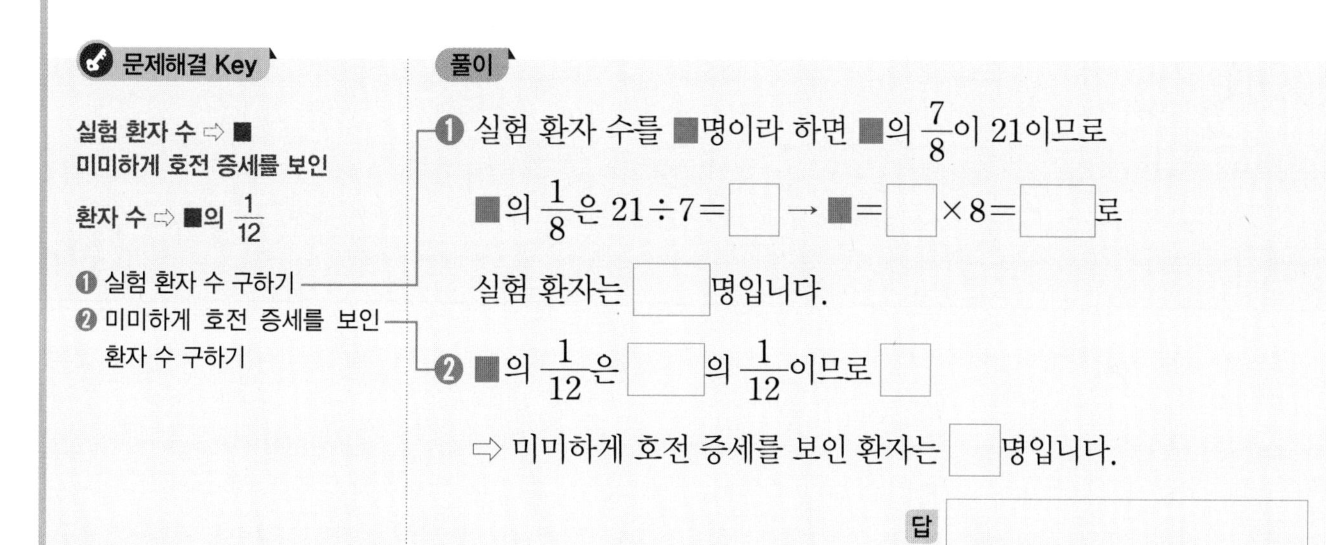

○○일보 20XX년 ○○월 △△일

기생충으로 크론병 치료

기생충이라면 무조건 몸의 영양분을 뺏는 것으로 여기는 경우가 많다. 하지만 소화기 내과 의사인 조엘 와인스톡은 기생충에 대한 전혀 다른 연구 결과를 내놓았다. 20세기에 북미 지역에서 크론병이 크게 증가하였는데 그는 크론병 환자 몇 명을 모아 돼지편충 알이 든 음료 한 잔씩을 3주에 한 잔씩 제공하고 환자들의 변화를 관찰하였다. 그 결과 12주가 지난 후 실험 환자 전체의 $\frac{7}{8}$인 21명이 증세가 완전히 호전되었으며 전체의 $\frac{1}{12}$은 미미하지만 호전 증세를 보였다. 이 실험을 통해 와인스톡은 면역시스템이 제대로 작동하려면 기생충이 필요하다고 믿게 되었다.

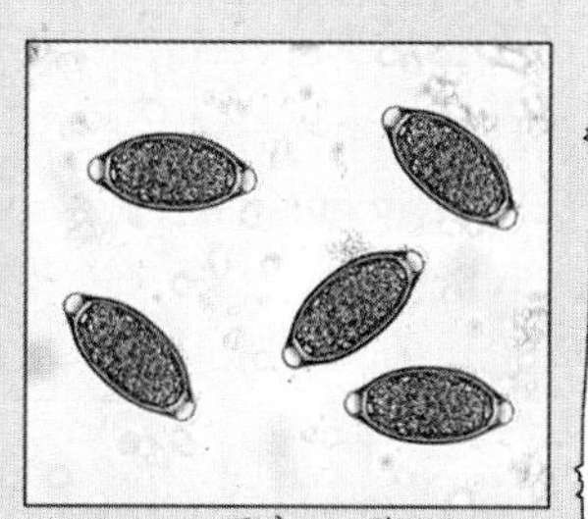

▲ 편충의 알

문제해결 Key

실험 환자 수 ⇨ ■
미미하게 호전 증세를 보인 환자 수 ⇨ ■의 $\frac{1}{12}$

❶ 실험 환자 수 구하기
❷ 미미하게 호전 증세를 보인 환자 수 구하기

풀이

❶ 실험 환자 수를 ■명이라 하면 ■의 $\frac{7}{8}$이 21이므로

■의 $\frac{1}{8}$은 $21 \div 7 = \square$ → ■$= \square \times 8 = \square$로

실험 환자는 $\square$명입니다.

❷ ■의 $\frac{1}{12}$은 $\square$의 $\frac{1}{12}$이므로 $\square$

⇨ 미미하게 호전 증세를 보인 환자는 $\square$명입니다.

답

응용 8-2 [수학+사회]

태극기를 그릴 때에는 정해진 규격에 따라 그려야 합니다. 태극기의 세로는 가로의 $\frac{2}{3}$이고 태극 문양의 지름은 세로의 $\frac{1}{2}$입니다. 혜주가 태극기의 가로를 36 cm로 그렸다면 정해진 규격에 따라 그릴 때 태극 문양의 지름은 몇 cm입니까?

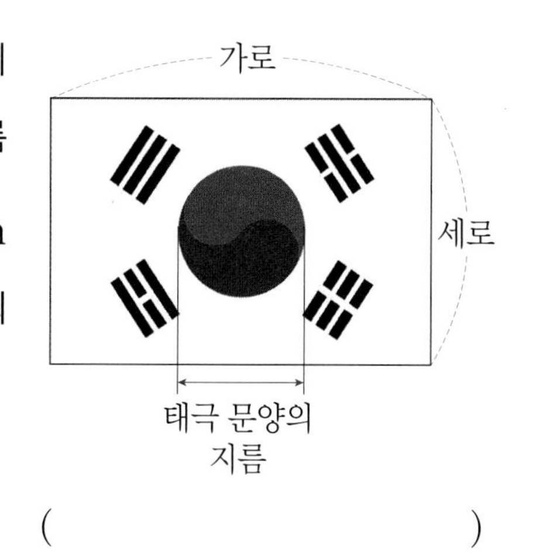

(　　　　　　　)

STEP 2 Jump 유형

유형 9 튀어 오른 공의 높이를 구하는 문제

예제 9-1 떨어진 높이의 $\frac{3}{4}$만큼 튀어 오르는 공이 있습니다. 이 공을 32 m의 높이에서 떨어뜨렸다면 두 번째로 튀어 오른 공의 높이는 몇 m입니까?

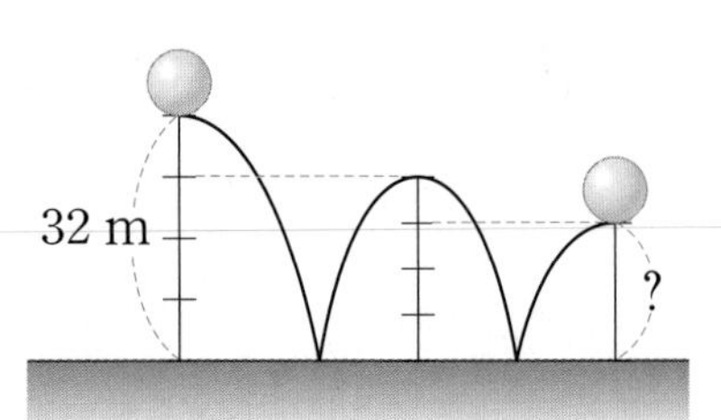

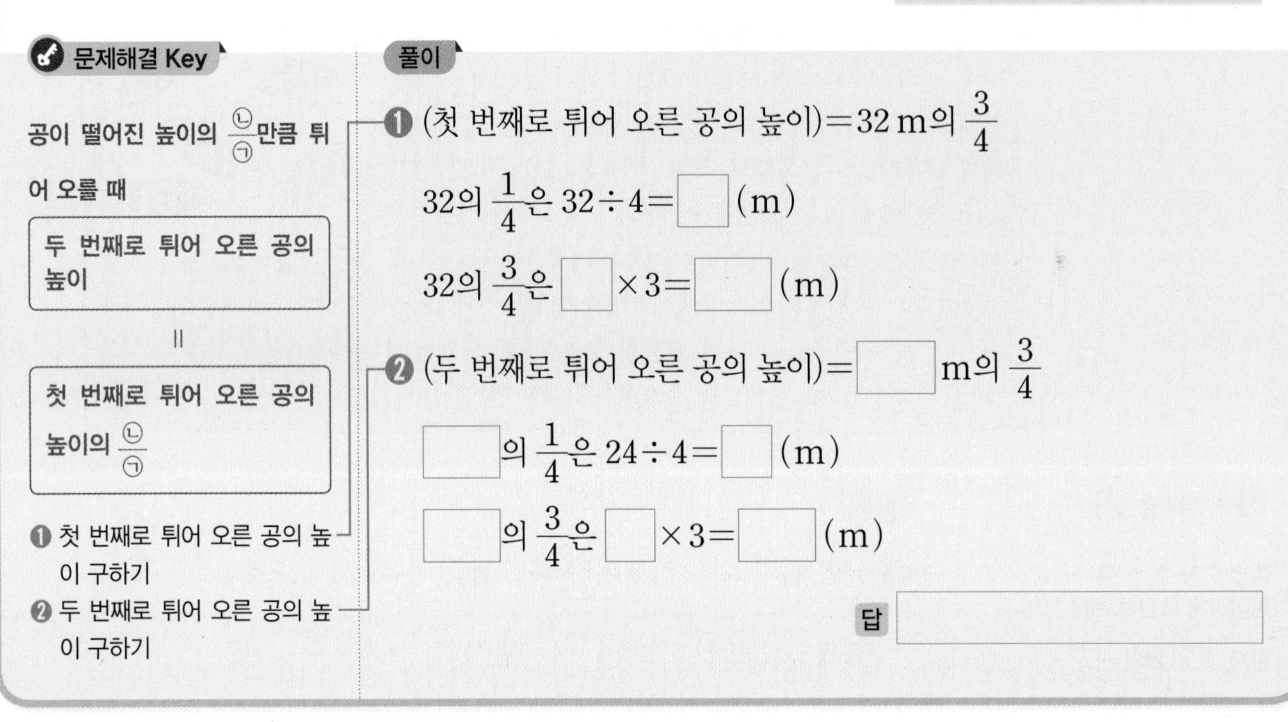

문제해결 Key
공이 떨어진 높이의 $\frac{㉡}{㉠}$만큼 튀어 오를 때
두 번째로 튀어 오른 공의 높이
‖
첫 번째로 튀어 오른 공의 높이의 $\frac{㉡}{㉠}$
❶ 첫 번째로 튀어 오른 공의 높이 구하기
❷ 두 번째로 튀어 오른 공의 높이 구하기
풀이
❶ (첫 번째로 튀어 오른 공의 높이)=32 m의 $\frac{3}{4}$
32의 $\frac{1}{4}$은 $32 \div 4 = \square$ (m)
32의 $\frac{3}{4}$은 $\square \times 3 = \square$ (m)
❷ (두 번째로 튀어 오른 공의 높이)=$\square$ m의 $\frac{3}{4}$
$\square$의 $\frac{1}{4}$은 $24 \div 4 = \square$ (m)
$\square$의 $\frac{3}{4}$은 $\square \times 3 = \square$ (m)
답

예제 9-2 떨어진 높이의 $\frac{2}{5}$만큼 튀어 오르는 공이 있습니다. 이 공을 50 m의 높이에서 떨어뜨렸다면 두 번째로 튀어 오른 공의 높이는 몇 m입니까?

(　　　　　　　　)

응용 9-3 떨어진 높이의 $\frac{5}{7}$만큼 튀어 오르는 공이 있습니다. 이 공을 49 m의 높이에서 떨어뜨렸다면 두 번째로 튀어 올랐을 때까지 공이 움직인 거리는 모두 몇 m입니까?

(단, 공은 위, 아래로만 움직입니다.)

(　　　　　　　　)

문제 풀이 동영상 >>

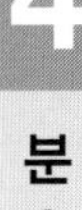

유형 ❸ □가 있는 분수의 크기 비교를 하는 문제

01 □ 안에 들어갈 수 있는 자연수는 모두 몇 개입니까?

$$1<\frac{\square}{23}<1\frac{17}{23}$$

( )

02 사과를 ㉮, ㉯, ㉰ 세 상자에 담아 무게를 재었더니 ㉮ 상자는 $\frac{47}{9}$ kg, ㉯ 상자는 $4\frac{8}{9}$ kg, ㉰ 상자는 $5\frac{3}{9}$ kg이었습니다. 두 번째로 가벼운 상자의 무게는 몇 kg입니까?

( )

유형 ❺ 조건을 만족하는 분수를 구하는 문제

03 분모가 15인 분수 중에서 2보다 작은 가분수는 모두 몇 개입니까?

( )

창의·융합

[수학+사회] 유형 ❶ 분수만큼은 얼마인지 알아보는 문제

04 고대 이집트인들은 다음과 같이 분수를 나타내었다고 합니다.

*고대 이집트인들의 분수 표기법을 보고 다음 문제의 답을 구하시오.

> 귤 36개 중 을 봉지에 넣고 봉지에 넣은 귤 중 를 먹었습니다. 먹은 귤은 몇 개입니까?

(　　　　　　　　　　)

*고대 이집트인들은 $\frac{1}{2}$과 $\frac{2}{3}$만 다른 방법으로 나타내고 다른 분수는 수 위에 ⬭를 그려서 분자가 1인 분수로 나타냈습니다.

유형 ❷ 어떤 수의 분수만큼을 구하는 문제

05 어떤 수의 $\frac{5}{9}$는 40입니다. 어떤 수의 $2\frac{3}{8}$은 얼마입니까?

(　　　　　　　　　　)

유형 ❺ 조건을 만족하는 분수를 구하는 문제

06 다음 조건 을 모두 만족하는 분수 중 가장 큰 수를 구하시오.

> 조건
> - 분모가 7인 가분수입니다.
> - 분자를 분모로 나눈 몫은 4이고, 나머지는 모릅니다.

(　　　　　　　　　　)

유형 6 분모와 분자의 합, 차를 이용하여 분수를 구하는 문제

07 자연수 부분이 7이고, 분모와 분자의 합이 9인 대분수는 모두 몇 개입니까?

( )

유형 4 수 카드로 분수를 만드는 문제

08 4장의 수 카드 [2], [5], [7], [8]을 한 번씩만 사용하여 대분수를 만들려고 합니다. 3보다 작은 대분수는 모두 몇 개입니까?

( )

09 두 분수의 분모가 같을 때 □ 안에 알맞은 수를 구하시오.

$$4\frac{2}{\square}=\frac{46}{\square}$$

( )

유형 ① 분수만큼은 얼마인지 알아보는 문제

10 대화를 보고 박물관에 내야 할 입장료는 모두 얼마인지 구하시오.

(　　　　　　　　　　)

11 대분수 ㉠$\frac{㉢}{㉡}$에서 ㉠+㉡+㉢=12일 때, 가장 큰 대분수를 구하시오.

(　　　　　　　　　　)

유형 ⑥ 분모와 분자의 합, 차를 이용하여 분수를 구하는 문제

12 ㉡이 될 수 있는 가분수 중 가장 큰 가분수를 구하시오.

- 어떤 가분수 ㉠의 분모와 분자의 합은 17이고 차는 5입니다.
- ㉡은 ㉠과 분모가 같으면서 ㉠보다 크고 3보다 작은 가분수입니다.

(　　　　　　　　　　)

유형 ④ 수 카드로 분수를 만드는 문제

13 3장의 수 카드 [1], [3], [7]을 한 번씩 모두 사용하여 만들 수 있는 분수는 모두 몇 개입니까? (단, 분모가 1인 가분수는 만들지 않습니다.)

(　　　　　　　　)

성대 경시 유형 유형 ⑦ 분수의 규칙을 찾는 문제

14 다음과 같은 규칙으로 분수를 늘어놓았습니다. 42번째에 놓일 분수를 구하시오.

$\frac{1}{5}, \frac{2}{5}, \frac{3}{5}, \frac{4}{5}, 1\frac{1}{5}, 1\frac{2}{5}, 1\frac{3}{5}, 1\frac{4}{5}, 2\frac{1}{5}$……

(　　　　　　　　)

해법 경시 유형 유형 ⑧ 부분으로 전체를 알아보는 문제

15 어느 제과점에서 오전에 만든 과자의 $\frac{3}{4}$만큼을 오전에 팔았습니다. 오후에는 오후에 만든 과자 100개와 오전에 팔고 남은 과자를 모두 팔았습니다. 오전에 판 과자의 수와 오후에 판 과자의 수가 같았다면 오전에 만든 과자는 몇 개입니까?

(　　　　　　　　)

문제 풀이 동영상 >>

창의·융합

01 용지에는 A열과 B열이 있습니다. 인쇄를 할 때 사용하는 용지는 자르는 과정을 몇 번 반복했느냐에 따라 이름을 붙입니다. 예를 들어 A4 용지는 A0 용지를 4번 잘랐을 때 생긴 용지입니다. 오른쪽의 B열 용지를 보고 B5 용지는 B1 용지의 얼마인지 분수로 나타내시오.

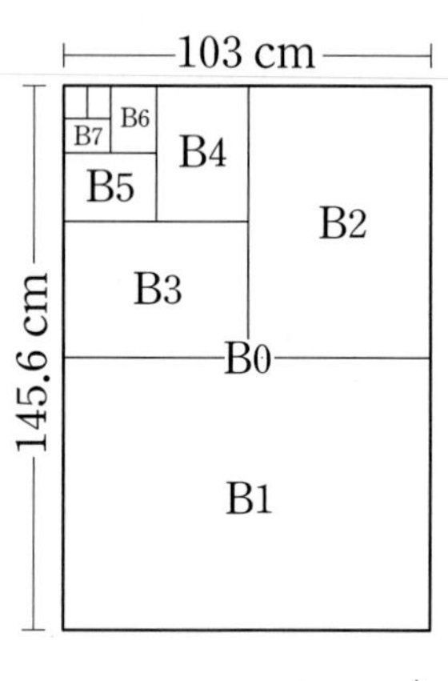

(　　　　　　　　)

02 다음 조건 을 모두 만족할 때, ㉡에 들어갈 수 있는 수를 모두 쓰시오. (단, ㉠, ㉡은 모두 자연수입니다.)

조건
- ㉠$\frac{2}{7}$=$\frac{㉡}{7}$
- ㉠은 3보다 크고 9보다 작은 자연수입니다.

(　　　　　　　　)

03 오른쪽과 같은 분수가 있습니다. ★과 ▲에는 1부터 9까지의 자연수가 들어갈 수 있습니다. 오른쪽 분수가 될 수 있는 것 중에서 가장 작은 분수와 가장 큰 분수를 차례로 쓰시오. (단, ★ > ▲)

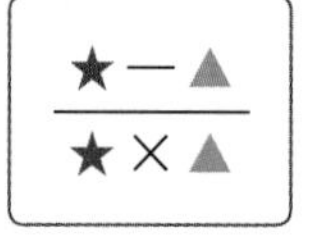

(　　　　　　　　), (　　　　　　　　)

04 오른쪽과 같이 가에서 공을 떨어뜨렸더니 두 번 바닥에 튀고 두 번째로 튀어 오른 공과 바닥 다 사이의 거리가 16 cm였습니다. 처음에 떨어뜨린 공과 바닥 나 사이의 거리는 몇 cm입니까?

(단, 공은 떨어진 높이의 $\frac{2}{3}$만큼 튀어 오릅니다.)

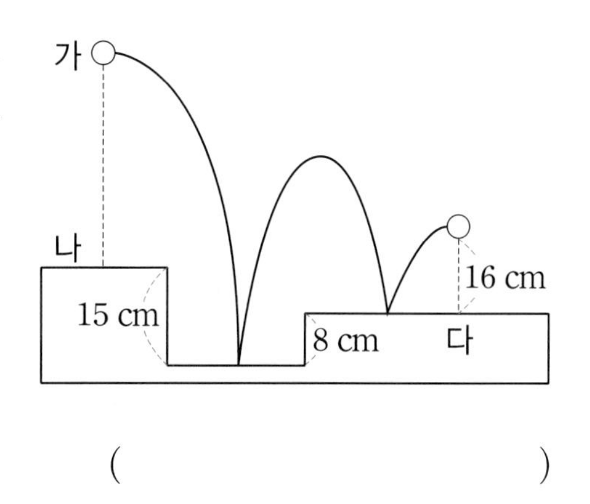

( )

성대 경시 유형 | 고대 경시 유형

05 세 개의 숫자 1, 2, 3을 한 번씩만 사용하여 $\frac{1}{2}$, $\frac{2}{13}$ 등과 같은 진분수를 만들 수 있습니다. 숫자 0, 1, 3, 5를 한 번씩만 사용하여 만들 수 있는 진분수는 모두 몇 개입니까?

( )

해법 경시 유형

06 구슬을 효민이와 은정이가 같은 수만큼 가지고 있었는데, 효민이와 철준이가 은정이에게 구슬을 2개씩 주었더니 효민이가 가지고 있는 구슬 수는 은정이가 가지고 있는 구슬 수의 $\frac{4}{7}$가 되었습니다. 은정이가 처음에 가지고 있던 구슬은 몇 개입니까?

( )

최고 수준 생각하기

평화의 수, 분수

사과 4개를 친구 2명이 똑같이 나눠 먹으려면 어떻게 해야 할까요?
$4 \div 2 = 2$이므로 사과를 2개씩 나눠 먹으면 됩니다.

그렇다면, 친구 1명이 더 오면 어떻게 나눠 먹으면 될까요?

친구 1명이 더 오면 사과 4개에 사람은 3명이 됩니다.
$4 \div 3 = 1 \cdots 1$이므로 3명이 사과를 1개씩 먹으면 사과가 1개 남습니다.
그럼, 사과 1개를 3명이 어떻게 나눠야 할까요?

1개를 3등분?
$1 \div 3 = ?$
$\Rightarrow 1 = \frac{1}{3} + \frac{1}{3} + \frac{1}{3}$
1을 3등분 하면 되는구나.

위의 그림처럼 사과 1개를 3조각으로 나누어 1조각씩 더 나눠 먹을 수 있습니다.
즉, 한 사람이 사과를 $1 + \frac{1}{3} = 1\frac{1}{3}$(개)씩 먹으면 되는 것이죠.

이와 같이 $\frac{(분자)}{(분모)}$는 (분자)÷(분모)로 쓸 수 있고, 이것은 나눗셈의 몫을 나타냅니다.
예를 들어 피자 1판을 4명이 나눠 먹으려면 1명당 $1 \div 4 = \frac{1}{4}$(판)씩 먹으면 된답니다.

5 들이와 무게

꼭! 알아야 할 대표 유형

유형 ❶ 들이의 합과 차를 활용하는 문제

유형 ❷ 무게의 합과 차를 활용하는 문제

유형 ❸ 들이가 적은 물건으로 더 큰 물건을 채우는 문제

유형 ❹ 저울이 수평을 이룰 때 무게를 구하는 문제

유형 ❺ 두 물통에 담긴 물의 양을 같게 하는 문제

유형 ❻ 여러 그릇으로 물 담는 방법을 설명하는 문제

유형 ❼ 구멍 난 통에 물을 받는 문제

유형 ❽ [창의 · 융합] 단위 사이의 관계를 활용하는 문제

유형 ❾ 추와 윗접시저울로 무게를 잴 수 없는 물건을 찾는 문제

단계	쪽수	공부한 날	점수
1단계 Start 개념	98~101	월 일	O X
2단계 Jump 유형	102~110	월 일	O X
3단계 Master 심화	111~115	월 일	O X
4단계 Top 최고수준	116~117	월 일	O X

※ O에는 맞힌 개수, X에는 틀린 개수를 써넣으세요.

STEP 1 Start 개념 1. 들이

1 들이의 단위

• 들이의 단위: 리터(L), 밀리리터(mL)

읽기	쓰기
1 리터	1 L 1 L
1 밀리리터	1 mL 1 mL

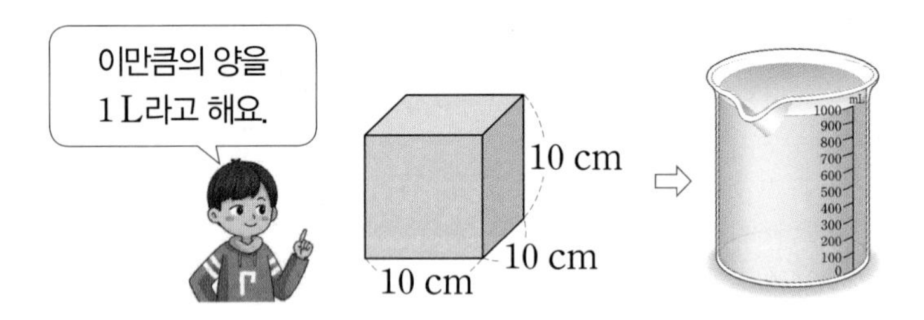

이만큼의 양을
1 L라고 해요.
10 cm
10 cm
10 cm

• 1 리터는 1000 밀리리터와 같습니다. 1 L=1000 mL

• **1 L 500 mL** (**1 리터 500 밀리리터**): 1 L보다 500 mL 더 많은 들이

→ 1 L 500 mL=1 L+500 mL
=1000 mL+500 mL
=1500 mL

2 들이를 어림하고 재기

• 들이를 어림하여 말할 때에는 약 □L 또는 약 □mL라고 합니다.

3 들이의 덧셈과 뺄셈

• 들이의 덧셈

	L	mL
	1	
	2 L	500 mL
+	1 L	800 mL
	4 L	300 mL

→ 500+800=1300 (mL)

• 들이의 뺄셈

	L	mL
	3	1000
	4 L	300 mL
−	1 L	700 mL
	2 L	600 mL

→ 1000+300−700=600 (mL)

⇨ 들이의 덧셈과 뺄셈을 할 때에는 L는 L끼리, mL는 mL끼리 계산합니다.

개념 활용 1

단위가 있는 들이 비교

① 큰 단위인 L를 비교

4 L 100 mL > 3 L 500 mL (4>3)

② L가 같으면 mL를 비교

4 L 10 mL < 4 L 30 mL (10<30)

미리보기 6-1

• **부피의 단위 1 cm^3**

한 모서리가 1 cm인 정육면체의 부피를 **1 cm^3**라 하고 **1 세제곱센티미터**라고 읽습니다.

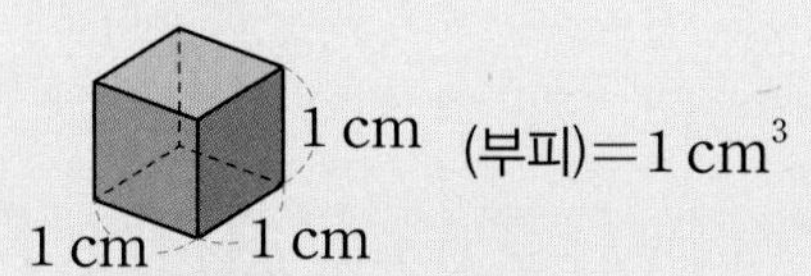

• **부피와 들이 사이의 관계**

부피: 겉으로 드러나는 양의 크기
들이: 그릇 안에 담을 수 있는 양

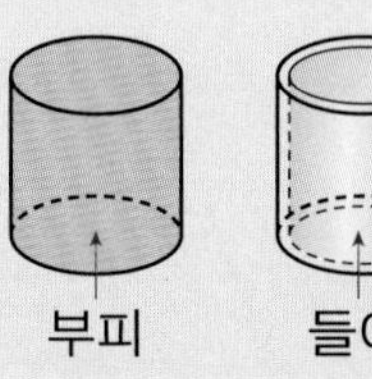

개념 활용 2

큰 그릇의 들이 어림하기

200 mL들이 우유갑에 물을 가득 채워 2번 부었더니 컵이 가득 찼습니다.

⇨ 컵의 들이는 약 400 mL입니다.

1 □ 안에 알맞은 수를 써넣으시오.

7 L 800 mL − 2 L 600 mL
= □ L □ mL

2 들이가 적은 것부터 차례로 기호를 쓰시오.

㉠ 3 L 320 mL
㉡ 3 L 78 mL
㉢ 4 L

(　　　　　　　　)

3 어떤 그릇에 가득 담긴 물을 1 L들이 비커 4개에 다음과 같이 반씩 담았습니다. 이 그릇의 들이는 약 몇 L입니까?

(　　　　　　　　)

4 ㉠과 ㉡에 알맞은 숫자를 각각 쓰시오.

6800 mL < ㉠ L ㉡00 mL < 7 L

㉠ (　　　　　　　　)
㉡ (　　　　　　　　)

5 기름이 6 L 300 mL 들어 있는 통에서 기름을 사용했더니 3 L 700 mL가 남았습니다. 사용한 기름은 몇 L 몇 mL입니까?

(　　　　　　　　)

6 수조에 물이 4 L 700 mL 들어 있었는데 1500 mL의 물을 더 부었습니다. 수조에 들어 있는 물의 양은 모두 몇 L 몇 mL입니까?

(　　　　　　　　)

1 무게의 단위

• 무게의 단위: 킬로그램(**kg**), 그램(**g**)

읽기	쓰기
1 킬로그램	1 kg **1 kg**
1 그램	1 g **1 g**

• 1 킬로그램은 1000 그램과 같습니다. 1 kg=1000 g

• **1 kg 500 g** (**1 킬로그램 500 그램**): 1 kg보다 500 g 더 무거운 무게

→ 1 kg 500 g=1 kg+500 g
=1000 g+500 g
=1500 g

• **1 t**: 1000 kg의 무게

읽기 **1 톤**

• 1 톤은 1000 킬로그램과 같습니다. 1 t=1000 kg

2 무게를 어림하고 재기

• 무게를 어림하여 말할 때에는 약 □**kg** 또는 약 □**g**이라고 합니다.

3 무게의 덧셈과 뺄셈

• 무게의 덧셈

```
    1
  3 kg 500 g
+ 2 kg 700 g
-----------
  6 kg 200 g
```

→ 500+700 =1200 (g)

• 무게의 뺄셈

```
  5    1000
  6 kg 400 g
- 3 kg 800 g
-----------
  2 kg 600 g
```

→ 1000+400−800 =600 (g)

⇨ 무게의 덧셈과 뺄셈을 할 때에는 kg은 kg끼리, g은 g끼리 계산합니다.

개념 활용

단위가 있는 무게 비교

① 큰 단위인 kg을 비교

5 kg 300 g ($<$) 7 kg 200 g
(5$<$7)

② kg이 같으면 g을 비교

2 kg 700 g ($>$) 2 kg 70 g
(700$>$70)

참고

큰 단위와 작은 단위

← 작은 단위 ———— 큰 단위 →

밀리리터	리터	킬로리터
mL	L	kL
mg	g	kg
밀리그램	그램	킬로그램

참고

물의 부피, 들이, 무게 사이의 관계

• $1\,cm^3=1\,mL=1\,g$

• $1000\,cm^3=1\,L=1\,kg$

1 가방의 무게를 구하시오.

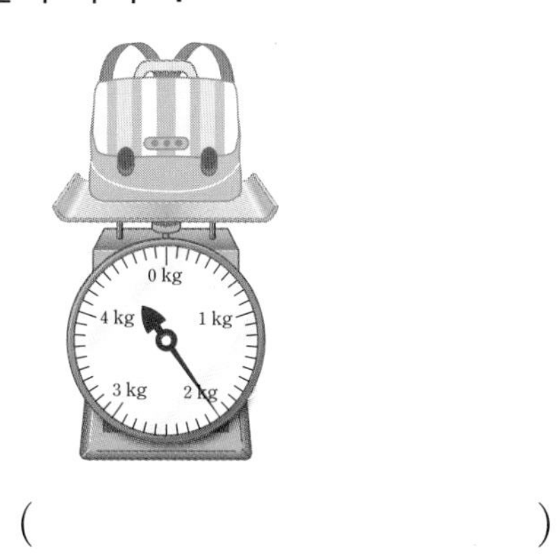

( )

2 가장 가벼운 것을 찾아 기호를 쓰시오.

㉠ 5 kg 400 g ㉡ 5 t ㉢ 5 kg 99 g

( )

3 ㉮와 ㉯의 무게의 합과 차를 각각 구하시오.

㉮ 3 kg 300 g ㉯ 4600 g

합 ( )

차 ( )

4 대화를 보고 라임이의 말을 바르게 고쳐 보시오.

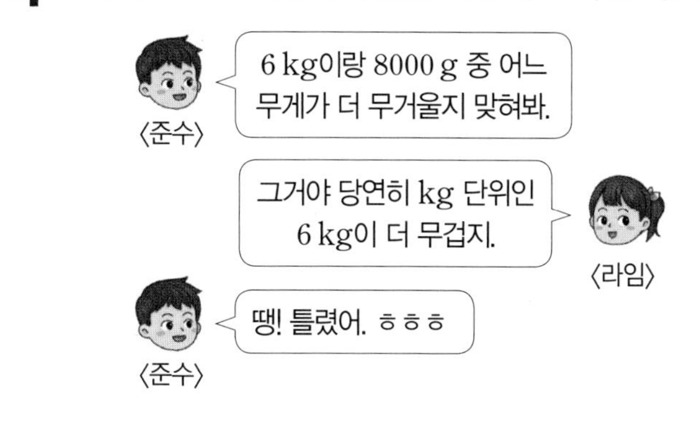

____

____

5 인영이네 강아지는 2 kg 500 g이고 고양이는 강아지보다 600 g 더 무겁습니다. 인영이네 고양이의 무게는 몇 kg 몇 g입니까?

( )

6 윤재네 가족은 과수원에서 사과를 땄습니다. 아버지는 6 kg 200 g을 땄고 윤재는 아버지보다 1080 g 더 적게 땄습니다. 윤재가 딴 사과는 몇 kg 몇 g입니까?

( )

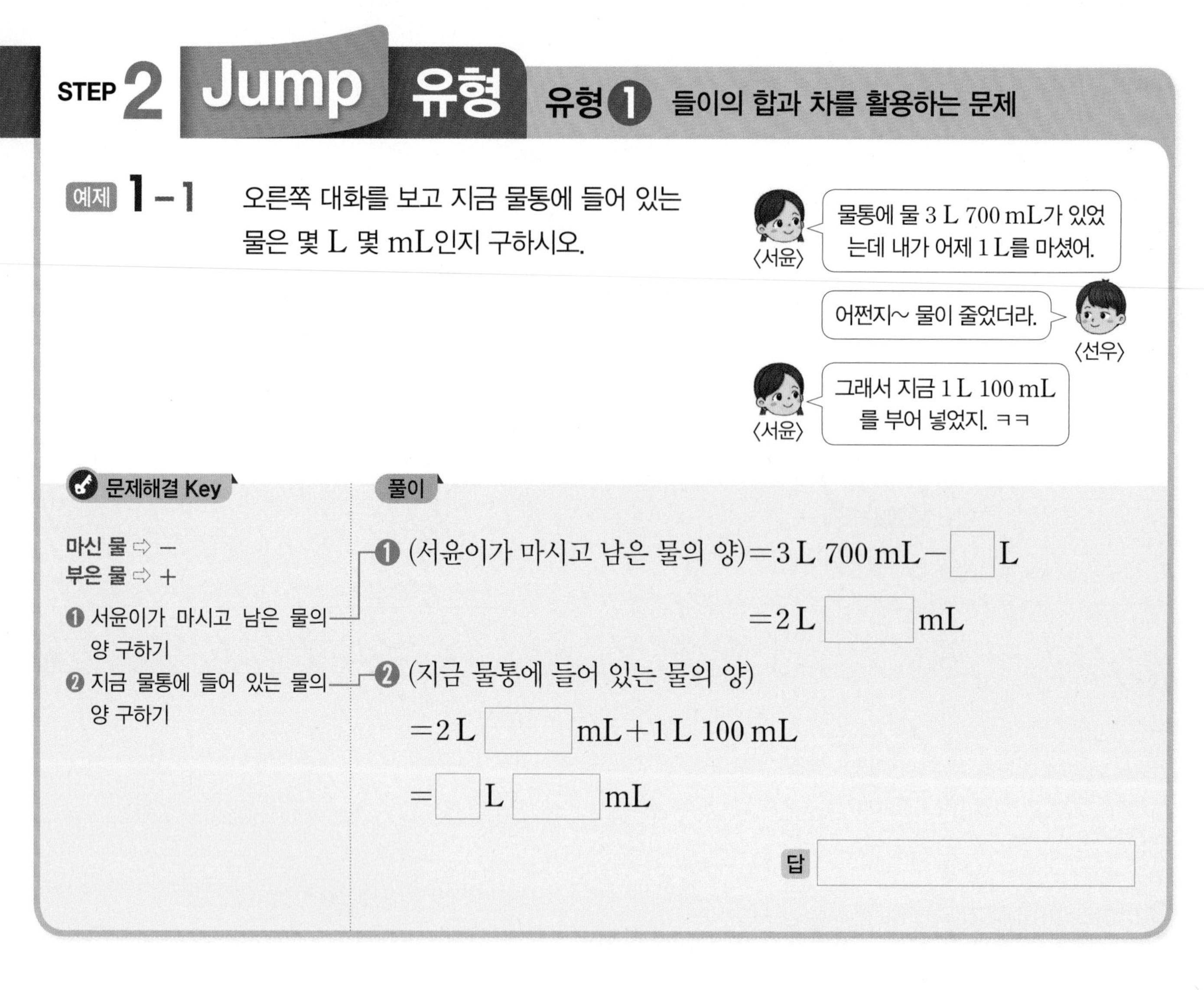

STEP 2 Jump 유형

유형 1 들이의 합과 차를 활용하는 문제

예제 1-1 오른쪽 대화를 보고 지금 물통에 들어 있는 물은 몇 L 몇 mL인지 구하시오.

물통에 물 3 L 700 mL가 있었는데 내가 어제 1 L를 마셨어.
〈서윤〉
어쩐지~ 물이 줄었더라.
〈선우〉
그래서 지금 1 L 100 mL를 부어 넣었지. ㅋㅋ
〈서윤〉

문제해결 Key

마신 물 ⇨ −
부은 물 ⇨ +

❶ 서윤이가 마시고 남은 물의 양 구하하기
❷ 지금 물통에 들어 있는 물의 양 구하기

풀이

❶ (서윤이가 마시고 남은 물의 양)=3 L 700 mL−☐ L
=2 L ☐ mL

❷ (지금 물통에 들어 있는 물의 양)
=2 L ☐ mL+1 L 100 mL
=☐ L ☐ mL

답 ☐

예제 1-2 우유가 1 L 800 mL 들어 있던 병에 우유를 1 L 500 mL를 더 담고 오늘 400 mL를 마셨습니다. 지금 병에 들어 있는 우유는 몇 L 몇 mL입니까?

(　　　　　　　　　)

응용 1-3 냉장고에 2 L의 포도 주스가 있었습니다. 포도 주스를 아버지는 450 mL 마셨고 어머니는 아버지보다 230 mL 더 마셨습니다. 남은 포도 주스는 몇 mL입니까?

(　　　　　　　　　)

유형 2 무게의 합과 차를 활용하는 문제

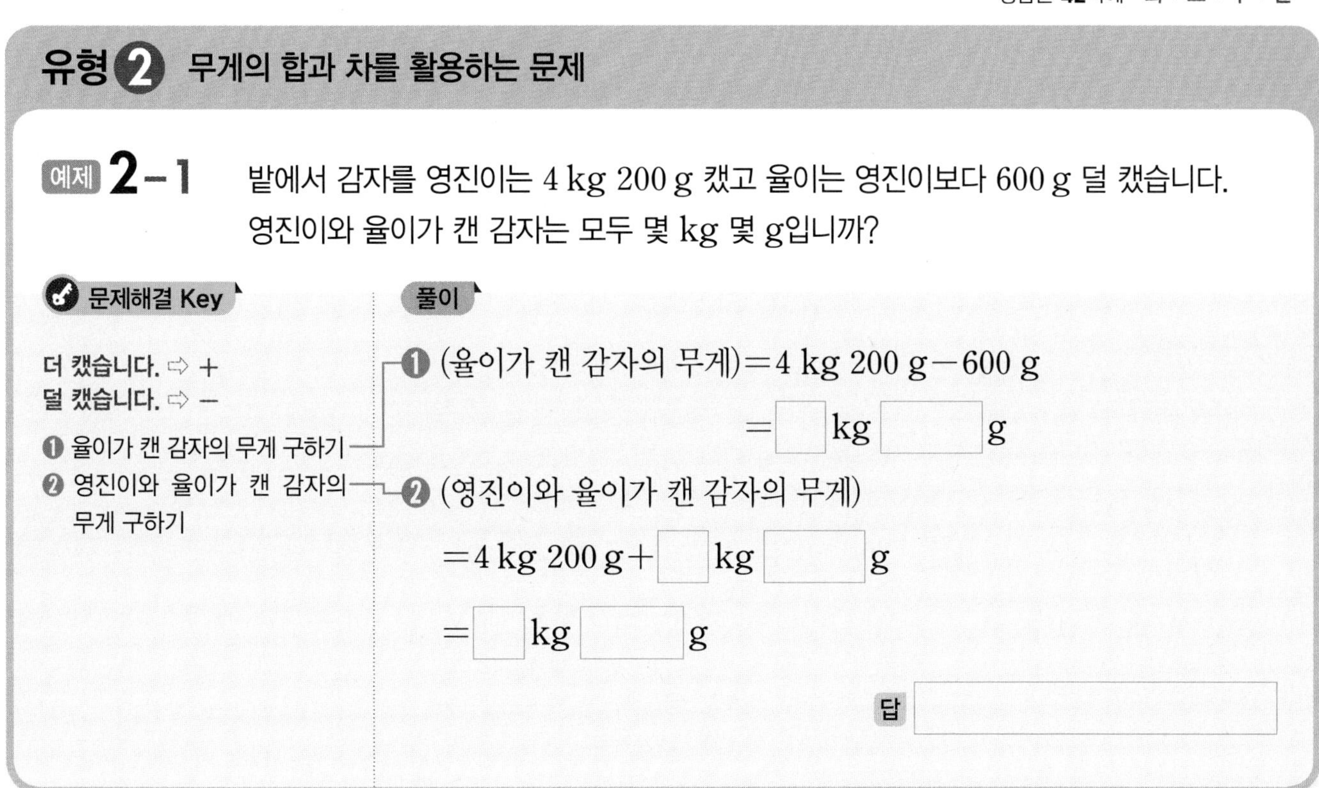

예제 2-1 밭에서 감자를 영진이는 4 kg 200 g 캤고 율이는 영진이보다 600 g 덜 캤습니다. 영진이와 율이가 캔 감자는 모두 몇 kg 몇 g입니까?

문제해결 Key

더 캤습니다. ⇨ +
덜 캤습니다. ⇨ −

❶ 율이가 캔 감자의 무게 구하기
❷ 영진이와 율이가 캔 감자의 무게 구하기

풀이

❶ (율이가 캔 감자의 무게)=4 kg 200 g−600 g
=□ kg □ g

❷ (영진이와 율이가 캔 감자의 무게)
=4 kg 200 g+□ kg □ g
=□ kg □ g

답 □

예제 2-2 할아버지네 밭에서 고구마를 누나는 5 kg 400 g 캤고 세호는 누나보다 300 g 더 캤습니다. 누나와 세호가 캔 고구마는 모두 몇 kg 몇 g입니까?

(   )

응용 2-3 지훈이가 강아지와 고양이를 안고 저울에 올라갔더니 저울의 눈금이 43 kg 250 g을 가리켰습니다. 강아지와 고양이의 무게가 각각 다음과 같다면 지훈이의 몸무게는 몇 kg 몇 g입니까?

강아지	고양이
3200 g	2350 g

(   )

5 들이와 무게

STEP 2 Jump 유형

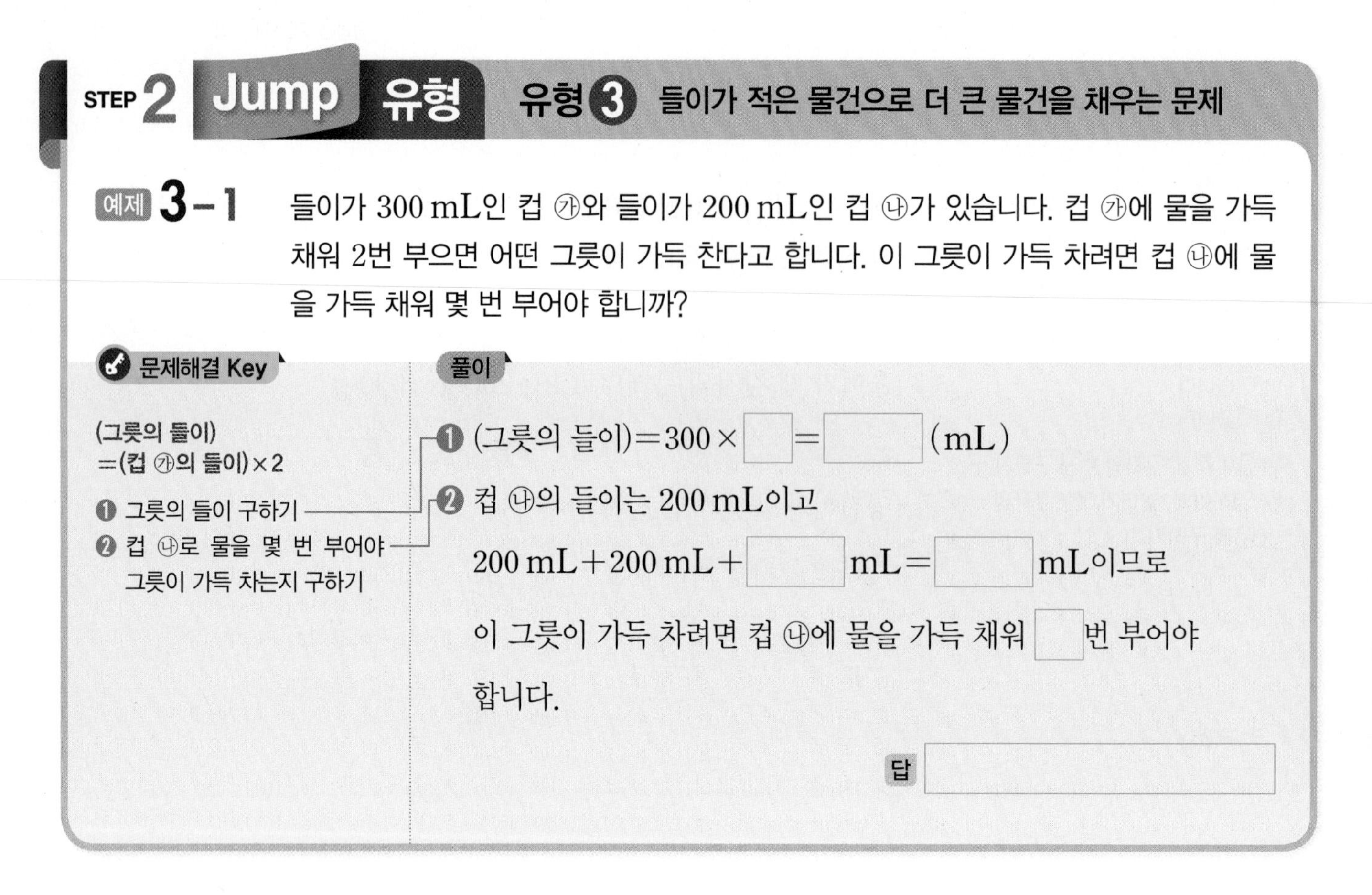

유형 3 들이가 적은 물건으로 더 큰 물건을 채우는 문제

예제 3-1 들이가 300 mL인 컵 ㉮와 들이가 200 mL인 컵 ㉯가 있습니다. 컵 ㉮에 물을 가득 채워 2번 부으면 어떤 그릇이 가득 찬다고 합니다. 이 그릇이 가득 차려면 컵 ㉯에 물을 가득 채워 몇 번 부어야 합니까?

문제해결 Key

(그릇의 들이)
=(컵 ㉮의 들이)×2

❶ 그릇의 들이 구하기
❷ 컵 ㉯로 물을 몇 번 부어야 그릇이 가득 차는지 구하기

풀이

❶ (그릇의 들이)=300×☐=☐(mL)

❷ 컵 ㉯의 들이는 200 mL이고
200 mL+200 mL+☐ mL=☐ mL이므로
이 그릇이 가득 차려면 컵 ㉯에 물을 가득 채워 ☐번 부어야 합니다.

답 ☐

예제 3-2 들이가 400 mL인 컵 ㉮와 들이가 300 mL인 컵 ㉯가 있습니다. 컵 ㉮에 물을 가득 채워 3번 부으면 물통이 가득 찬다고 합니다. 이 물통이 가득 차려면 컵 ㉯에 물을 가득 채워 몇 번 부어야 합니까?

(　　　　　　　　)

응용 3-3 컵 (가)와 (나)를 모두 사용하여 들이가 2 L 900 mL인 통에 물을 가득 채우려고 합니다. 컵 (나)에 물을 가득 담아 3번 부은 후 컵 (가)에 물을 가득 담아 몇 번 부어야 통에 물이 가득 차겠습니까?

(　　　　　　　　)

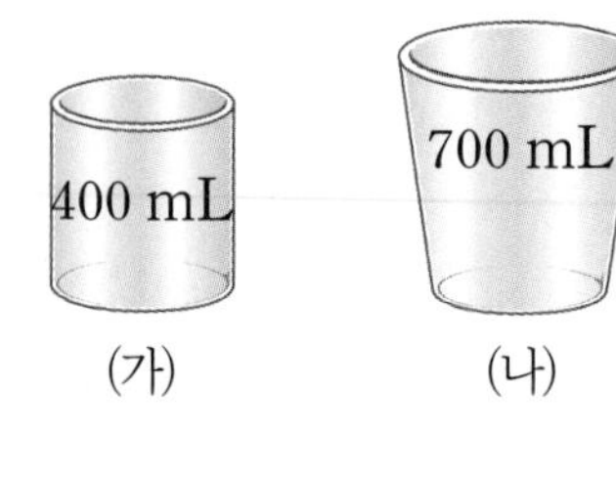

유형 4 저울이 수평을 이룰 때 무게를 구하는 문제

예제 4-1 사과 3개와 배 2개의 무게가 같고 귤 8개와 사과 6개의 무게가 같습니다. 배 1개의 무게가 600 g이라면 귤 8개의 무게는 몇 kg 몇 g입니까?

(단, 같은 과일끼리는 무게가 같습니다.)

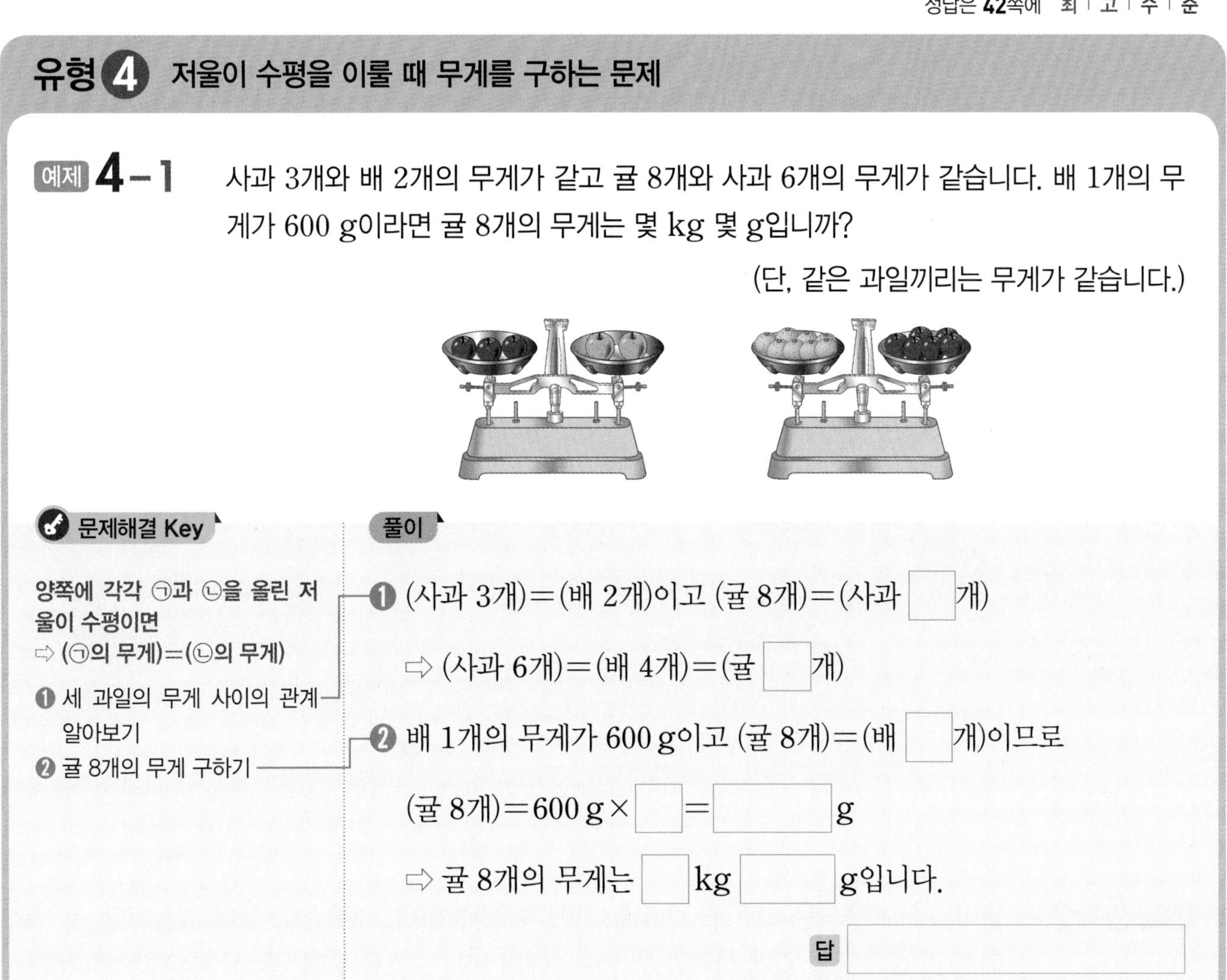

문제해결 Key

양쪽에 각각 ㉠과 ㉡을 올린 저울이 수평이면
⇨ (㉠의 무게)=(㉡의 무게)

❶ 세 과일의 무게 사이의 관계 알아보기
❷ 귤 8개의 무게 구하기

풀이

❶ (사과 3개)=(배 2개)이고 (귤 8개)=(사과 ☐개)

⇨ (사과 6개)=(배 4개)=(귤 ☐개)

❷ 배 1개의 무게가 600 g이고 (귤 8개)=(배 ☐개)이므로

(귤 8개)=600 g×☐=☐g

⇨ 귤 8개의 무게는 ☐kg ☐g입니다.

답 ☐

예제 4-2 오이 5개와 애호박 4개의 무게가 같고 애호박 2개와 가지 3개의 무게가 같습니다. 오이 1개의 무게가 300 g이라면 가지 6개의 무게는 몇 kg 몇 g입니까?

(단, 같은 채소끼리는 무게가 같습니다.)

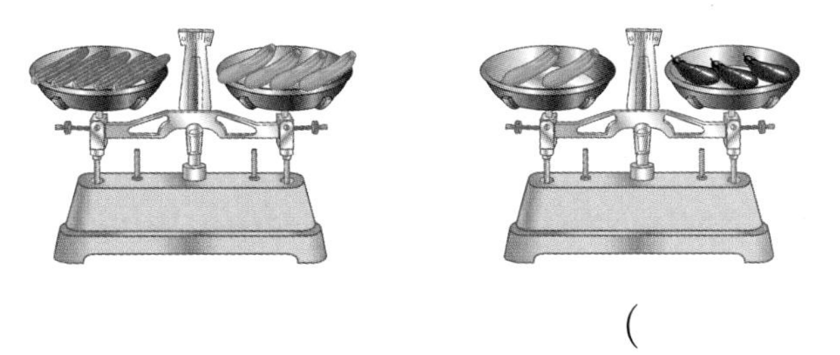

(　　　　　　)

응용 4-3 풀 3개와 지우개 4개의 무게가 같고 지우개 8개와 수첩 1개의 무게가 같습니다. 수첩 1개의 무게가 360 g일 때, 풀 1개의 무게는 몇 g입니까?

(단, 같은 물건끼리는 무게가 같습니다.)

(　　　　　　)

5 들이와 무게

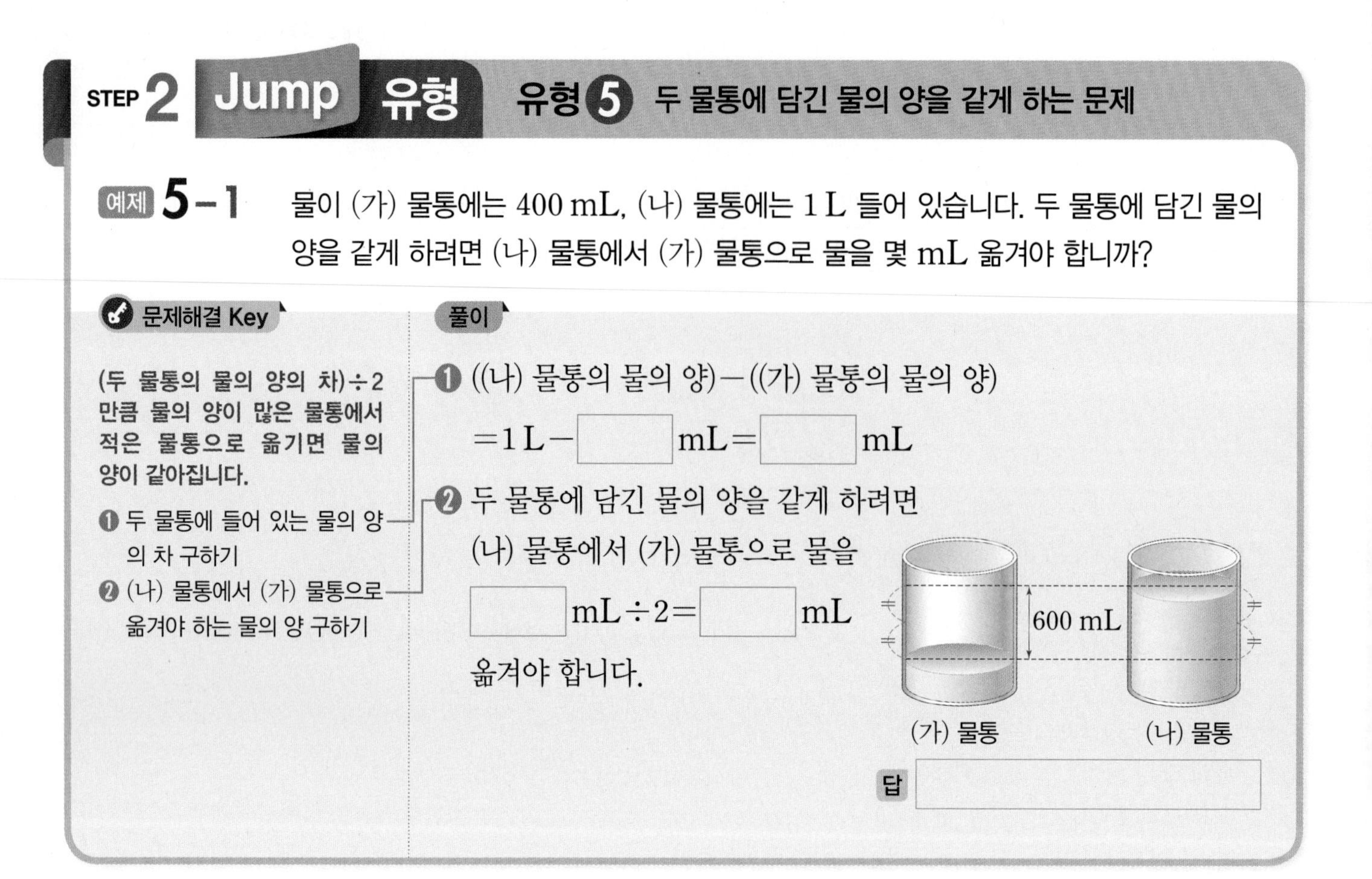

STEP 2 Jump 유형

유형 5 두 물통에 담긴 물의 양을 같게 하는 문제

예제 5-1 물이 (가) 물통에는 400 mL, (나) 물통에는 1 L 들어 있습니다. 두 물통에 담긴 물의 양을 같게 하려면 (나) 물통에서 (가) 물통으로 물을 몇 mL 옮겨야 합니까?

문제해결 Key

(두 물통의 물의 양의 차)÷2 만큼 물의 양이 많은 물통에서 적은 물통으로 옮기면 물의 양이 같아집니다.

❶ 두 물통에 들어 있는 물의 양의 차 구하기

❷ (나) 물통에서 (가) 물통으로 옮겨야 하는 물의 양 구하기

풀이

❶ ((나) 물통의 물의 양)−((가) 물통의 물의 양)

=1 L−☐ mL=☐ mL

❷ 두 물통에 담긴 물의 양을 같게 하려면 (나) 물통에서 (가) 물통으로 물을

☐ mL÷2=☐ mL

옮겨야 합니다.

답 ☐

예제 5-2 물이 (가) 수조에는 10 L 200 mL, (나) 수조에는 9 L 200 mL 들어 있습니다. 두 수조에 담긴 물의 양을 같게 하려면 (가) 수조에서 (나) 수조로 물을 몇 mL 옮겨야 합니까?

(　　　　　　　　)

응용 5-3 물을 준수는 5 L 300 mL, 선우는 4 L 200 mL 가지고 있었는데 선우는 가지고 있던 물 중에서 100 mL를 사용하였습니다. 두 사람이 가지고 있는 물의 양을 같게 하려면 준수는 선우에게 물을 몇 mL 주면 됩니까?

(　　　　　　　　)

유형 6 여러 그릇으로 물 담는 방법을 설명하는 문제

예제 6-1 400 mL들이 그릇과 700 mL들이 그릇을 사용하여 300 mL의 물을 담는 방법을 설명하시오.

문제해결 Key

붓는 양과 덜어 내는 물의 양의 차를 생각합니다.

❶ 400과 700으로 300 만들기

❷ 물을 담는 방법 설명하기

풀이

❶ 400과 700으로 300이 되는 식을 만들어 보면
$700-400=$ ☐입니다.

❷ ☐ mL들이 그릇에 물을 가득 채운 후 그것을 ☐ mL들이 그릇에 가득 차게 담아 덜어 내면 700 mL들이 그릇에 ☐ mL의 물이 남습니다.

예제 6-2 600 mL들이 그릇과 500 mL들이 그릇을 사용하여 100 mL의 물을 담는 방법을 설명하시오.

방법 ______________________

응용 6-3 700 mL들이 그릇과 200 mL들이 그릇을 사용하여 300 mL의 물을 담는 방법을 설명하시오.

방법 ______________________

5
들이와 무게

STEP 2 Jump 유형

유형 7 구멍 난 통에 물을 받는 문제

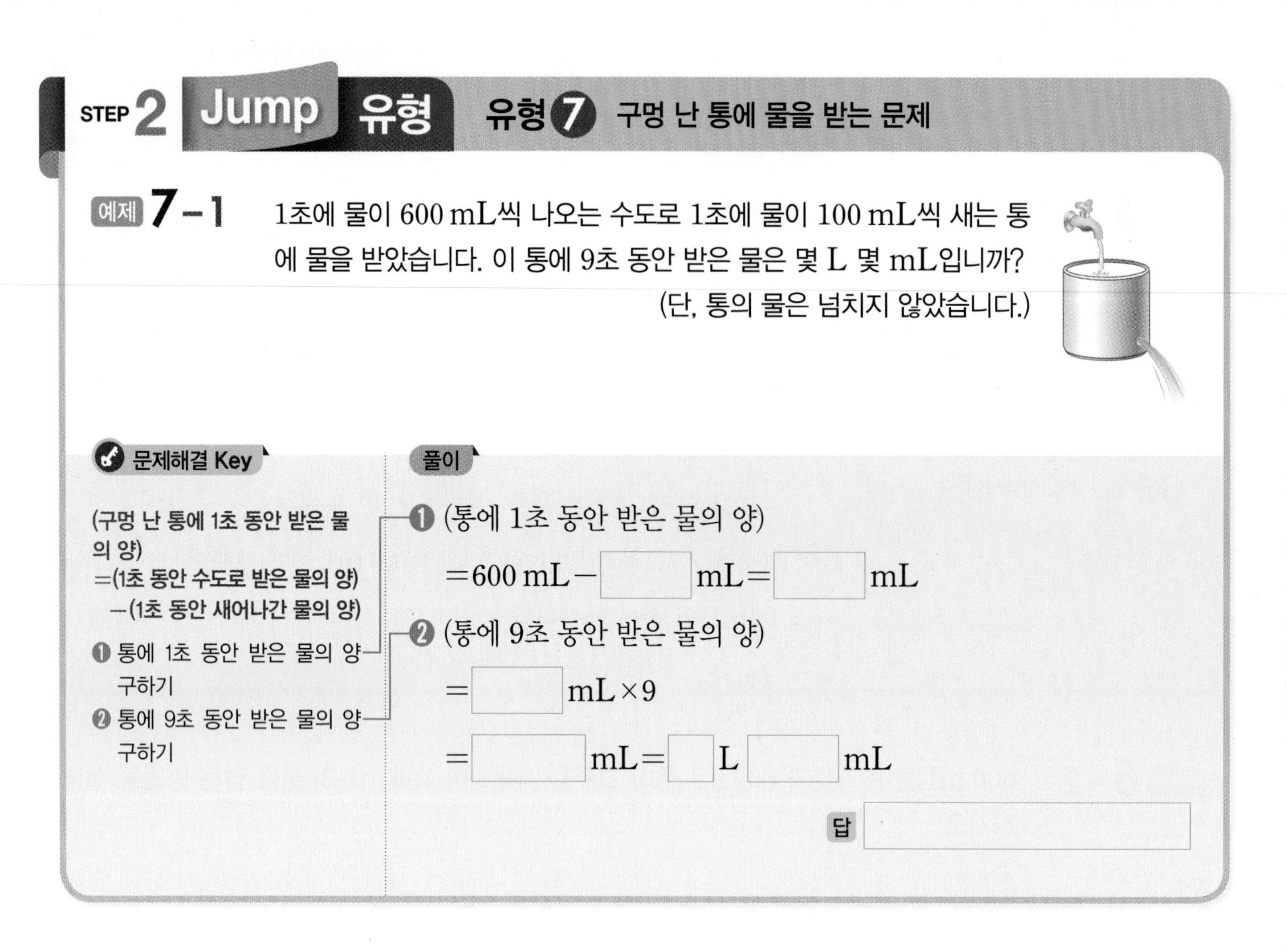

예제 7-1 1초에 물이 600 mL씩 나오는 수도로 1초에 물이 100 mL씩 새는 통에 물을 받았습니다. 이 통에 9초 동안 받은 물은 몇 L 몇 mL입니까?

(단, 통의 물은 넘치지 않았습니다.)

문제해결 Key

(구멍 난 통에 1초 동안 받은 물의 양)
=(1초 동안 수도로 받은 물의 양)
−(1초 동안 새어나간 물의 양)

❶ 통에 1초 동안 받은 물의 양 구하기

❷ 통에 9초 동안 받은 물의 양 구하기

풀이

❶ (통에 1초 동안 받은 물의 양)

=600 mL−□ mL=□ mL

❷ (통에 9초 동안 받은 물의 양)

=□ mL×9

=□ mL=□ L □ mL

답 □

예제 7-2 1초에 물이 650 mL씩 나오는 수도로 1초에 물이 50 mL씩 새는 양동이에 물을 받았습니다. 이 양동이에 물을 가득 채우는 데 7초가 걸렸다면 양동이의 들이는 몇 L 몇 mL입니까?

(　　　　　　　)

응용 7-3 1초에 물이 300 mL씩 나오는 수도로 1초에 물이 100 mL씩 새는 6 L들이 물통에 물을 받으려고 합니다. 이 물통에 물을 가득 채우는 데 걸리는 시간은 적어도 몇 초입니까?

(　　　　　　　)

창의·융합

유형 8 단위 사이의 관계를 활용하는 문제

[수학+국어]

예제 8-1 옛날에 사용하던 들이의 단위에는 섬, 말, 되, 홉 등이 있습니다. 섬, 말, 되, 홉은 주로 곡식의 양을 나타내는데 열 홉을 모으면 한 되가 됩니다. 어느 집에서 어제는 1되와 3홉의 쌀로 밥을 지었고 오늘은 7홉의 쌀로 밥을 지었습니다. 이 집에서 어제 사용한 쌀은 오늘 사용한 쌀보다 약 몇 L 몇 mL 더 많습니까?

1섬=약 180 L

1말=약 18 L

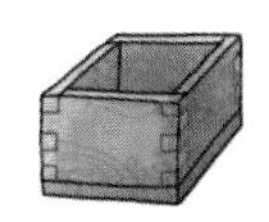
1되=약 1 L 800 mL

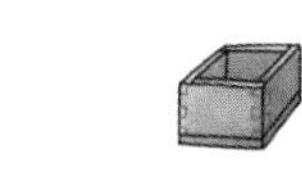
1홉=약 180 mL

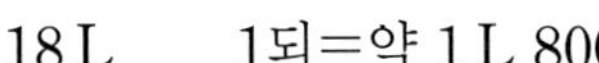

문제해결 Key

어제와 오늘 사용한 쌀의 양을 L와 mL를 사용하여 각각 나타냅니다.

❶ 어제 사용한 쌀의 양을 L와 mL로 나타내기
❷ 오늘 사용한 쌀의 양을 L와 mL로 나타내기
❸ ❶−❷ 구하기

풀이

❶ (3홉)=약 180 mL×3=☐ mL
어제 사용한 쌀의 양은 모두
약 1 L 800 mL+540 mL=☐ L ☐ mL입니다.

❷ (7홉)=약 180 mL×7=1260 mL ⇨ 약 ☐ L ☐ mL

❸ 어제 사용한 쌀은 오늘 사용한 쌀보다
약 ☐ L ☐ mL−☐ L ☐ mL
=☐ L ☐ mL 더 많습니다.

답 ☐

[수학+국어]

응용 8-2 무게를 재는 단위에는 근, 관 등이 있습니다. 고기 한 근은 600 g이고, 채소 한 관은 약 4 kg입니다. 서윤이 어머니가 산 음식 재료가 다음과 같다면 다음의 무게는 모두 약 몇 kg 몇 g입니까?

음식 재료	무게
소고기	3근 반
양파	2관

(　　　　　　　　)

STEP 2 Jump 유형 — 유형 9 추와 윗접시저울로 무게를 잴 수 없는 물건을 찾는 문제

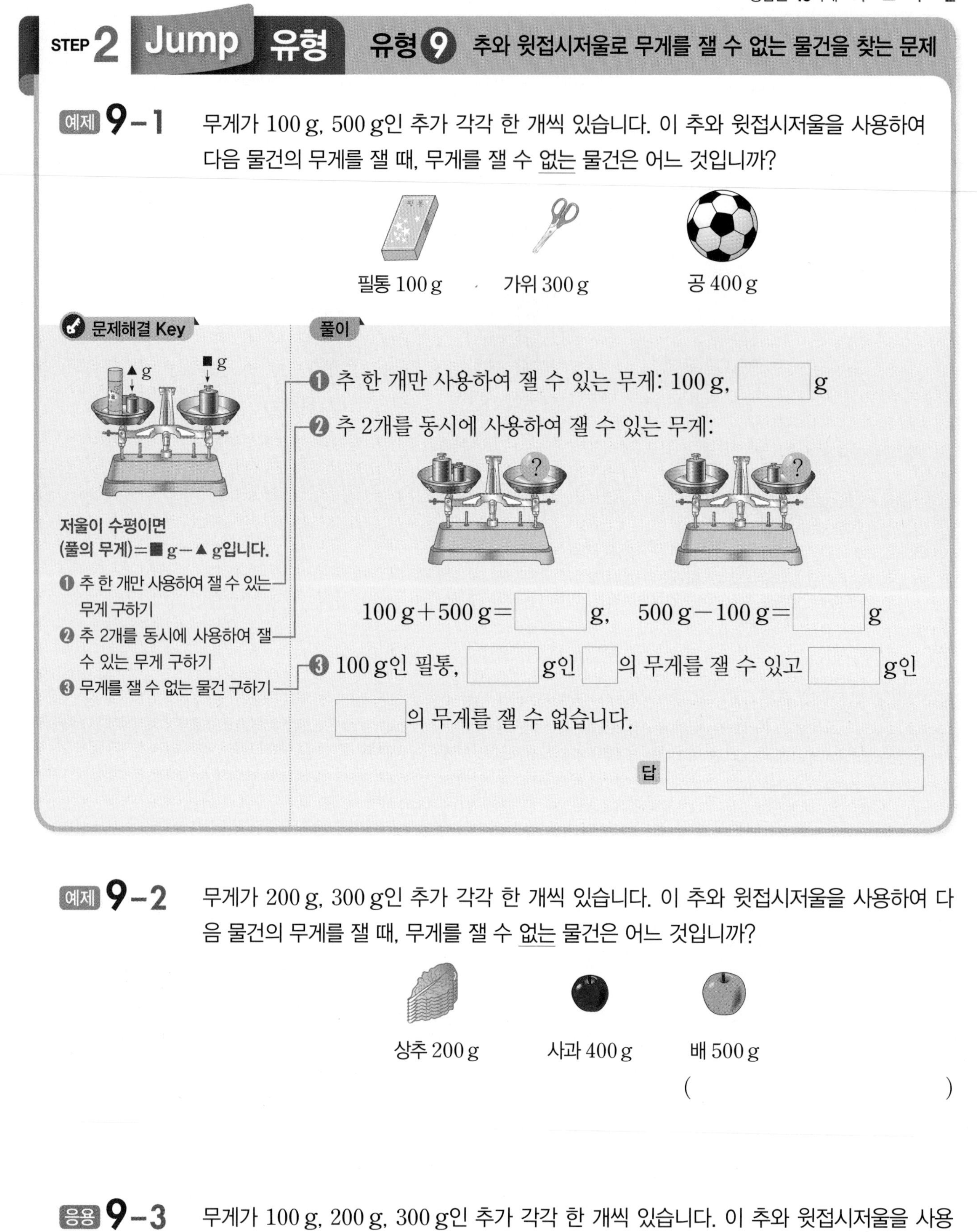

예제 9-1 무게가 100 g, 500 g인 추가 각각 한 개씩 있습니다. 이 추와 윗접시저울을 사용하여 다음 물건의 무게를 잴 때, 무게를 잴 수 없는 물건은 어느 것입니까?

필통 100 g　　가위 300 g　　공 400 g

문제해결 Key

저울이 수평이면 (풀의 무게)=■ g−▲ g입니다.

❶ 추 한 개만 사용하여 잴 수 있는 무게 구하기
❷ 추 2개를 동시에 사용하여 잴 수 있는 무게 구하기
❸ 무게를 잴 수 없는 물건 구하기

풀이

❶ 추 한 개만 사용하여 잴 수 있는 무게: 100 g, ☐ g

❷ 추 2개를 동시에 사용하여 잴 수 있는 무게:

100 g+500 g=☐ g, 500 g−100 g=☐ g

❸ 100 g인 필통, ☐ g인 ☐의 무게를 잴 수 있고 ☐ g인 ☐의 무게를 잴 수 없습니다.

답 ☐

예제 9-2 무게가 200 g, 300 g인 추가 각각 한 개씩 있습니다. 이 추와 윗접시저울을 사용하여 다음 물건의 무게를 잴 때, 무게를 잴 수 없는 물건은 어느 것입니까?

상추 200 g　　사과 400 g　　배 500 g

(　　　　　　)

응용 9-3 무게가 100 g, 200 g, 300 g인 추가 각각 한 개씩 있습니다. 이 추와 윗접시저울을 사용하여 물건의 무게를 잴 때, 잴 수 있는 서로 다른 무게는 모두 몇 가지입니까?

(단, 0 g은 생각하지 않습니다.)

(　　　　　　)

01 다음 중 잘못된 것을 찾아 기호를 쓰시오.

㉠ 5 kg 2 g은 5002 g입니다.
㉡ 3000 kg은 3 t입니다.
㉢ 1030 g은 1 kg 300 g입니다.
㉣ 1.5 t은 1500 kg입니다.

(　　　　　　　　　　)

유형 ❶ 들이의 합과 차를 활용하는 문제

02 대화를 보고 남는 주스는 몇 mL인지 구하시오.

(　　　　　　　　　　)

03 ㉠과 ㉡에 알맞은 수를 각각 구하시오.

㉠ L 800 mL + 5 L ㉡ mL = 13 L 250 mL

㉠ (　　　　　　　　　　)
㉡ (　　　　　　　　　　)

유형 ④ 저울이 수평을 이룰 때 무게를 구하는 문제

04 그림과 같은 저울이 있습니다. 같은 기호의 공은 같은 무게를 나타낼 때 공 ㉮와 ㉯의 무게의 합은 동전 42개의 무게와 같고, 공 ㉮, ㉯, ㉰의 무게의 합은 동전 60개의 무게와 같습니다. 동전 1개의 무게가 5 g일 때, 공 ㉰의 무게는 몇 g입니까?

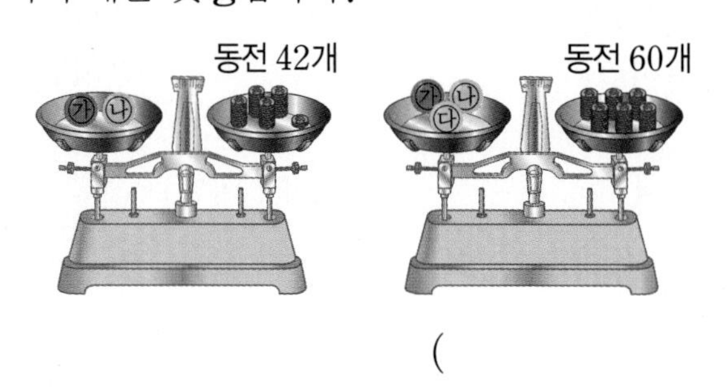

( )

유형 ⑥ 여러 그릇으로 물 담는 방법을 설명하는 문제

05 다음과 같은 순서로 수조에 물을 부었습니다. 수조에 담은 물은 모두 몇 L 몇 mL입니까?

> ① 500 mL들이 그릇에 물을 가득 채워 수조에 2번 부었습니다.
> ② 500 mL들이 그릇에 물을 가득 채운 후 이 그릇의 물을 200 mL들이 그릇에 가득 차도록 옮겨 담고, 남은 물을 수조에 부었습니다.

( )

유형 ② 무게의 합과 차를 활용하는 문제

06 은수네 집 체중계는 고장이 나서 실제 몸무게보다 200 g 더 무겁게 나옵니다. 은수가 이 체중계로 몸무게를 재었더니 32 kg 600 g이었습니다. 동생은 은수보다 5 kg 600 g이 더 가볍고, 형은 은수보다 3 kg 200 g이 더 무겁습니다. 세 형제의 몸무게의 합은 몇 kg 몇 g입니까?

( )

해법 경시 유형

07 4초에 240 mL, 5초에 380 mL의 물이 나오는 수도가 각각 있습니다. 1초에 나오는 물의 양은 일정하고, 두 수도에서 동시에 물을 받을 때, 1초 동안 받을 수 있는 물의 양은 몇 mL입니까?

( )

08 은율이네 반 친구들은 요리시간에 카레를 만들려고 합니다. 오른쪽은 카레 3인분을 만드는 데 필요한 재료입니다. 은율이네 모둠 인원이 8명이라면 8인분을 만드는 데 필요한 재료는 모두 몇 kg 몇 g입니까?

< 카레 재료 >
고기 : 210g
양파 : 300g
감자 : 270g

( )

유형 ❸ 들이가 적은 물건으로 더 큰 물건을 채우는 문제

09 4 L의 물이 들어 있는 그릇에서 물을 300 mL들이의 컵에 가득 채워 8번, 500 mL들이의 컵에 가득 채워 3번 덜어 냈습니다. 그릇에 물이 1 L 100 mL 있도록 하려면 200 mL들이의 컵으로 물을 적어도 몇 번 부어야 합니까?

( )

성대 경시 유형

10 오른쪽 그림에서 저울 2개의 무게는 서로 같고, 저울 옆에 쓰인 수는 그 저울이 나타내는 무게입니다. 저울 1개의 무게는 참외 몇 개의 무게와 같습니까?

400 g ←

2 kg 400 g ←

(   )

유형 ❶ 들이의 합과 차를 활용하는 문제

11 주스 14 L 600 mL를 ㉮ 통과 ㉯ 통에 나누어 담으려고 합니다. ㉯ 통에 ㉮ 통보다 2400 mL 더 많이 담으려고 한다면, ㉯ 통에 담을 주스는 몇 L 몇 mL입니까?

(   )

해법 경시 유형 유형 ❶ 들이의 합과 차를 활용하는 문제

12 다희네 가족은 일주일에 한 번씩 마트에 가서 물을 삽니다. 물을 사 온 첫째 날에는 750 mL를, 둘째 날에는 1200 mL를, 셋째 날에는 2 L 150 mL를 마셨고, 넷째 날에는 남은 물의 절반을 마셨습니다. 남은 물이 950 mL일 때, 사 온 물은 몇 mL입니까?

(   )

유형 ⑦ 구멍 난 통에 물을 받는 문제

13 구멍이 난 빈 통에 3분 동안 물이 15 L씩 일정한 빠르기로 나오는 수도를 틀어 물을 받았습니다. 동시에 물이 2분 동안 4 L씩 일정한 빠르기로 빠져나갔습니다. 30분 동안 이 통에서 물이 15 L만큼 넘쳤다면 통의 들이는 몇 L입니까?

( )

창의·융합

[수학 + 과학] 유형 ⑨ 추와 윗접시저울로 무게를 잴 수 없는 물건을 찾는 문제

14 무게가 100 g, 150 g, 200 g, 250 g인 추가 각각 한 개씩 있습니다. 추와 윗접시저울을 사용하여 다음 장난감의 무게를 잴 때 잴 수 없는 장난감은 어느 것입니까?

( )

▲ 윗접시저울

수평 잡기의 원리로 만든 저울입니다. 250 g은 추 250 g짜리 1개 또는 추 100 g+150 g으로 잴 수 있습니다.

해법 경시 유형

15 다음을 보고 사과 4개와 귤 5개의 무게의 합은 몇 kg 몇 g인지 구하시오. (단, 같은 과일끼리는 무게가 같습니다.)

㉠ (사과 3개의 무게)+(귤 2개의 무게)=1800 g
㉡ (사과 3개의 무게)−(귤 2개의 무게)=600 g

( )

문제 풀이 동영상 >>

창의·융합

01 [수학 + 과학]

다음 글을 읽고 민성이가 사이다 1 mL, 오렌지 주스 2 mL, 라면 국물 3 mL를 하수구에 버렸다면 이를*정화하는 데 필요한 물의 양은 몇 L 몇 mL인지 구하시오.

*정화: 더러워진 것을 깨끗하게 함

○○일보 20XX년 ○○월 △△일

음식물을 정화하는 데 필요한 물은?

우리 주변에서 흔히 버리는 음식물을 정화하는 데 필요한 물의 양은 오른쪽과 같다. 환경부는 평소에 무심코 먹고 마시다 버리는 음식물의 오염도가 우리가 생각하는 것보다 매우 높기 때문에 이를 정화하기 위해서는 많은 비용과 노력이 필요하다고 밝혔다. 쾌적한 환경을 후손들에게 물려주기 위해서는 음식을 먹을 만큼만 만들어 먹고 덜어 먹는 식생활을 정착시켜 음식찌꺼기를 하수구에 마구 버리지 않도록 해야 한다.

음식물	1 mL를 정화하는 데 필요한 물의 양
오렌지 주스	12 L 343 mL
라면국물	3L 690 mL
된장국	8L 300 mL
식용유	198L
사이다	10L 286mL

( )

02 400 mL들이 컵과 900 mL들이 컵이 각각 한 개씩 있습니다. 두 컵을 사용하여 들이가 2 L인 물통에 1 L의 물을 담으려고 합니다. 어떻게 해야 하는지 방법을 설명하시오.

방법 ______________________

____

고대 경시 유형

03 강아지, 토끼, 고양이가 한 마리씩 있습니다. 강아지와 토끼의 무게의 합은 3 kg 300 g이고, 강아지와 고양이의 무게의 합은 2 kg 900 g입니다. 토끼와 고양이의 무게의 합이 3 kg 100 g이라고 할 때 강아지의 무게는 몇 kg 몇 g입니까?

( )

04 물이 1분 동안 ㉮ 수도에서는 2 L 100 mL씩 나오고, ㉯ 수도에서는 ㉮ 수도의 2배만큼씩 나옵니다. ㉮와 ㉯ 수도를 다음과 같이 틀어서 받은 물의 양이 27 L 300 mL일 때, ㉯ 수도만 튼 시간은 몇 분입니까? (단, 수도에서 나오는 물의 양은 일정합니다.)

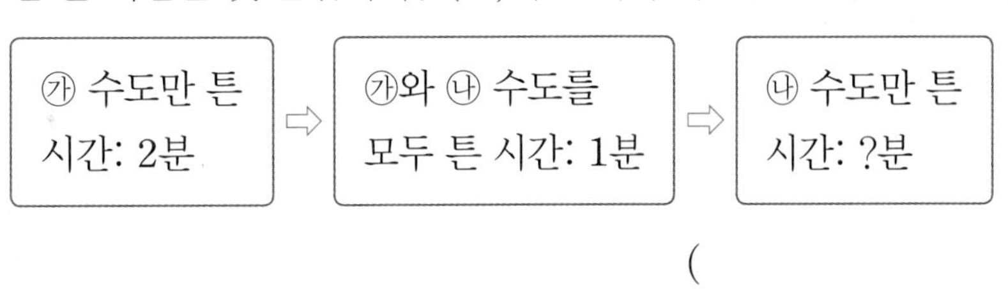

( )

05 공 ㉮, ㉯, ㉰, ㉱와 윗접시저울을 사용하여 무게를 재었습니다. 그림과 같이 세 저울이 모두 수평이고, 각 공은 이름별로 무게가 같습니다. 공 1개씩의 무게는 50 g, 80 g, 90 g, 100 g, 150 g 중 하나일 때 ㉰ 공 3개와 ㉯ 공 2개의 무게의 합은 몇 g입니까?

수평 → 양쪽의 무게가 같습니다.

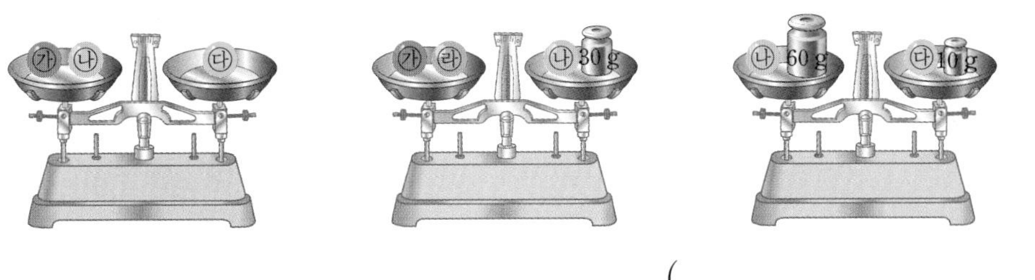

( )

성대 경시 유형

06 무게가 1 kg, 2 kg, 8 kg인 추가 각각 한 개씩 있습니다. 윗접시저울과 이 추들을 사용하여 잴 수 있는 무게는 모두 몇 가지입니까? (단, 0 kg은 생각하지 않습니다.)

( )

인류는 어떻게 무게를 쟀을까요?

옛날에는 주로 곡식의 낟알을 이용해서 무게를 쟀습니다. 쌀, 보리 같은 낟알을 영어로 그레인(grain)이라 하는데, 그 단위를 고대 이집트와 인도, 유럽 등지에서 무게 단위의 기초로 삼았습니다.

$$1\text{ gr}=1\text{ 그레인}=\frac{648}{10000}\text{ g}$$

고대 그리스인은 그레인보다 조금 더 무거운 것을 그라마(grama), 한 주먹 정도 되는 것의 무게를 드람(dram)으로 나타냈습니다. 그라마는 오늘날 그램(g)으로 사용하고 있습니다.

$$1\text{ 그라마}=1\text{ g}=1\text{ 그램}$$

오늘날 우리가 사용하는 무게의 단위에는 킬로그램(kg), 그램(g), 톤(t) 등이 있습니다. 이 단위들로 인해 더 큰 무게를 잴 수 있게 되었습니다.

$$1\text{ t}=1000\text{ kg}=1000000\text{ g}$$

6 자료의 정리

꼭! 알아야 할 대표 유형

유형 ❶ 그림그래프를 보고 합 또는 차를 구하는 문제

유형 ❷ 표를 해석하는 문제

유형 ❸ 모르는 항목의 수를 구하여 그래프를 완성하는 문제

유형 ❹ 각 그림이 나타내는 수를 알아보는 문제

유형 ❺ 그림그래프를 보고 위치별로 자료를 구분하는 문제

유형 ❻ **[창의 · 융합]** 자료와 그림그래프를 해석하는 문제

단계	쪽수	공부한 날	점수
1단계 Start 개념	120~123	월 일	O X
2단계 Jump 유형	124~129	월 일	O X
3단계 Master 심화	130~133	월 일	O X
4단계 Top 최고수준	134~135	월 일	O X

※ O에는 맞힌 개수, X에는 틀린 개수를 써넣으세요.

1 자료를 정리하여 표로 나타내기

자료 좋아하는 과목

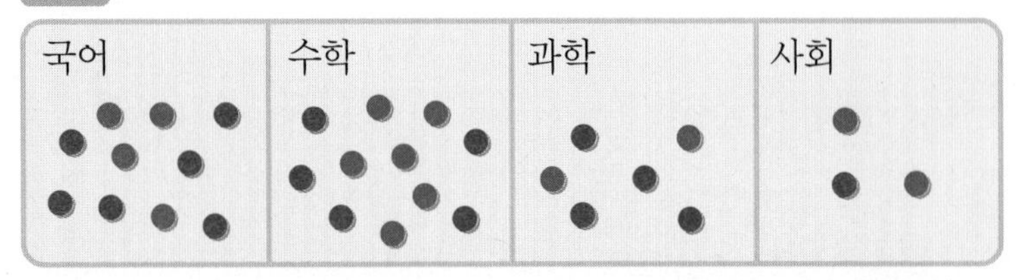

●: 여학생 ●: 남학생

⇩ – 자료를 표로 정리

표 1 학생들이 좋아하는 과목

과목	국어	수학	과학	사회	합계
학생 수(명)	10	11	6	3	30

표 2 남녀 학생이 좋아하는 과목

과목	국어	수학	과학	사회	합계
여학생 수(명)	6	5	4	1	16
남학생 수(명)	4	6	2	2	14

→ 표 1 은 전체 학생 수로, 표 2 는 여학생 수와 남학생 수로 나눴습니다.

2 그림그래프 알아보기

• 그림그래프: 알려고 하는 수(조사한 수)를 그림으로 나타낸 그래프

학생들이 좋아하는 과목

과목	학생 수
국어	(큰 그림 1)
수학	(큰 그림 1, 작은 그림 1)
과학	(작은 그림 6)
사회	(작은 그림 3)

큰 그림: 10명, 작은 그림: 1명

큰 그림의 수가 많을수록 수량이 많습니다.

큰 그림의 수가 같으면 작은 그림의 수가 많을수록 수량이 많습니다.

개념 활용

표와 그림그래프의 비교

표	그림그래프
각각의 수와 합계를 쉽게 알 수 있습니다.	각각의 자료의 수와 크기를 쉽게 비교할 수 있습니다.

표로 알 수 있는 내용

표 1

- 가장 많은 학생들이 좋아하는 과목은 수학입니다.
- 수학을 좋아하는 학생은 국어를 좋아하는 학생보다 1명 더 많습니다.

표 2

- 가장 많은 여학생들이 좋아하는 과목은 국어입니다.
- 가장 많은 남학생들이 좋아하는 과목은 수학입니다.

그림그래프로 알 수 있는 내용

- 가장 많은 학생들이 좋아하는 과목은 수학입니다.
- 수학, 국어, 과학, 사회 순서로 좋아하는 학생들이 많습니다.

1 학용품 수를 표로 나타내어 보시오.

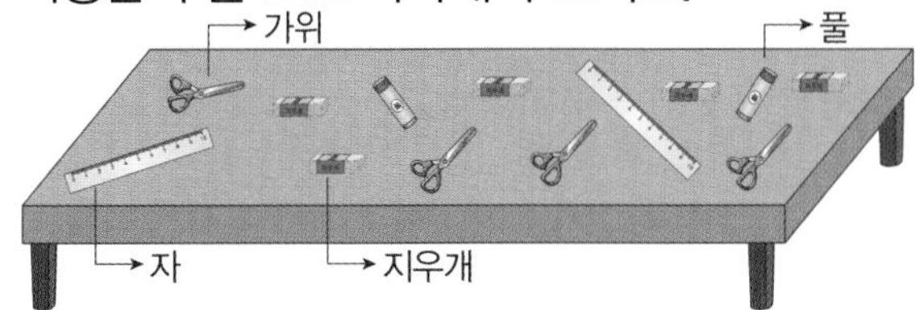

학용품 수

종류	지우개	가위	풀	자	합계
학용품 수(개)					

2 가장 많은 학생들이 좋아하는 색깔은 어느 것입니까?

학생들이 좋아하는 색깔

색깔	학생 수
빨간색	◎◎●
파란색	●●●●●●●
노란색	◎◎◎●●

◎ 10명
● 1명

( )

3 그림그래프의 특징으로 옳으면 ○표, 틀리면 ×표 하시오.

(1) 전체 합계를 알아보기 쉽습니다. ……………………………………………( )

(2) 위치나 지역별로 조사한 수의 크기를 한눈에 비교하기 쉽습니다. ………( )

4 조사한 자료와 표를 보고 한 대화입니다. 잘못 말한 사람의 이름을 쓰시오.

조사한 자료는 각 항목별 조사한 수를 알아보기 힘들어.
〈준수〉
그런 면에서 표가 알아보기 더 편리하지.
〈서윤〉
하지만, 합계를 알아볼 때에는 조사한 자료가 더 편리해!
〈선우〉

( )

5 윤재네 반 학생들이 좋아하는 과일을 조사하여 그림그래프로 나타내었습니다. 좋아하는 학생 수가 바나나를 좋아하는 학생 수의 2배인 과일은 무엇입니까?

학생들이 좋아하는 과일

과일	학생 수
참외	◎●●
딸기	●●●●●●●●
바나나	●●●●●●

◎ 10명
● 1명

( )

6 운동회에서 청군과 백군이 경기별로 얻은 점수를 표로 나타내었습니다. 표의 빈칸에 알맞은 수를 써넣으시오.

청군, 백군이 운동회에서 얻은 점수

경기	달리기	줄다리기	공 굴리기	합계
청군 점수(점)	200		100	350
백군 점수(점)	100	150		300

1 표를 보고 그림그래프로 나타내기

표 학생들이 참가한 학예회 종목

종목	연극	합창	무용	합주	합계
학생 수(명)	27	34	25	16	102

⇩

그림그래프 1 학생들이 참가한 학예회 종목

종목	학생 수
연극	◎◎○○○○○○○
합창	◎◎◎○○○○
무용	◎◎○○○○○
합주	◎○○○○○○

◎10명
○ 1명

〈그림그래프로 나타낼 때 생각할 점〉

① 그림을 몇 가지로 정해야 할지 생각합니다.

② 어떤 그림으로 나타낼지 생각합니다.

③ 그림으로 정할 단위는 어떻게 할 것인지 생각합니다.

2 단위를 다르게 하여 그림그래프로 나타내기

그림그래프 2 학생들이 참가한 학예회 종목

종목	학생 수
연극	◎◎●○○
합창	◎◎◎○○○○
무용	◎◎●
합주	◎●○

◎10명
● 5명
○ 1명

⇨ 그림그래프 1 은 10명, 1명을 단위로, 그림그래프 2 는 10명, 5명, 1명을 단위로 나타내었습니다.

3개의 단위로 그리니까 2개의 단위로 그릴 때보다 그림의 수가 줄었어.

더 간단하게 나타낼 수 있네.

미리보기 4-1

막대그래프

조사한 자료를 막대 모양으로 나타낸 그래프

㊞ 학생들이 좋아하는 과목

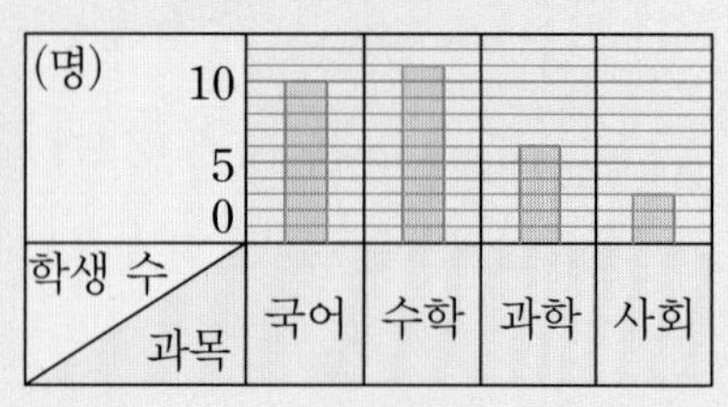

개념 활용

표와 그림그래프의 다른 점

구분	특징
표	• 그림을 일일이 세지 않아도 됩니다. • 조사한 양의 크기를 바로 알 수 있습니다.
그림그래프	• 한눈에 비교가 잘 됩니다. • 어느 정도 많고 적은지 쉽게 비교가 됩니다.

[1~3] 라임이네 동네에 있는 마트에서 팔린 과자 수를 조사하여 표로 나타내었습니다. 물음에 답하시오.

팔린 과자 수

마트	하늘	바다	숲속	합계
과자 수(개)	36	28	32	96

1 위 표를 보고 그림그래프로 나타내어 보시오.

팔린 과자 수

마트	과자 수
하늘	
바다	
숲속	

◎10개
○ 1개

2 팔린 과자가 많은 마트부터 순서대로 써 보시오.

( )

3 그림그래프의 단위를 다르게 하여 나타내어 보시오.

팔린 과자 수

마트	과자 수
하늘	
바다	
숲속	

◎10개
△ 5개
○ 1개

4 소라가 표를 보고 그림그래프로 나타낸 것입니다. 잘못된 부분 2가지를 찾아 써 보시오.

과일 가게에 있는 과일의 수

종류	사과	배	귤	감	합계
과일 수(개)	12	8	20	7	47

과일 가게에 있는 과일의 수

종류	과일의 수
사과	◎○○
배	◎◎◎◎◎◎◎◎
귤	◎◎

◎10개
○ 1개

5 선우네 반 학생들이 좋아하는 간식을 2가지씩 조사하여 표와 그림그래프로 나타내려고 합니다. 표와 그림그래프를 각각 완성하시오.

학생들이 좋아하는 간식

간식	떡볶이	호떡	만두	피자	합계
학생 수(명)	10	5			48

학생들이 좋아하는 간식

간식	학생 수
떡볶이	◎
호떡	
만두	
피자	◎◎

◎10명
○ 1명

6 자료의 정리

유형 ① 그림그래프를 보고 합 또는 차를 구하는 문제

예제 1-1 보라네 반 학생들이 좋아하는 계절을 조사하여 그림그래프로 나타내었습니다. 가장 많은 학생들이 좋아하는 계절과 가장 적은 학생들이 좋아하는 계절의 학생 수의 합을 구하시오.

학생들이 좋아하는 계절

계절	학생 수
봄	◉
여름	●●●●●●
가을	◉ ●
겨울	●●●●●●●●●

◉ 10명 ● 1명

문제해결 Key

큰 그림의 수를 비교
⇩
작은 그림의 수를 비교

❶ 가장 많은 학생들이 좋아하는 계절과 가장 적은 학생들이 좋아하는 계절의 학생 수 각각 알아보기
❷ 학생 수의 합 구하기

풀이

❶ 가장 많은 학생들이 좋아하는 계절: □ → □명

가장 적은 학생들이 좋아하는 계절: □ → □명

❷ (학생 수의 합)=□+□=□(명)

답 □

예제 1-2 소미네 반 학생들이 모둠별로 하루 동안 마신 물의 양을 조사하여 그림그래프로 나타내었습니다. 가장 많은 물을 마신 모둠과 가장 적은 물을 마신 모둠의 물의 양의 차를 구하시오.

모둠별 하루 동안 마신 물의 양

모둠	물의 양
㉮	▣ □□□
㉯	□□□□
㉰	▣ □
㉱	□□□□□

▣ 10 L □ 1 L

( )

응용 1-3 경아네 반 학생들이 좋아하는 색깔을 조사하여 그림그래프로 나타내었습니다. 가장 많은 학생들이 좋아하는 색깔과 두 번째로 적은 학생들이 좋아하는 색깔의 학생 수의 차를 구하시오.

학생들이 좋아하는 색깔

색깔	학생 수
빨간색	●●●●●●●●●
노란색	●●●●●●
초록색	◉ ●●
파란색	●●●
보라색	●●●●

◉ 10명 ● 1명

( )

유형 2 표를 해석하는 문제

예제 2-1 천재도서관 어린이 코너에 있는 책의 수를 조사하여 표로 나타내었습니다. 위인전의 수와 과학책의 수가 같을 때, 표의 빈칸에 알맞은 수를 써넣으시오.

어린이 코너에 있는 책의 수

종류	동화책	위인전	과학책	백과사전	합계
책 수(권)	52			40	180

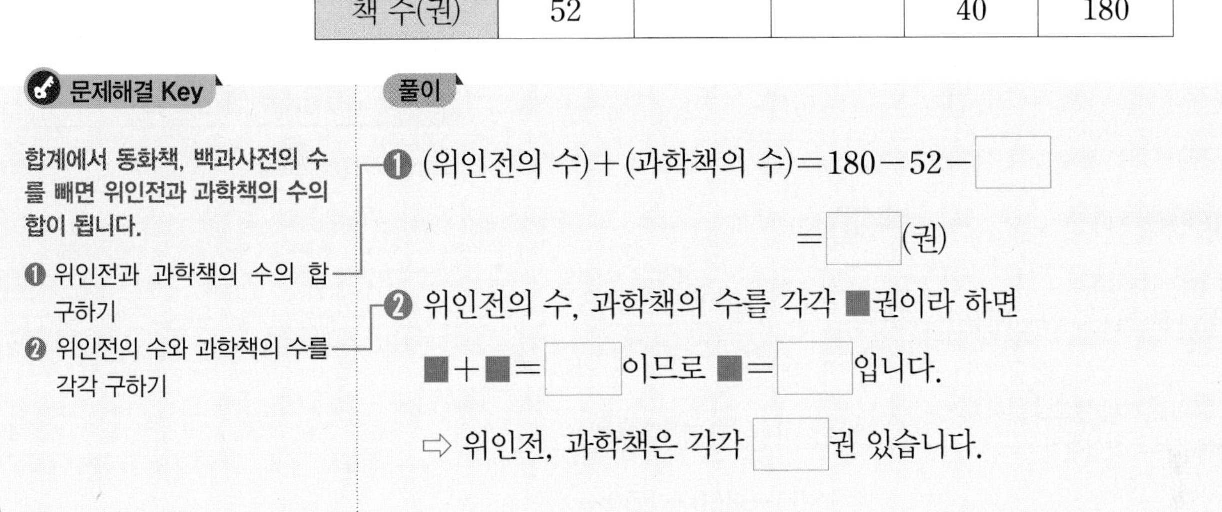

문제해결 Key
합계에서 동화책, 백과사전의 수를 빼면 위인전과 과학책의 수의 합이 됩니다.
❶ 위인전과 과학책의 수의 합 구하기
❷ 위인전의 수와 과학책의 수를 각각 구하기
풀이
❶ (위인전의 수)+(과학책의 수)=180−52−□
=□(권)
❷ 위인전의 수, 과학책의 수를 각각 ■권이라 하면
■+■=□이므로 ■=□입니다.
⇨ 위인전, 과학책은 각각 □권 있습니다.

예제 2-2 과수원별 포도 생산량을 조사하여 표로 나타내었습니다. ㉮ 과수원과 ㉯ 과수원의 포도 생산량이 같을 때, 표의 빈칸에 알맞은 수를 써넣으시오.

과수원별 포도 생산량

과수원	㉮	㉯	㉰	㉱	합계
포도 생산량(kg)			350	180	950

응용 2-3 어느 마을의 출근시간 때의 교통수단을 이용하는 사람 수를 조사하여 표로 나타내었습니다. 지하철을 타고 다니는 사람 수가 택시를 타고 다니는 사람 수의 2배일 때, 표의 빈칸에 알맞은 수를 써넣으시오.

*도보: 탈 것을 타지 않고 걸어감.

교통수단을 이용하는 사람 수

교통수단	지하철	버스	승용차	택시	*도보	합계
사람 수(명)		30	16		6	94

6 자료의 정리

유형 3 모르는 항목의 수를 구하여 그래프를 완성하는 문제

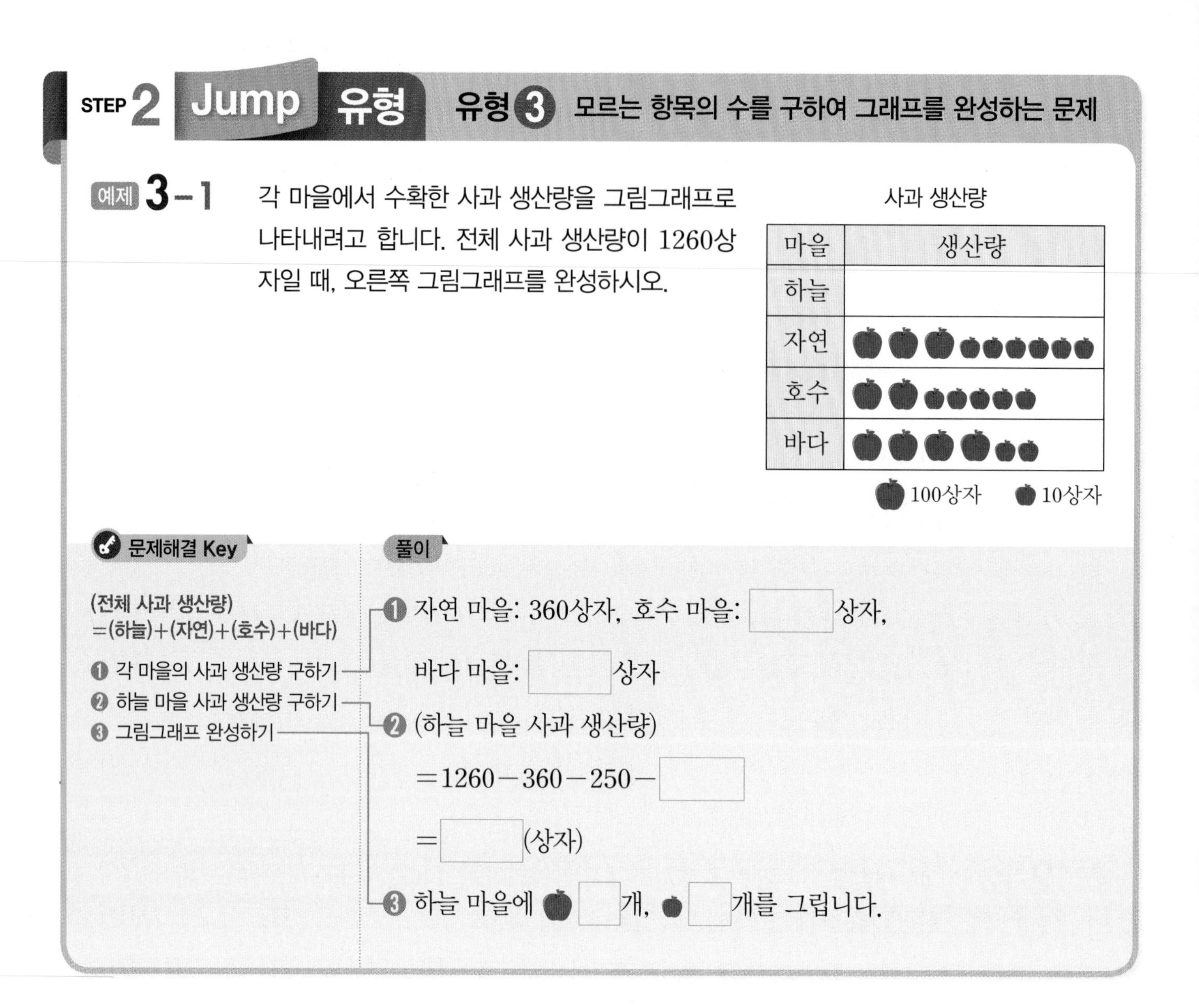

예제 3-1 각 마을에서 수확한 사과 생산량을 그림그래프로 나타내려고 합니다. 전체 사과 생산량이 1260상자일 때, 오른쪽 그림그래프를 완성하시오.

사과 생산량

마을	생산량
하늘	
자연	
호수	
바다	

100상자 10상자

문제해결 Key

(전체 사과 생산량)
=(하늘)+(자연)+(호수)+(바다)

❶ 각 마을의 사과 생산량 구하기
❷ 하늘 마을 사과 생산량 구하기
❸ 그림그래프 완성하기

풀이

❶ 자연 마을: 360상자, 호수 마을: ☐상자,
바다 마을: ☐상자

❷ (하늘 마을 사과 생산량)
$=1260-360-250-$☐
$=$☐(상자)

❸ 하늘 마을에 ☐개, ☐개를 그립니다.

응용 3-2 어느 지역의 각 마을의 초등학생 수를 조사하여 그림그래프로 나타내려고 합니다. 다음 조건 을 만족하는 그림그래프를 완성하시오.

조건
- (전체 초등학생 수)$=$96명
- (별빛 마을의 초등학생 수)$+8=$(은빛 마을의 초등학생 수)

각 마을의 초등학생 수

마을	달빛	은빛	별빛	초록	한빛
학생 수					

10명
1명

유형 4 각 그림이 나타내는 수를 알아보는 문제

예제 4-1 친구들이 가지고 있는 우표의 수를 조사하여 표와 그림그래프로 나타내려고 합니다. 그림그래프에서 각 그림이 나타내는 수를 각각 구하시오.

친구들이 가지고 있는 우표의 수

이름	은수	기영	연정	준영	합계
우표의 수(장)	23		36	11	85

친구들이 가지고 있는 우표의 수

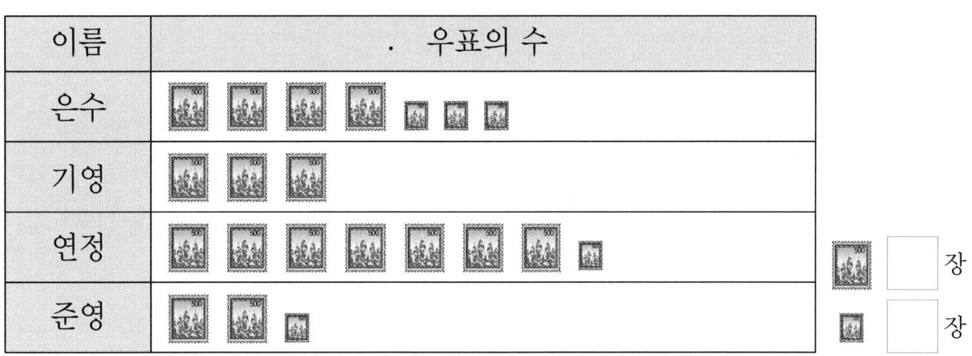

이름	우표의 수
은수	
기영	
연정	
준영	

(큰 그림) □장

(작은 그림) □장

문제해결 Key

그림이 한 가지만 있는 항목을 이용해 봅니다.

① 기영이가 가진 우표의 수 알아보기

② 각 그림이 나타내는 수 구하기

풀이

① (기영이가 가진 우표의 수)$=85-23-36-11=$□(장)

② 기영이는 큰 그림 3장이므로

⇨ 큰 그림은 □$\div 3=$□(장)을 나타냅니다.

준영이는 11장이고 큰 그림이 2개, 작은 그림이 1개이므로

⇨ 작은 그림은 $11-$□$=$□(장)을 나타냅니다.

답 (큰 그림) □, (작은 그림) □

응용 4-2 각 마을의 쌀 생산량을 조사하여 그림그래프로 나타내려고 합니다. 쌀 생산량은 가 마을이 20가마, 다 마을이 16가마일 때, 생산량이 가장 많은 마을의 쌀 생산량은 몇 가마입니까?

각 마을의 쌀 생산량

마을	생산량
가	
나	
다	
라	

(큰 그림) □가마

(작은 그림) □가마

(　　　　　　　　)

STEP 2 Jump 유형

유형 5 그림그래프를 보고 위치별로 자료를 구분하는 문제

예제 5-1 마을별 가구 수를 조사하여 그림그래프로 나타내었습니다. 강의 북쪽 마을에 있는 가구 수와 도로의 서쪽 마을에 있는 가구 수가 같습니다. ㉰ 마을에 있는 가구는 몇 가구입니까?

마을별 가구 수

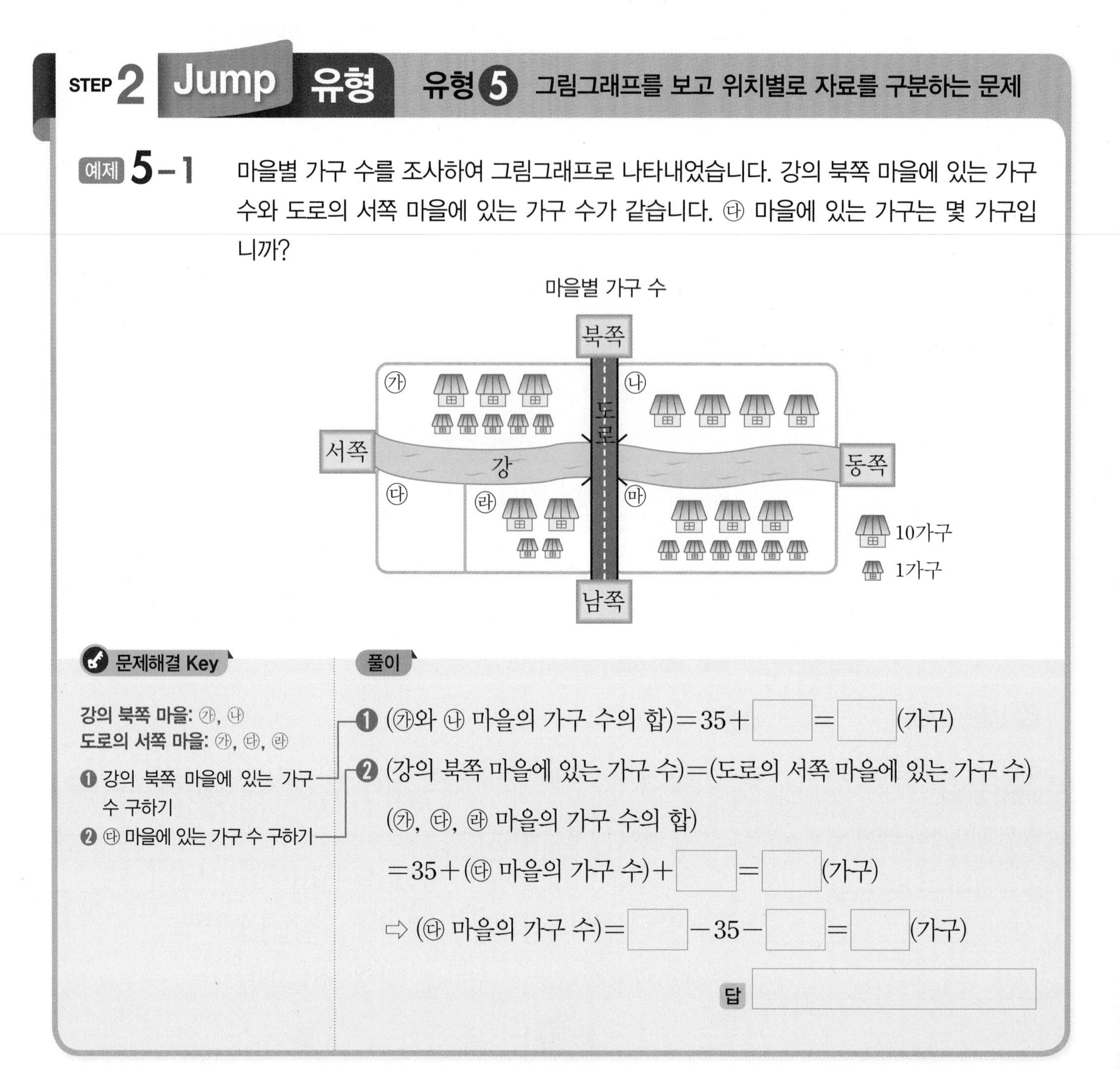

문제해결 Key

강의 북쪽 마을: ㉮, ㉯
도로의 서쪽 마을: ㉮, ㉰, ㉱

❶ 강의 북쪽 마을에 있는 가구 수 구하기
❷ ㉰ 마을에 있는 가구 수 구하기

풀이

❶ (㉮와 ㉯ 마을의 가구 수의 합)$=35+$ □ $=$ □ (가구)

❷ (강의 북쪽 마을에 있는 가구 수)$=$(도로의 서쪽 마을에 있는 가구 수)

(㉮, ㉰, ㉱ 마을의 가구 수의 합)

$=35+$(㉰ 마을의 가구 수)$+$ □ $=$ □ (가구)

⇨ (㉰ 마을의 가구 수)$=$ □ $-35-$ □ $=$ □ (가구)

답 □

예제 5-2 마을별 아파트 동 수를 조사하여 그림그래프로 나타내었습니다. 도로의 서쪽 마을에 있는 아파트 동 수와 철도의 남쪽 마을에 있는 아파트 동 수가 같습니다. ㉱ 마을에 있는 아파트 동 수는 몇 동입니까?

마을별 아파트 동 수

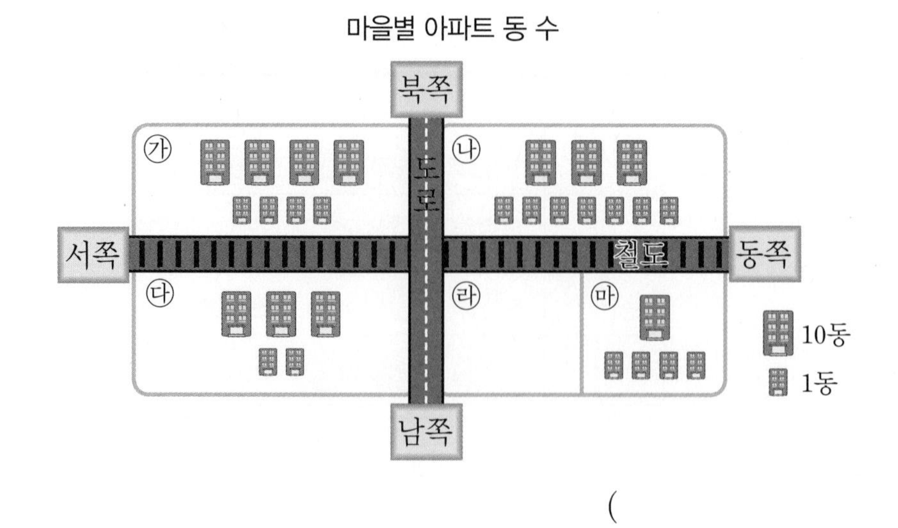

( )

창의·융합

유형 6 자료와 그림그래프를 해석하는 문제

[수학+사회]

예제 6-1 다음은 국민 1인당 하루 쌀 소비량에 대한 신문 기사와 그림그래프입니다. 2010년과 2014년의 1인당 하루 쌀 소비량의 차는 몇 g입니까?

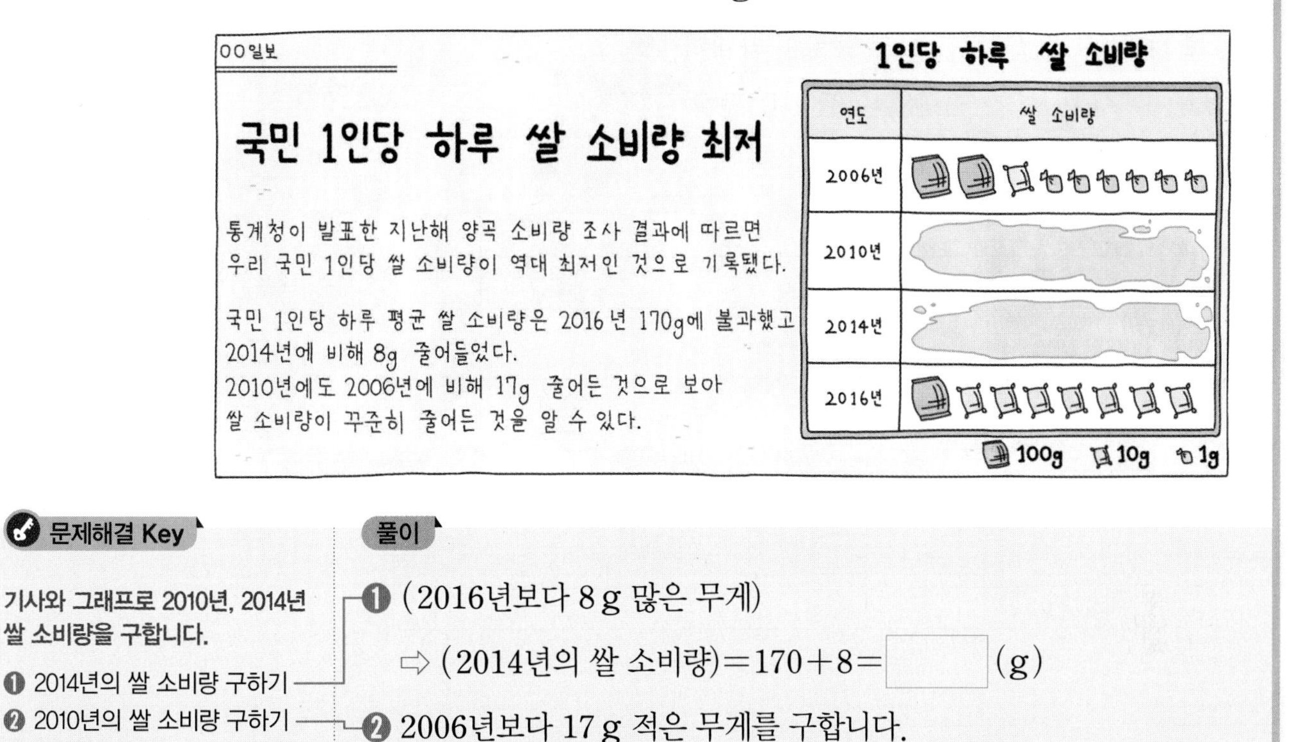

OO일보

국민 1인당 하루 쌀 소비량 최저

통계청이 발표한 지난해 양곡 소비량 조사 결과에 따르면 우리 국민 1인당 쌀 소비량이 역대 최저인 것으로 기록됐다.

국민 1인당 하루 평균 쌀 소비량은 2016년 170g에 불과했고 2014년에 비해 8g 줄어들었다.
2010년에도 2006년에 비해 17g 줄어든 것으로 보아 쌀 소비량이 꾸준히 줄어든 것을 알 수 있다.

1인당 하루 쌀 소비량

연도	쌀 소비량
2006년	
2010년	
2014년	
2016년	

100g 10g 1g

문제해결 Key

기사와 그래프로 2010년, 2014년 쌀 소비량을 구합니다.

❶ 2014년의 쌀 소비량 구하기
❷ 2010년의 쌀 소비량 구하기
❸ ❷−❶ 구하기

풀이

❶ (2016년보다 8 g 많은 무게)

⇨ (2014년의 쌀 소비량)$=170+8=$ ☐ (g)

❷ 2006년보다 17 g 적은 무게를 구합니다.

2006년은 (100g) 그림 2개, (10g) 그림 1개, (1g) 그림 6개이므로

☐ g입니다.

⇨ (2010년의 쌀 소비량)$=216-17=$ ☐ (g)

❸ (2010년)$-$(2014년)$=$ ☐ $-$ ☐ $=$ ☐ (g)

답 ☐

[수학+사회]

응용 6-2 최고 초등학교 학생 135명이 한 민속놀이를 조사하여 오른쪽 그림그래프로 나타내었습니다. 윷놀이를 한 학생은 팽이치기를 한 학생보다 15명 더 많을 때, 가장 많은 학생들이 한 민속놀이와 가장 적은 학생들이 한 민속놀이의 학생 수의 차는 몇 명입니까?

학생들이 한 민속놀이

민속놀이	학생 수
윷놀이	
제기차기	
강강술래	
팽이치기	

10명 5명 1명

(　　　　　　　　)

문제 풀이 동영상 >>

01 윤지네 반 학생들이 좋아하는 동물을 조사하여 그림그래프로 나타내었습니다. 그림그래프를 보고 표로 나타내어 보시오.

학생들이 좋아하는 동물

동물	학생 수
사자	◉ ● ●
기린	● ● ● ●
코끼리	◉ ● ● ● ● ●
사슴	● ● ●

◉ 10명
● 1명

학생들이 좋아하는 동물

동물	사자	기린	코끼리	사슴	합계
학생 수(명)					

유형 ③ 모르는 항목의 수를 구하여 그래프를 완성하는 문제

02 민지네 학교 3학년 학생들이 방학 때 가고 싶어 하는 장소를 조사하여 표와 그림그래프로 나타내려고 합니다. 표와 그림그래프를 각각 완성하시오.

학생들이 방학 때 가고 싶어 하는 장소

장소	제주도	경주	울릉도	설악산	합계
학생 수(명)	15				80

학생들이 방학 때 가고 싶어 하는 장소

장소	학생 수
제주도	
경주	
울릉도	◉
설악산	◉ ◉ ◉ ●

◉ 10명
● 1명

03 지율이네 학교 반별 학생 수를 조사하여 그림그래프로 나타내었습니다. 학생 한 명에게 색종이를 2묶음씩 준다면 필요한 색종이는 모두 몇 묶음입니까?

반별 학생 수

반	학생 수
1반	
2반	
3반	

10명 1명

(   )

유형 6 자료와 그림그래프를 해석하는 문제

04 학생들이 모은 구슬 수를 조사하여 그림그래프로 나타내었습니다. 학생들이 모은 구슬은 모두 90개이고, 지연이가 모은 구슬 수는 현주가 모은 구슬 수의 2배라고 할 때, 지연이가 모은 구슬은 몇 개입니까?

학생들이 모은 구슬 수

이름	난영	현주	은수	지연
구슬 수				

10개 1개

(   )

유형 1 그림그래프를 보고 합 또는 차를 구하는 문제

05 지호네 마을의 문구점별로 판 공책 수를 조사하여 그림그래프로 나타내었습니다. 전체 문구점에서 모두 115권을 팔았을 때, 판 공책의 수가 가장 많은 문구점과 가장 적은 문구점의 공책 수의 차는 몇 권입니까? (단, 기쁨 문구점에서 판 공책은 30권입니다.)

문구점별 판 공책 수

문구점	바른	명랑	아름	기쁨	태양
판 공책 수					

(   )

유형 ③ 모르는 항목의 수를 구하여 그래프를 완성하는 문제

06 민호네 학교 3학년 학생 140명이 사는 마을을 조사하여 그림그래프로 나타내려고 합니다. 행복 마을의 학생 수가 은빛 마을의 학생 수의 $\frac{2}{3}$ 일 때, 그림그래프를 완성하시오.

마을별 학생 수

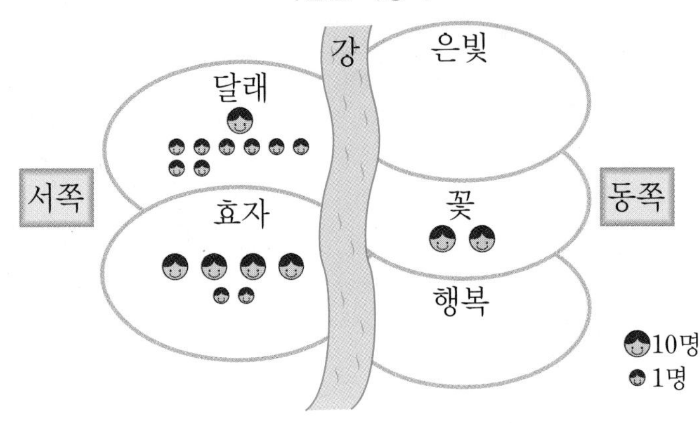

유형 ⑤ 그림그래프를 보고 위치별로 자료를 구분하는 문제

07 위 **06**에서 강을 중심으로 동쪽과 서쪽 마을의 학생 수가 같아지려면, 어느 쪽 마을 학생 몇 명이 반대쪽 마을로 이사를 가면 됩니까?

( ), ( )

창의·융합

[수학+음악] 성대 경시 유형

08 영지네 반 학생 29명이 좋아하는 *타악기를 한 가지씩 조사하여 그림그래프로 나타내었습니다. 실로폰을 좋아하는 학생이 북을 좋아하는 학생보다 많았고, 악기별로 좋아하는 학생 수가 서로 달랐습니다. 실로폰을 좋아하는 학생은 몇 명입니까?

학생들이 좋아하는 타악기

타악기	학생 수
심벌즈	
북	
캐스터네츠	
실로폰	
트라이앵글	
탬버린	

5명
1명

( )

▲ 여러 가지 타악기

*타악기: 손이나 채로 쳐서 또는 서로 부딪쳐서 소리를 내는 악기

해법 경시 유형 **유형 ❹** 각 그림이 나타내는 수를 알아보는 문제

09 인희네 모둠 학생들이 가지고 있는 구슬 수를 조사하여 그림그래프로 나타내었습니다. 5명이 가지고 있는 구슬이 모두 59개일 때 ㉠과 ㉡에 알맞은 자연수의 곱을 구하시오. (단, ㉠이 ㉡보다 큽니다.)

구슬 수

이름	구슬 수
인희	(큰 구슬 1개, 작은 구슬 1개)
경수	(큰 구슬 2개)
세아	(큰 구슬 1개, 작은 구슬 4개)
형규	(큰 구슬 2개, 작은 구슬 1개)
하나	(큰 구슬 1개, 작은 구슬 2개)

(큰 구슬) ㉠ 개 (작은 구슬) ㉡ 개

( )

성대 경시 유형 **유형 ❷** 표를 해석하는 문제

10 다음은 세희네 반 학생 30명의 장래희망을 한 가지씩 조사한 것입니다. 조사한 자료의 일부분이 찢어져 보이지 않습니다. 장래희망이 선생님인 학생과 과학자인 학생 수가 같다고 할 때, 표에서 ㉠에 알맞은 수를 쓰시오.

학생들의 장래희망

선생님, 의사, 과학자, 운동 선수, 연예인, 운동 선수, 의사, 과학
의사, 과학자, 운동 선수, 의사, 연예인, 운동 선수, 선생님, 의사
과학자, 의사, 운동 선수, 의사, 운동 선수, 과학자, 의사, 선생님, 운동선

학생들의 장래희망

장래희망	의사	선생님	연예인	과학자	운동 선수	합계
학생 수(명)	10	㉠	㉡	㉢	8	30

( )

6 자료의 정리

문제 풀이 동영상 >>

창의·융합

01 [수학 + 국어]

마을별 고등어 섭취량을 조사하여 그림그래프로 나타내었습니다. 고등어 한 손은 2마리와 같다는 것을 이용하여 큰 그림을 10손, 작은 그림을 1손으로 하여 다시 그리려고 합니다. 다 마을의 고등어 섭취량은 큰 그림 몇 개, 작은 그림 몇 개로 나타내야 합니까?

고등어 섭취량

마을	섭취량
가	
나	
다	
라	

(큰 그림) 5마리 (작은 그림) 1마리

큰 그림 (   ), 작은 그림 (   )

02 학생들이 좋아하는 계절을 조사하여 표로 나타내려고 합니다. 표에서 한 계절을 좋아한다고 답한 학생이 6명, 두 계절을 좋아한다고 답한 학생이 5명, 세 계절을 좋아한다고 답한 학생이 3명, 네 계절을 좋아한다고 답한 학생이 2명입니다. 표를 완성하시오.

학생들이 좋아하는 계절

계절	봄	여름	가을	겨울
학생 수(명)	6	12	5	

03 마을별 소의 수를 그림그래프로 나타내려고 합니다. 도로의 남쪽에 있는 마을의 소의 수가 북쪽에 있는 마을의 소의 수보다 30마리 더 많고, 나 마을 소의 수는 가 마을 소의 수의 $\frac{3}{4}$입니다. 그림그래프를 완성하시오.

마을별 소의 수

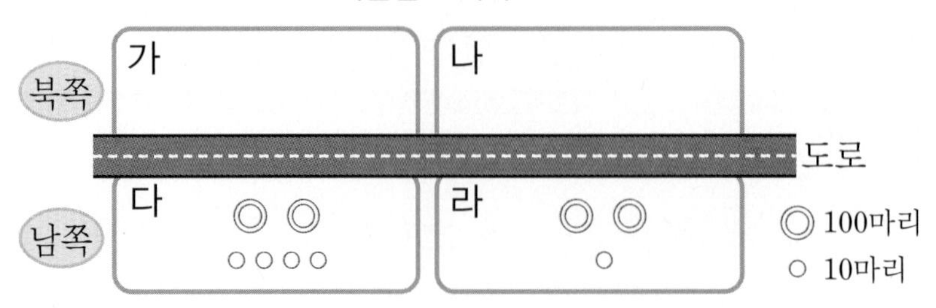

04 서진이네 모둠 친구들에게 각각 10문제의 퀴즈를 냈습니다. 다음은 친구들이 맞힌 문제 수를 조사하여 나타낸 그림그래프입니다. 맞힌 문제는 한 문제에 5점씩 주고, 맞히지 못한 문제는 한 문제에 2점씩 감점할 때, 가장 점수가 높은 사람의 점수는 몇 점입니까?

맞힌 문제 수

이름	서진	재준	미호	윤아
맞힌 문제 수	◯ ○○	○○ ○○	◯ ○	◯ ○○○

◯ 5문제
○ 1문제

(　　　　　　　　　　)

고대 경시 유형

05 규리는 주사위를 던져서 나온 눈의 수만큼 말이 움직이는 게임을 하고 있습니다. 주사위를 모두 28번 던져서 게임판 위의 말이 100칸을 움직였습니다. 표와 그림그래프를 보고 5의 눈은 몇 번 나왔는지 구하시오.

눈의 수별 나온 횟수

눈의 수	1	2	3	4	5	6	합계
횟수(번)	4			6			28

눈의 수별 나온 횟수

눈의 수	횟수
1	
2	
3	■
4	
5	
6	▪▪▪▪

■ 5번 ▪ 1번

(　　　　　　　　　　)

6 자료의 정리

최고 수준 생각하기

자료들을 보기 좋게 정리할 수 있나요?

예를 들어, 일주일간 동물원에 다녀간 어린이들이 몇 명인지 조사했다고 해 볼까요?
월요일은 30명, 화요일은 29명, ……, 일요일은 100명.
이렇게 글로 나열하면 자료를 확인하기 힘들지만 자료를 표나 그래프를 통해서 보기 편하게 만들 수 있답니다.
실제 생활에서는 어떤 그래프가 많이 쓰일까요? 다양한 그래프를 만나봅시다.

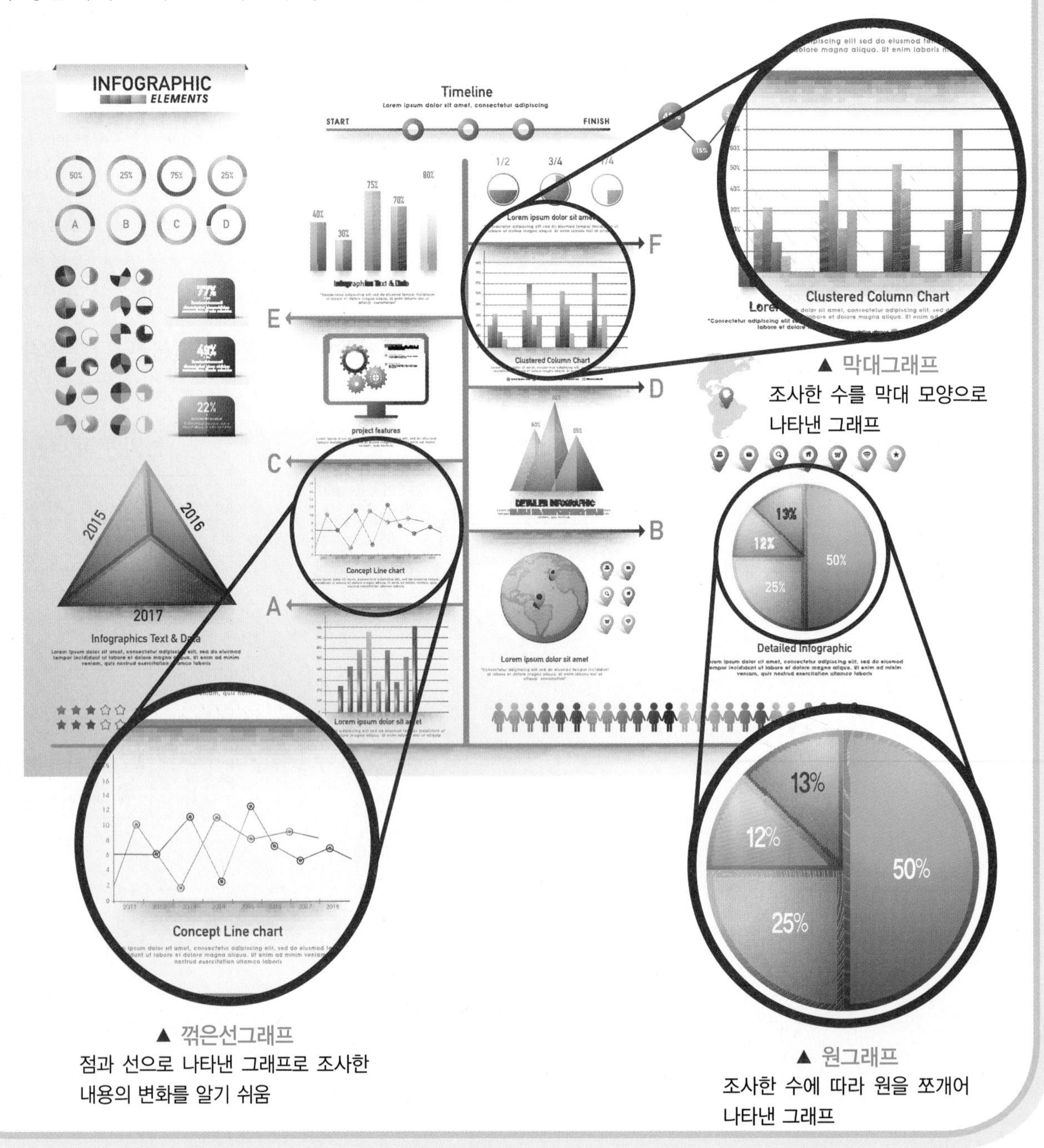

▲ 막대그래프
조사한 수를 막대 모양으로 나타낸 그래프

▲ 꺾은선그래프
점과 선으로 나타낸 그래프로 조사한 내용의 변화를 알기 쉬움

▲ 원그래프
조사한 수에 따라 원을 쪼개어 나타낸 그래프

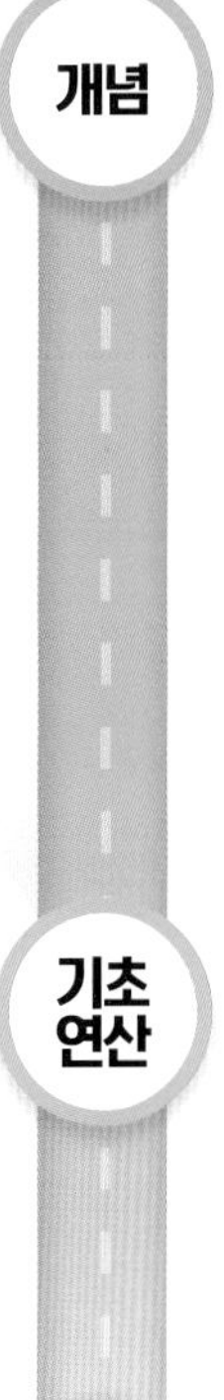

최강 TOT

최고 수준 S

최고 수준

초등 문해력 독해가 힘이다 [문장제 수학편]

수학도 독해가 힘이다

응용 해결의 법칙

일등전략

수학 전략

유형 해결의 법칙

우등생 해법수학

개념클릭

개념 해결의 법칙

똑똑한 하루 시리즈 [수학/계산/도형/사고력]

계산박사

빅터연산

수학 단원평가

해법수학 경시대회 기출문제

해법 예비 중학 신입생 수학

상위권 실력 완성
최고수준

꼼꼼 풀이집

상위권 실력 완성

최고수준

초등수학

3-2

천재교육

상위권 실력 완성
최고수준

스피드 정답표

1 곱셈

STEP 1 Start 개념 6~9쪽

1. (세 자리 수)×(한 자리 수) **7쪽**

1 2048　**2** >
3 3　**4** 1744개
5 $\begin{array}{r} \boxed{4}\,\boxed{3}\,\boxed{2} \\ \times \quad\quad \boxed{5} \\ \hline \end{array}$, 2160　**6** 123

2. (두 자리 수)×(두 자리 수) **9쪽**

1 8　**2** 84, 1764
3 90, 80, 7200 (또는 80, 90, 7200)
4 401　**5** 140개
6 $\begin{array}{r} \boxed{1}\,\boxed{3} \\ \times\ \boxed{2}\,\boxed{4} \\ \hline \end{array}$, 312

STEP 2 Jump 유형 10~17쪽

1-1 ❶ 45, 675　❷ 675, 732
; 732명
1-2 891개
1-3 35개
1-4 ㉯ 기계, 72켤레
2-1 ❶ 39, 52　❷ 2028, 2080
; 2080
2-2 670
2-3 2331
3-1 ❶ 10, 10　❷ 1, 9
❸ 9, 4365
; 4365 cm
3-2 238 m
3-3 580 cm
4-1 ❶ 36, 5, 6
❷ 2775, 6, 3996, 6
; 6
4-2 $\begin{array}{r} \boxed{1}\ 3\ \boxed{6} \\ \times \quad\quad 4 \\ \hline 5\ 4\ 4 \end{array}$
4-3 20
5-1 ❶ 560　❷ 27, 27, 135
❸ 560, 135, 425
; 425 cm
5-2 1053 cm
5-3 준수, 19 cm
6-1 ❶ 1512
❷ <, <, 1458, <, 1944, >
❸ 2, 3, 3
; 3개
6-2 5개
6-3 4개
7-1 ❶ 6　❷ 531
❸ 531, 6, 3186
; 3186
7-2 938
7-3 93×74=6882 또는 74×93=6882 ; 6882
8-1 ❶ 1256　❷ 32
❸ 1256, 32, 1224
; 1224마리
8-2 1008 kg

STEP 3 Master 심화 18~23쪽

01 551　**02** 1430개
03 1482원　**04** 2, 9
05 1222　**06** 1542개
07 12개　**08** 1216 cm
09 3049와트　**10** 7
11 926　**12** 465 L
13 349, 7　**14** 4
15 3731　**16** 동쪽, 306걸음
17 4 km 600 m　**18** 4080번

STEP 4 Top 최고수준 24~25쪽

01 3일　**02** 544 km
03 7078　**04** 617개
05 11, 22, 26　**06** 2201

최고수준 생각하기 26쪽

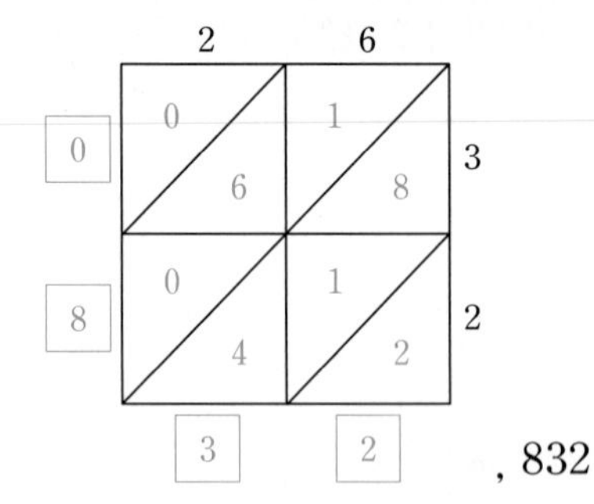

, 832

2 나눗셈

STEP 1 Start 개념 28~33쪽

1. (몇십)÷(몇), (몇십몇)÷(몇)(1) 29쪽

1 (앞에서부터) 35, 20, 21
2 <
3 5
4 ㉡
5 $48 \div 4 = 12$, 12장
6 6 4 ÷ 2, 32

2. (몇십몇)÷(몇)(2) 31쪽

1 ( )(○)( )
2
```
     1 3
  5)6 7
    5
    ---
    1 7
    1 5
    ---
      2
```
3 7
4 75, 60
5 12개
6 5개
7 3개

3. (세 자리 수)÷(한 자리 수) 33쪽

1 120
2
```
     1 4 1
  6)8 4 6
    6
    -----
    2 4
    2 4
    -----
        6
        6
    -----
        0
```
3 $50 \div 4 = 12 \cdots 2$; 12, 2
4 63
5 22 cm, 2 cm
6 330

STEP 2 Jump 유형 34~41쪽

1-1 ❶ 13, 1, 52 ❷ 56, 52, 56
; 52, 56
1-2 66, 72
1-3 71, 76, 81, 86
2-1 ❶ 65, 5, 5, 65 ❷ 65, 13, 78
; 78
2-2 124
2-3 13
3-1 ❶ 19 ❷ 19, 20
; 20개
3-2 12 m
3-3 28개
3-4 15그루
4-1 ❶ 90, 90, 95, 95 ❷ 95, 13, 4, 13, 4
; 13도막, 4 cm
4-2 14도막, 1 cm
4-3 12개
5-1 ❶ 2, 13, 2 ❷ 2, 4
; 4개
5-2 3장
5-3 4개
6-1 ❶ 6, 12, 1, 2 ❷ 5
❸ 2
; 6, 2, 5, 1, 2
6-2
```
     1 7
  4)6 9
    4
    ---
    2 9
    2 8
    ---
      1
```
6-3
```
       8 4
  7)5 9 3
    5 6
    -----
      3 3
      2 8
    -----
        5
```
7-1 ❶ 8, 4, 42 ❷ 7, 20, 5, 24
❸ 4
; 4가지
7-2 4가지

7-3 11
8-1 ❶ 48, 48, 54 ❷ 48, 54, 54
❸ 54, 18
; 18층
8-2 약 22초

STEP 3 Master 심화 42~47쪽

01 4개 **02** 1, 8
03 13개, 1개 **04** 95
05 56개 **06** 2상자
07 5명 **08** 16
09 28 **10** 3, 9
11 6, 7 **12** 24
13 75 **14** 12마디
15 95 **16** 3502
17 160명 **18** 4

STEP 4 Top 최고수준 48~49쪽

01 88개 **02** 12 cm
03 241 **04** 495
05 216

3 원

STEP 1 Start 개념 52~55쪽

1. 원의 중심, 반지름, 지름 53쪽

1 선분 ㅇㄱ, 선분 ㅇㅁ(또는 선분 ㄱㅇ, 선분 ㅁㅇ)
2 10 cm, 5 cm **3** ㉡
4 8 cm **5** 3 cm
6 2 cm

2. 원을 이용하여 여러 가지 모양 그리기 55쪽

1 3군데
2
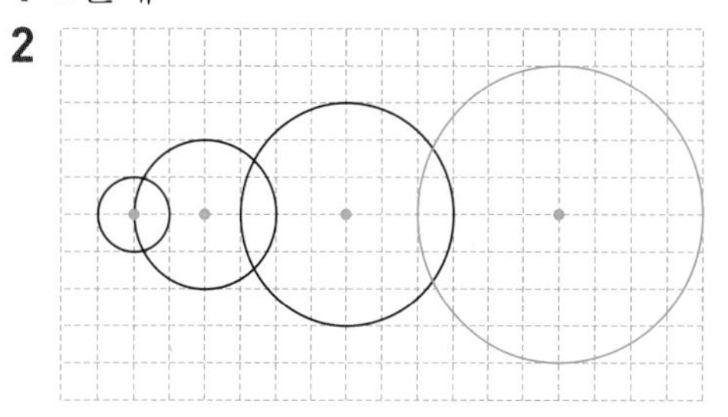
3 6 cm **4** 3 cm
5 16 cm **6** 35 cm

STEP 2 Jump 유형 56~63쪽

1-1 ❶ 4 ❷ 2
❸ 3
; 3개
1-2 5개
1-3 10개
2-1 ❶ 12 ❷ 12, 6
; 6 cm
2-2 9 cm
2-3 5 cm
2-4 5개
3-1 ❶ 18 ❷ 3, 18, 3, 6
; 6 cm
3-2 7 cm
3-3 36 cm
4-1 ❶ 10
❷ 10, 10, 40
; 40 cm
4-2 60 cm
4-3 10 cm
5-1 ❶ 8, 4, 12 ❷ 12, 24
; 24 cm
5-2 21 cm
5-3 23 cm
6-1 ❶ 4, 10 ❷ 10, 8
❸ 8, 4
; 4 cm
6-2 6 cm
6-3 10 cm

7-1 ❶ 4 ❷ 12, 8, 12
❸ 12, 32
; 32 cm
7-2 30 cm
7-3 6 cm
8-1 ❶ 40, 34
❷ 소고, 꽹과리, 징, 장구
; 소고, 꽹과리, 징, 장구
8-2 42 mm

STEP 3 Master 심화 64~69쪽

01	㉢, ㉡, ㉠	**02**	㉢
03	15 cm	**04**	9개
05	9군데	**06**	60 cm
07	8 cm	**08**	12 cm
09	132 cm	**10**	72 cm
11	4개	**12**	13 cm
13	32 cm	**14**	4 cm
15	136 cm	**16**	21 cm
17	72 cm	**18**	5 cm

STEP 4 Top 최고수준 70~71쪽

01	27 cm	**02**	38개, 76 cm
03	3 cm	**04**	36개
05	6		

4 분수

STEP 1 Start 개념 74~79쪽

1. 분수로 나타내기 75쪽

1	3	**2**	$>$
3	45	**4**	32
5	6개	**6**	4 m

2. 여러 가지 분수 77쪽

1
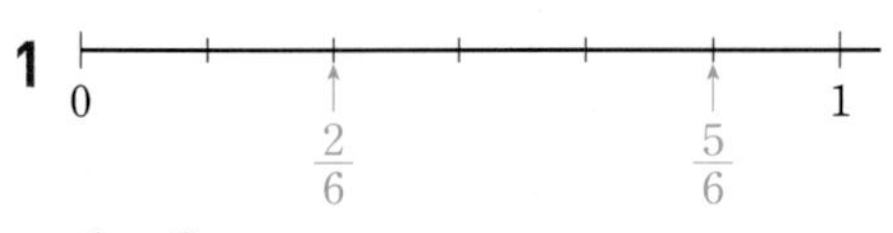

2 $\frac{1}{3}$, $\frac{2}{3}$ **3** 2

4 $\frac{12}{12}$ **5** $\frac{8}{5}$

6 6개

3. 분모가 같은 분수의 크기 비교 79쪽

1 $<$

2
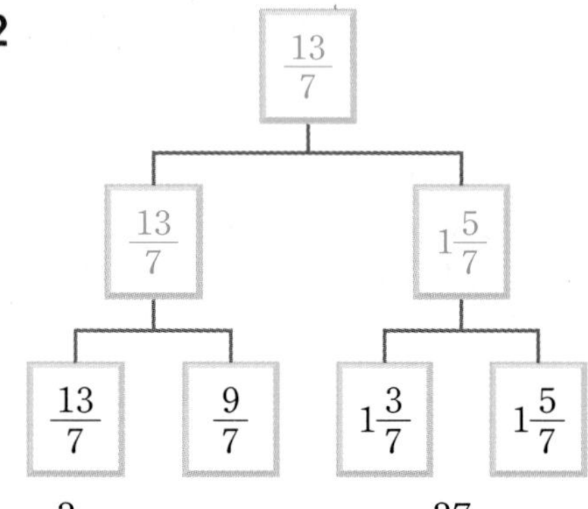

3 $1\frac{3}{6}$ **4** $\frac{37}{10}$

5 선우 **6** $7\frac{4}{5}$

STEP 2 Jump 유형 80~88쪽

1-1 ❶ 3, 3, 6, 6 ❷ 5, 5
❸ 6, 4
; 4개
1-2 3개
1-3 12개
2-1 ❶ 2, 2, 9 ❷ 9, 9, 27
❸ 27, 27, 9, 3
; 3
2-2 10
2-3 14
2-4 20
3-1 ❶ 1 ❷ 3, 4
❸ 4
; 4
3-2 13
3-3 4개
4-1 ❶ 5, 5 ❷ 52, 24
❸ 9
; 9개
4-2 9개
4-3 12개

5-1 ❶ 8 ❷ 4, 7, 7
❸ 7, 39
; $\frac{39}{8}$

5-2 $\frac{17}{5}$

5-3 25

6-1 ❶ 23 ❷ 14, 7, 7, 16
❸ $\frac{7}{16}$
; $\frac{7}{16}$

6-2 $\frac{6}{14}$

6-3 $1\frac{9}{26}$

7-1 ❶ 3, 3, 3, 87, 87, 89
❷ 2, 2, 2, 58, 58, 59
❸ 89, 59, $\frac{59}{89}$
; $\frac{59}{89}$

7-2 $\frac{10}{83}$

7-3 $19\frac{10}{13}$

8-1 ❶ 3, 3, 24, 24 ❷ 24, 2, 2
; 2명

8-2 12 cm

9-1 ❶ 8, 8, 24 ❷ 24, 24, 6, 24, 6, 18
; 18 m

9-2 8 m

9-3 144 m

STEP 3 Master 심화 89~93쪽

01 16개 02 $\frac{47}{9}$ kg
03 15개 04 8개
05 171 06 $\frac{34}{7}$
07 4개 08 9개
09 11 10 2700원
11 $9\frac{1}{2}$ 12 $\frac{17}{6}$
13 13개 14 $10\frac{2}{5}$
15 200개

STEP 4 Top 최고수준 94~95쪽

01 $\frac{1}{16}$ 02 30, 37, 44, 51, 58
03 $\frac{1}{72}$, $\frac{8}{9}$ 04 33 cm
05 33개 06 10개

5 들이와 무게

STEP 1 Start 개념 98~101쪽

1. 들이 99쪽

1 5, 200 2 ㉡, ㉠, ㉢
3 약 2 L 4 6, 9
5 2 L 600 mL 6 6 L 200 mL

2. 무게 101쪽

1 2 kg 2 ㉢
3 7 kg 900 g, 1 kg 300 g
4 예 6 kg=6000 g이고 6000 g < 8000 g이니까 8000 g이 더 무거워.
5 3 kg 100 g 6 5 kg 120 g

STEP 2 Jump 유형 102~110쪽

1-1 ❶ 1, 700 ❷ 700, 3, 800
; 3 L 800 mL

1-2 2 L 900 mL

1-3 870 mL

2-1 ❶ 3, 600 ❷ 3, 600, 7, 800
; 7 kg 800 g

2-2 11 kg 100 g

2-3 37 kg 700 g

3-1 ❶ 2, 600 ❷ 200, 600, 3
; 3번

3-2 4번

3-3 2번

4-1 ❶ 6, 8 ❷ 4, 4, 2400, 2, 400
; 2 kg 400 g

4-2 1 kg 500 g

4-3 60 g

5-1 ❶ 400, 600 ❷ 600, 300
; 300 mL

스피드 정답표

5-2 500 mL
5-3 600 mL
6-1 ❶ 300 ❷ 700, 400, 300
6-2 예 600 mL들이 그릇에 물을 가득 채운 후 그것을 500 mL들이 그릇에 가득 차게 담아 덜어 내면 600 mL들이 그릇에 100 mL의 물이 남습니다.
6-3 예 700 mL들이 그릇에 물을 가득 채운 후 그것을 200 mL들이 그릇에 가득 차게 담아 2번 덜어 내면 700 mL들이 그릇에 300 mL의 물이 남습니다.
7-1 ❶ 100, 500 ❷ 500, 4500, 4, 500
; 4 L 500 mL
7-2 4 L 200 mL
7-3 30초
8-1 ❶ 540, 2, 340 ❷ 1, 260
❸ 2, 340, 1, 260, 1, 80
; 약 1 L 80 mL
8-2 약 10 kg 100 g
9-1 ❶ 500 ❷ 600, 400
❸ 400, 공, 300, 가위
; 가위
9-2 사과
9-3 6가지

STEP 3 Master 심화 111~115쪽

01 ㉢
02 200 mL
03 7, 450
04 90 g
05 1 L 300 mL
06 94 kg 800 g
07 136 mL
08 2 kg 80 g
09 5번
10 5개
11 8 L 500 mL
12 6000 mL
13 75 L
14 토끼 인형
15 3 kg 100 g

STEP 4 Top 최고수준 116~117쪽

01 46 L 42 mL
02 예 900 mL들이 컵에 물을 가득 채워 물통에 2번 부은 후, 물통에 있는 물을 400 mL들이 컵에 가득 채워 2번 덜어 냅니다.
03 1 kg 550 g
04 4분
05 650 g
06 10가지

6 자료의 정리

STEP 1 Start 개념 120~123쪽

1. 표와 그림그래프 121쪽

1

종류	지우개	가위	풀	자	합계
학용품 수(개)	5	4	2	2	13

2 노란색
3 (1) × (2) ○
4 선우
5 참외
6

경기	달리기	줄다리기	공 굴리기	합계
청군 점수(점)	200	50	100	350
백군 점수(점)	100	150	50	300

2. 그림그래프로 나타내기 123쪽

1

마트	과자 수
하늘	◎◎◎○○○○○○
바다	◎◎○○○○○○○○
숲속	◎◎◎○○

◎10개 ○1개

2 하늘, 숲속, 바다
3

마트	과자 수
하늘	◎◎◎△○
바다	◎◎△○○○
숲속	◎◎◎○○

◎10개 △5개 ○1개

4 예 ① 감이 빠졌습니다.
② 배의 수를 잘못 나타냈습니다.
5

간식	떡볶이	호떡	만두	피자	합계
학생 수(명)	10	5	13	20	48

간식	학생 수
떡볶이	◎
호떡	○○○○○
만두	◎○○○
피자	◎◎

◎10명 ○1명

STEP 2 Jump 유형 124~129쪽

1-1 ❶ 가을, 11, 여름, 6 ❷ 11, 6, 17
; 17명

1-2 9 L

1-3 8명

2-1 ❶ 40, 88 ❷ 88, 44, 44

;

종류	동화책	위인전	과학책	백과사전	합계
책 수(권)	52	44	44	40	180

2-2

과수원	㉮	㉯	㉰	㉱	합계
포도 생산량(kg)	210	210	350	180	950

2-3

교통 수단	지하철	버스	승용차	택시	도보	합계
사람 수(명)	28	30	16	14	6	94

3-1 ❶ 250, 420 ❷ 420, 230
❸ 2, 3

;

마을	생산량
하늘	
자연	
호수	
바다	

100상자 10상자

3-2

마을	달빛	은빛	별빛	초록	한빛
학생 수					

10명 1명

4-1 ❶ 15 ❷ 15, 5, 10, 1
; 5장, 1장

4-2 32가마

5-1 ❶ 40, 75 ❷ 22, 75, 75, 22, 18
; 18가구

5-2 30동

6-1 ❶ 178 ❷ 216, 199
❸ 199, 178, 21
; 21 g

6-2 21명

STEP 3 Master 심화 130~133쪽

01

동물	사자	기린	코끼리	사슴	합계
학생 수(명)	12	4	15	3	34

02

장소	제주도	경주	울릉도	설악산	합계
학생 수(명)	15	24	10	31	80

장소	학생 수
제주도	
경주	
울릉도	
설악산	

10명 1명

03 158묶음 **04** 24개

05 16권

06

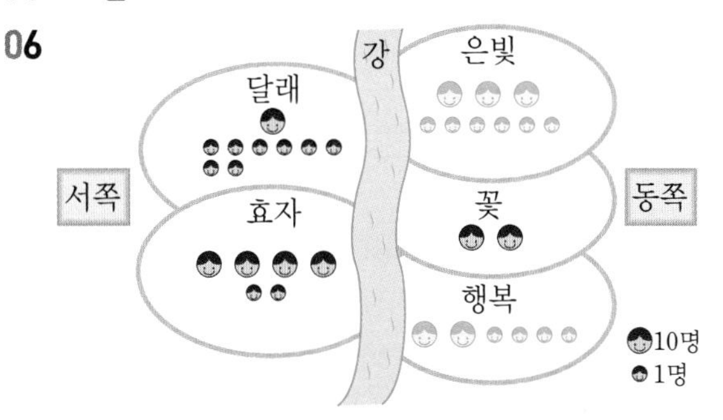

07 동쪽, 10명 **08** 5명

09 15 **10** 5

STEP 4 Top 최고수준 134~135쪽

01 1개, 2개

02

계절	봄	여름	가을	겨울
학생 수(명)	6	12	5	10

03

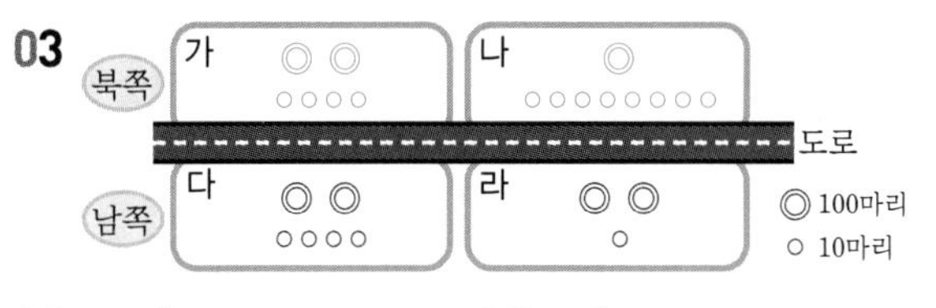

04 36점 **05** 5번

꼼꼼 풀이집

1 곱셈

STEP 1 Start 개념 7쪽

1 2048　　2 >
3 3　　4 1744개
5 $\begin{array}{r} 4\,3\,2 \\ \times\quad 5 \\ \hline \end{array}$, 2160　　6 123

1 $\begin{array}{r} 5\,1\,2 \\ \times\quad 4 \\ \hline 2\,0\,4\,8 \end{array}$

2 $312\times3=936$, $181\times5=905$
⇨ $936>905$

3 $\square\times7=▲1$에서 $3\times7=21$이므로 $\square=3$
⇨ $103\times7=721$

4 (지우개의 수)
=(한 상자에 들어 있는 지우개의 수)×(상자의 수)
$=218\times8=1744$(개)

5 $5>4>3>2$이므로
$\begin{array}{r} {\scriptstyle 1\,1\;\;} \\ 4\,3\,2 \\ \times\quad 5 \\ \hline 2\,1\,6\,0 \end{array}$

6 어떤 세 자리 수를 □라고 하면
$\square\times8-\square\times5=\square\times3$,
$\square\times3=369$, $\square=123$

STEP 1 Start 개념 9쪽

1 8　　2 84, 1764
3 90, 80, 7200 (또는 80, 90, 7200)
4 401　　5 140개
6 $\begin{array}{r} 1\,3 \\ \times\,2\,4 \\ \hline \end{array}$, 312

1 $\square\times7=56$에서 $8\times7=56$이므로 $\square=8$

2 $7\times12=84$, $84\times21=1764$

3 $90>80>60>40$이므로 $90\times80=7200$

4 $16\times25=400$
$\square>400$이므로 □ 안에는 401, 402……가 들어갈 수 있고 이 중에서 가장 작은 수는 401입니다.

5 (4주)$=7\times4=28$(일)
⇨ (준수가 먹은 은행의 수)$=5\times28=140$(개)

6 $1<2<3<4$이므로
$\begin{array}{r} 1\,3 \\ \times\,2\,4 \\ \hline 3\,1\,2 \end{array}$

STEP 2 Jump 유형 10~17쪽

1-1 ❶ 45, 675　❷ 675, 732
; 732명
1-2 891개
1-3 35개
1-4 ㉯ 기계, 72켤레
2-1 ❶ 39, 52　❷ 2028, 2080
; 2080
2-2 670
2-3 2331
3-1 ❶ 10, 10　❷ 1, 9
❸ 9, 4365
; 4365 cm
3-2 238 m
3-3 580 cm
4-1 ❶ 36, 5, 6
❷ 2775, 6, 3996, 6
; 6
4-2 $\begin{array}{r} 1\,3\,6 \\ \times\quad 4 \\ \hline 5\,4\,4 \end{array}$
4-3 20
5-1 ❶ 560　❷ 27, 27, 135
❸ 560, 135, 425
; 425 cm
5-2 1053 cm

5-3 준수, 19 cm
6-1 ❶ 1512
❷ <, <, 1458, <, 1944, >
❸ 2, 3, 3
; 3개
6-2 5개
6-3 4개
7-1 ❶ 6 ❷ 531
❸ 531, 6, 3186
; 3186
7-2 938
7-3 $93\times74=6882$ 또는 $74\times93=6882$; 6882
8-1 ❶ 1256 ❷ 32
❸ 1256, 32, 1224
; 1224마리
8-2 1008 kg

1-2 (상자에 담은 쿠키의 수)
=(한 상자에 담은 쿠키의 수)×(상자 수)
$=38\times23=874$(개)
(전체 쿠키의 수)$=874+17=891$(개)

1-3 (접은 종이학의 수)$=35\times19=665$(개)
⇨ (더 접어야 하는 종이학의 수)
$=700-665=35$(개)

1-4 (㉮ 기계로 만든 신발의 수)$=138\times4=552$(켤레)
(㉯ 기계로 만든 신발의 수)$=52\times12=624$(켤레)
⇨ ㉯ 기계로 $624-552=72$(켤레) 더 많이 만들었습니다.

문제해결 Key
① ㉮ 기계로 만든 신발의 수를 구합니다.
② ㉯ 기계로 만든 신발의 수를 구합니다.
③ 두 기계 중 어느 기계로 신발을 몇 켤레 더 많이 만들었는지 구합니다.

2-2 가 대신 59를, 나 대신 27을 넣어 식을 계산하면
59⊙27$=27\times27-59=729-59=670$

2-3 50♠13$=(50+13)\times(50-13)=63\times37=2331$

3-2 $35+35=70$이므로 산책로 한쪽에 세운 가로등은 35개입니다.
(산책로의 한쪽에 세운 가로등 사이의 간격 수)
$=35-1=34$(군데)
⇨ (산책로의 길이)$=7\times34=238$ (m)

3-3 (한 변 위에 꽂은 누름 못 사이의 간격 수)
$=30-1=29$(군데)
(정사각형의 한 변)$=5\times29=145$ (cm)
⇨ (게시판의 네 변의 길이의 합)
$=145\times4=580$ (cm)

문제해결 Key
① 한 변 위에 꽂은 누름 못 사이의 간격 수를 구합니다.
② 정사각형의 한 변을 구합니다.
③ 게시판의 네 변의 길이의 합을 구합니다.

4-2

$$\begin{array}{r} \boxed{㉠}\ 3\ \boxed{㉡} \\ \times \quad\quad 4 \\ \hline 5\ 4\ 4 \end{array}$$

일의 자리 계산: ㉡×4의 일의 자리 숫자가 4이므로 $1\times4=4$, $6\times4=24$로 ㉡=1 또는 6
㉡=1이면 $31\times4=124$의 십의 자리 숫자는 2입니다.(×)
㉡=6이면 $36\times4=144$의 십의 자리 숫자는 4입니다.(○)
십의 자리 계산: $3\times4+2=14$이므로 백의 자리로 1을 올림합니다.
백의 자리 계산: 십의 자리에서 1 올림이 있으므로 ㉠×4+1=5, ㉠×4=4, 4÷4=㉠, ㉠=1

4-3

$$\begin{array}{r} A\ 6 \\ \times\ 4\ B \\ \hline 2\ 0\ C \\ 1\ D\ 4\ 0 \\ \hline 1\ E\ 4\ 8 \end{array}$$

• $C+0=8$이므로 $C=8$
• $6\times B=\square8$이므로 B=3 또는 8
B=3이면 $6\times3=18$이므로 $A\times3+1=20$이고 성립하는 A가 없습니다.
B=8이면 $6\times8=48$이므로 $A\times8+4=20$이고 $A\times8=16$, $A=2$
• $26\times40=1040$이므로 $D=0$이고 $2+0=E$이므로 $E=2$
⇨ $A+B+C+D+E=2+8+8+0+2=20$

5-2 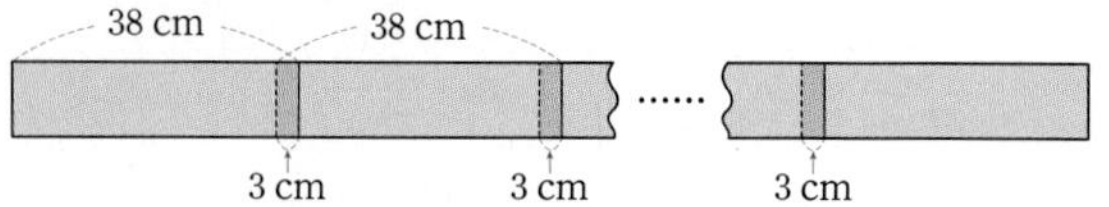

(색 테이프 30장의 길이의 합)
$=38\times30=1140$ (cm)
겹치는 부분은 29군데이므로
(겹치는 부분의 길이의 합)$=3\times29=87$ (cm)
⇨ (이어 붙인 색 테이프의 전체 길이)
$=1140-87=1053$ (cm)

5-3 • 준수: (색 테이프 28장의 길이의 합)
$=27\times28=756$ (cm),
(겹치는 부분의 길이의 합)
$=6\times27=162$ (cm)
→ (이어 붙인 색 테이프의 전체 길이)
$=756-162=594$ (cm)
• 선우: (색 테이프 19장의 길이의 합)
$=35\times19=665$ (cm),
(겹치는 부분의 길이의 합)
$=5\times18=90$ (cm)
→ (이어 붙인 색 테이프의 전체 길이)
$=665-90=575$ (cm)
⇨ $594>575$이므로 준수의 색 테이프의 길이가 $594-575=19$ (cm) 더 깁니다.

문제해결 Key
① 준수가 이어 붙인 색 테이프의 전체 길이를 구합니다.
② 선우가 이어 붙인 색 테이프의 전체 길이를 구합니다.
③ 두 사람 중 누구의 색 테이프의 길이가 몇 cm 더 긴지 구합니다.

6-2 $16\times45=720$
□ 안에 1부터 수를 차례로 넣어 곱의 크기를 비교해 보면
$126\times1=126<720$(○),
$126\times2=252<720$(○),
$126\times3=378<720$(○),
$126\times4=504<720$(○),
$126\times5=630<720$(○),
$126\times6=756>720$(×)……
⇨ □ 안에 들어갈 수 있는 수는 1, 2, 3, 4, 5로 모두 5개입니다.

6-3 $20\times30=600$, $42\times30=1260$
$600<168\times\square<1260$에서 □ 안에 자연수를 차례로 넣어 곱의 크기를 비교해 보면
• □$=3$이면 $168\times3=504$ → $600>504$(×)
• □$=4$이면 $168\times4=672$
→ $600<672<1260$(○)
• □$=5$이면 $168\times5=840$
→ $600<840<1260$(○)
• □$=6$이면 $168\times6=1008$
→ $600<1008<1260$(○)
• □$=7$이면 $168\times7=1176$
→ $600<1176<1260$(○)
• □$=8$이면 $168\times8=1344$
→ $1344>1260$(×)
⇨ □ 안에 들어갈 수 있는 수는 4, 5, 6, 7로 모두 4개입니다.

7-2 $2<4<6<9$이므로 곱이 가장 작으려면 한 자리 수에 가장 작은 수인 2를 놓고, 4, 6, 9로 가장 작은 세 자리 수를 만들면 469입니다.
⇨ 곱이 가장 작은 곱셈식은 $469\times2=938$입니다.

참고
수 카드를 사용하여 (세 자리 수)×(한 자리 수) 만들기
수 카드에서 수의 크기가 ④>③>②>①>0일 때
• 곱이 가장 큰 경우: ③②① × ④
• 곱이 가장 작은 경우: ②③④ × ①

7-3 $9>7>4>3$이므로 곱이 가장 크려면 곱셈식은 $93\times74=6882$입니다.

참고
수 카드를 사용하여 (두 자리 수)×(두 자리 수) 만들기
수 카드에서 수의 크기가 ④>③>②>①>0일 때
• 곱이 가장 큰 경우: ④① × ③②
• 곱이 가장 작은 경우: ①③ × ②④

8-2 (혹등고래 3마리가 1시간 동안 먹은 먹이의 무게)
$=168\times3$
$=504$ (kg)
(혹등고래 3마리가 2시간 동안 먹은 먹이의 무게)
$=504\times2$
$=1008$ (kg)

STEP 3 Master 심화 18~23쪽

01	551	02	1430개
03	1482원	04	2, 9
05	1222	06	1542개
07	12개	08	1216 cm
09	3049와트	10	7
11	926	12	465 L
13	349, 7	14	4
15	3731	16	동쪽, 306걸음
17	4 km 600 m	18	4080번

01 두 수를 가, 나라고 할 때
가 ⊙ 나는 가×나에서 1을 빼는 규칙입니다.
⇨ $46 ⊙ 12=46\times12-1=552-1=551$

02 (한 상자에 담은 사탕의 수)$=22\times13=286$(개)
⇨ (5상자에 담은 사탕의 수)$=286\times5=1430$(개)

문제해결 Key
① 한 상자에 담은 사탕의 수를 구합니다.
② 5상자에 담은 사탕의 수를 구합니다.

03 가장 적게 받을 때는 1159원이고
가장 많이 받을 때는 1178원이므로 차는
$1178-1159=19$(원)입니다.
⇨ $19\times78=1482$(원)

문제해결 Key
① 가장 적게 받을 때와 가장 많이 받을 때의 환율의 차를 구합니다.
② ①×78을 구합니다.

다른 풀이
가장 적게 받을 때: $1159\times78=90402$(원)
가장 많이 받을 때: $1178\times78=91884$(원)
⇨ $91884-90402=1482$(원)

04 ㉠<㉡이고, ㉡×㉠의 일의 자리 숫자가 8이 되는 경우를 (㉡, ㉠)으로 나타내면
(8, 1), (4, 2), (9, 2), (6, 3), (7, 4), (8, 6)입니다.
위에서 구한 수들로 ㉠㉡×㉡㉠을 구하면
$18\times81=1458$, $24\times42=1008$,
$29\times92=2668$, $36\times63=2268$,
$47\times74=3478$, $68\times86=5848$
⇨ ㉠=2, ㉡=9

문제해결 Key
① ㉡×㉠의 일의 자리 숫자가 8인 경우를 알아봅니다.
② ①에서 구한 수들로 곱을 구합니다.
③ 곱이 2668이 되는 ㉠, ㉡을 찾습니다.

05 $2<4<6<7$이므로 곱이 가장 작으려면 곱셈식은

$$\begin{array}{r} 2\ 6 \\ \times\ 4\ 7 \\ \hline 1\ 2\ 2\ 2 \end{array}$$

입니다.

06 • 다리가 2개인 동물은 닭과 오리이므로
(닭과 오리의 수)$=386+173=559$(마리)
→ (다리가 2개인 동물의 다리 수의 합)
$=559\times2=1118$(개)
• 다리가 4개인 동물은 돼지와 소이므로
(돼지와 소의 수)$=67+39=106$(마리)
→ (다리가 4개인 동물의 다리 수의 합)
$=106\times4=424$(개)
⇨ (동물들의 다리 수의 합)$=1118+424$
$=1542$(개)

문제해결 Key
① 다리가 2개인 동물의 다리 수의 합을 구합니다.
② 다리가 4개인 동물의 다리 수의 합을 구합니다.
③ ①과 ②의 합을 구합니다.

07 $38\times39=1482$, $70\times30=2100$이므로
$1482<\square\times50<2100$
• □=29이면 $29\times50=1450$
→ $1482>1450$(×)
• □=30이면 $30\times50=1500$
→ $1482<1500<2100$(○)
⋮
• □=41이면 $41\times50=2050$
→ $1482<2050<2100$(○)
• □=42이면 $42\times50=2100$
→ $2100=2100$(×)
⇨ □ 안에 들어갈 수 있는 자연수는 30부터 41까지 모두 $41-30+1=12$(개)입니다.
└→30부터 41까지의 자연수의 개수는 30도 포함되므로 41−30에 1을 더해줍니다.

문제해결 Key
① 38×39와 70×30을 각각 구합니다.
② □ 안에 자연수를 차례로 넣어 곱의 크기를 비교해 봅니다.
③ □ 안에 들어갈 수 있는 자연수의 개수를 구합니다.

08 (5 cm, 18 cm, 18 cm, 18 cm, 3 cm, 3 cm)

$18\times40=720$, $3\times39=117$

(가로)$=720-117=603$ (cm), (세로)$=5$ cm

⇨ (직사각형의 네 변의 길이의 합)

=(가로)+(세로)+(가로)+(세로)

$=603+5+603+5=1216$ (cm)

문제해결 Key
① 직사각형의 가로와 세로를 각각 구합니다.
② 직사각형의 네 변의 길이의 합을 구합니다.

참고
직사각형의 네 변의 길이의 합
⇨ ■+▲+■+▲

09 (텔레비전)$=152\times5=760$(와트),

(선풍기)$=65\times12=780$(와트),

(컴퓨터)$=127\times3=381$(와트),

(냉장고)$=47\times24=1128$(와트)

⇨ (사용한 가전제품의 하루 전기 소비량)

$=760+780+381+1128=3049$(와트)

문제해결 Key
① 가전제품의 하루 전기 소비량을 각각 구합니다.
② ①의 합을 구합니다.

10 □=6일 때 $294\times6=1764$

⇨ $2000-1764=236$

□=7일 때 $294\times7=2058$ ⇨ $2058-2000=58$

$236>58$이므로 2000에 가장 가까운 곱은 $294\times7=2058$입니다.

⇨ □ 안에 알맞은 자연수는 7입니다.

문제해결 Key
① 2000보다 작은 수 중에서 2000에 가장 가까운 곱을 구합니다.
② 2000보다 큰 수 중에서 2000에 가장 가까운 곱을 구합니다.
③ ①과 ② 중에서 2000에 더 가까운 수를 구합니다.

11 처음 세 자리 수가 ㉠㉡㉢이면 바꾼 세 자리 수는 ㉢㉡㉠입니다.

```
  ㉢ ㉡ ㉠
×       9
---------
5  6  6  1
```

• ㉠×9=■1이므로 ㉠=9

```
  ㉢ ㉡ 9
×       9
---------
5  6  6  1
```

• ㉡×9+8=●6

⇨ ㉡×9=●6−8, ㉡×9=▲8 이므로 ㉡=2

• ㉢×9+2=56 ⇨ ㉢×9=56−2, ㉢×9=54 이므로 ㉢=6

⇨ ㉢㉡㉠=629이므로 처음 세 자리 수는 926입니다.

문제해결 Key
① 바꾼 세 자리 수의 일의 자리 숫자를 구합니다.
② 바꾼 세 자리 수의 십의 자리 숫자를 구합니다.
③ 바꾼 세 자리 수의 백의 자리 숫자를 구합니다.
④ 처음 세 자리 수를 구합니다.

12 • $3\times20=60$이므로 60분은 3분의 20배입니다.

→ (수도꼭지 ㉮에서 60분 동안 받는 물의 양)

$=12\times20=240$ (L)

• $4\times15=60$이므로 60분은 4분의 15배입니다.

→ (수도꼭지 ㉯에서 60분 동안 받는 물의 양)

$=15\times15=225$ (L)

⇨ (두 수도꼭지에서 60분 동안 받는 물의 양)

$=240+225=465$ (L)

문제해결 Key
① ㉮ 수도꼭지에서 60분 동안 받는 물의 양을 구합니다.
② ㉯ 수도꼭지에서 60분 동안 받는 물의 양을 구합니다.
③ ①과 ②의 물의 양의 합을 구합니다.

13 두 수를 ㉠4㉡, ㉢이라 하면 덧셈식의 십의 자리에서 받아올림이 없으므로

㉠=3이고 34㉡+㉢=356입니다.

곱셈식 34㉡×㉢=2443의 백의 자리 계산에서 ㉢=7 또는 8입니다.

㉢=7이면 $349\times7=2443$이므로 ㉡=9

㉢=8이면 곱의 일의 자리 숫자가 3이 될 수 없으므로 성립하지 않습니다.

⇨ 두 수는 349, 7입니다.

문제해결 Key
① 세 자리 수의 백의 자리 숫자를 구합니다.
② 한 자리 수가 될 수 있는 수를 모두 구합니다.
③ 어떤 두 수를 각각 구합니다.

14 • ㉠의 □ 안에 1부터 수를 차례로 넣어 곱의 크기를 비교하면

$357 \times 1 = 357 < 2130$(○),
$357 \times 2 = 714 < 2130$(○),
$357 \times 3 = 1071 < 2130$(○),
$357 \times 4 = 1428 < 2130$(○),
$357 \times 5 = 1785 < 2130$(○),
$357 \times 6 = 2142 > 2130$(×)

㉠의 □ 안에 들어갈 수 있는 수는 1, 2, 3, 4, 5입니다.

• ㉡의 □ 안에 1부터 수를 차례로 넣어 곱의 크기를 비교하면

$452 \times 1 = 452 < 1810$(○),
$452 \times 2 = 904 < 1810$(○),
$452 \times 3 = 1356 < 1810$(○),
$452 \times 4 = 1808 < 1810$(○),
$452 \times 5 = 2260 > 1810$(×)

㉡의 □ 안에 들어갈 수 있는 수는 1, 2, 3, 4입니다.

⇨ □ 안에 공통으로 들어갈 수 있는 가장 큰 수는 4입니다.

문제해결 Key
① ㉠의 □ 안에 들어갈 수 있는 수를 구합니다.
② ㉡의 □ 안에 들어갈 수 있는 수를 구합니다.
③ □ 안에 공통으로 들어갈 수 있는 가장 큰 수를 구합니다.

15

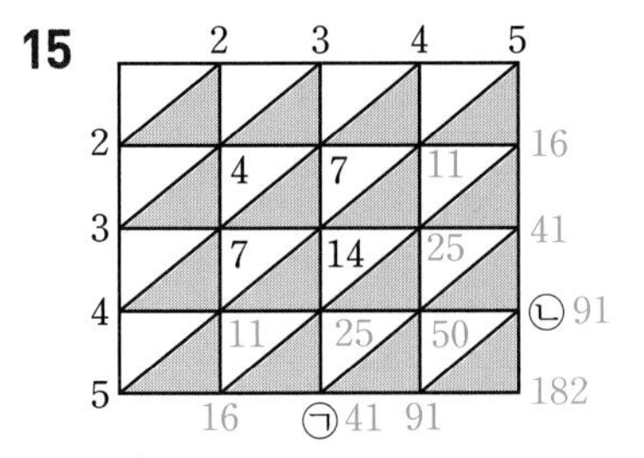

㉠=41, ㉡=91이므로 ㉠×㉡$=41 \times 91 = 3731$

참고

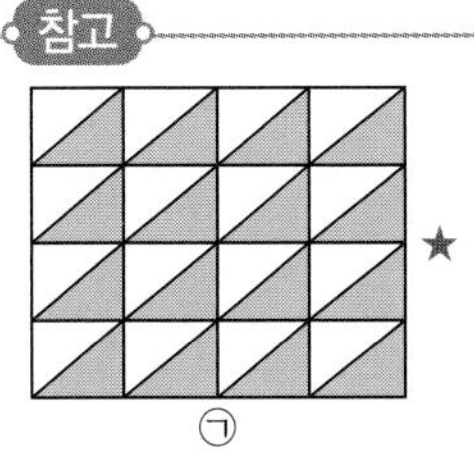

⇨ 가로로 2칸, 세로로 4칸을 간 ㉠은 가로로 4칸, 세로로 2칸을 간 ★과 같은 수입니다.

문제해결 Key
① ㉠, ㉡에 알맞은 수를 각각 구합니다.
② ㉠, ㉡에 알맞은 수의 곱을 구합니다.

16

출발 ⑤ $144 \times 3 = 432$(걸음)
36걸음 ④ 18걸음 ① ② $18 \times 2 = 36$(걸음) 보물
③ $36 \times 4 = 144$(걸음)

⇨ 보물은 출발점에서 동쪽으로 $432 - 144 + 18 = 306$(걸음) 떨어진 곳에 있습니다.

문제해결 Key
① 명령의 순서대로 그림으로 나타내어 봅니다.
② 보물은 출발점에서 어느 쪽으로 몇 걸음 떨어진 곳에 있는지 구합니다.

17 길이가 240 m인 열차가 1분에 968 m를 달리고 있습니다. 이 열차가 같은 빠르기로 터널을 완전히 통과하는 데 5분이 걸렸다면 터널의 길이는 몇 km 몇 m입니까?
↳ (터널의 길이)+(열차의 길이)

열차가 1분에 968 m를 달리고, 열차가 터널을 완전히 통과하는 데 5분이 걸렸으므로
(열차가 움직인 거리)$=968 \times 5 = 4840$ (m)

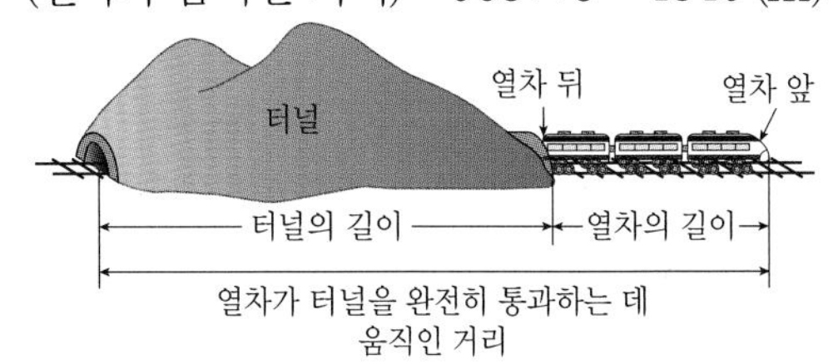

(터널의 길이)+(열차의 길이)$=4840$,
(터널의 길이)$+240=4840$,
(터널의 길이)$=4840-240=4600$ (m)

⇨ 4 km 600 m

문제해결 Key
① 열차가 터널을 완전히 통과하는 데 움직인 거리를 구합니다.
② 터널의 길이를 구합니다.
③ ②를 단위를 바꾸어 나타냅니다.

18 (작은 톱니바퀴의 회전수)=(큰 톱니바퀴의 회전수)×7

서로 맞물려 돌아가는 2개의 톱니바퀴가 있습니다. 큰 톱니바퀴가 1번 돌 때 작은 톱니바퀴는 7번 돕니다. 큰 톱니바퀴가 1분에 8번 돈다면 1시간 25분 동안 작은 톱니바퀴는 큰 톱니바퀴보다 몇 번 더 많이 돌게 됩니까?

→85분

작은 톱니바퀴의 회전수는 큰 톱니바퀴의 회전수의 7배이므로 큰 톱니바퀴가 1분에 8번 돌면 작은 톱니바퀴는 1분에 $8\times7=56$(번) 돕니다.

1시간 25분=85분 동안

(큰 톱니바퀴가 도는 횟수)$=8\times85=680$(번),

(작은 톱니바퀴가 도는 횟수)$=56\times85=4760$(번)

⇨ 작은 톱니바퀴가 $4760-680=4080$(번) 더 많이 돌게 됩니다.

다른 풀이

큰 톱니바퀴의 회전수를 □번이라 하면

작은 톱니바퀴의 회전수는 (□×7)번입니다.

(작은 톱니바퀴의 회전수)−(큰 톱니바퀴의 회전수)

=□×6

⇨ 작은 톱니바퀴는 큰 톱니바퀴보다

$8\times85\times6=4080$(번) 더 많이 돌게 됩니다.

STEP 4 Top 최고수준 24~25쪽

01 3일	**02** 544 km
03 7078	**04** 617개
05 11, 22, 26	**06** 2201

01 일반 변기를 10일 동안 사용했다면

(변기에서 사용한 물의 양)

$=255\times10=2550$ (L)

(절약된 물의 양)$=2550-2172$

$=378$ (L)

절수형 변기를 사용한 날수를 □일이라 하면

378=126×□

126×3=378이므로 □=3

⇨ 절수형 변기를 3일 동안 사용한 것입니다.

02 (10분에 가는 거리)$=4\times2=8$ (km)

10분에 12 km씩 가는 자동차 ㉮와 5분에 4 km씩 가는 자동차 ㉯가 있습니다. 오늘 오후 2시에 두 자동차가 같은 지점에서 서로 반대 방향으로 동시에 출발하였다면 오늘 오후 6시 32분에 두 자동차 ㉮와 ㉯ 사이의 거리는 몇 km입니까? (단, 두 자동차의 빠르기는 일정합니다.)

(출발 지점~㉮가 간 거리)
+(출발 지점~㉯가 간 거리)

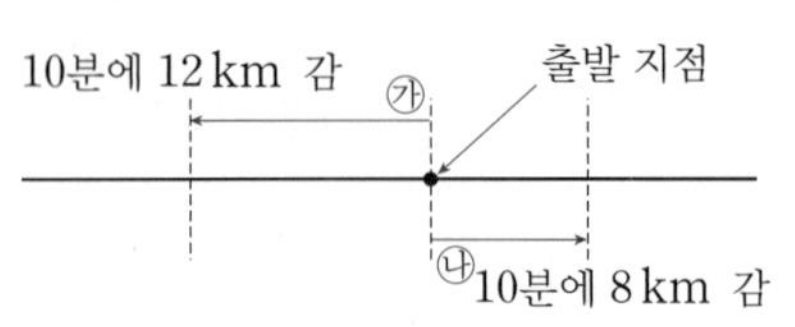

두 자동차 사이의 거리는 위와 같이 10분에 $12+8=20$ (km)씩 차이가 나므로 1분에 2 km씩 차이가 납니다.

⇨ 오늘 오후 2시부터 오후 6시 32분까지는

4시간 32분=272분

272분 동안에는 $2\times272=272\times2=544$ (km) 차이가 나므로 두 자동차 ㉮와 ㉯ 사이의 거리는 544 km입니다.

문제해결 Key

① 10분 후에 두 자동차 사이의 거리를 구합니다.

② 1분 후에 두 자동차 사이의 거리를 구합니다.

③ 272분 후에 두 자동차 사이의 거리를 구합니다.

03 • (세 자리 수)×(한 자리 수)

- 곱이 가장 큰 경우: $654\times7=4578$
- 곱이 가장 작은 경우: $567\times4=2268$

• (두 자리 수)×(두 자리 수)

- 곱이 가장 큰 경우: $74\times65=4810$
- 곱이 가장 작은 경우: $46\times57=2622$

⇨ $4810>4578>2622>2268$이므로

$4810+2268=7078$

문제해결 Key

① (세 자리 수)×(한 자리 수)에서 곱이 가장 큰 경우와 곱이 가장 작은 경우를 각각 구합니다.

② (두 자리 수)×(두 자리 수)에서 곱이 가장 큰 경우와 곱이 가장 작은 경우를 각각 구합니다.

③ ①과 ②에서 곱이 가장 큰 경우와 곱이 가장 작은 경우를 찾아 곱의 합을 구합니다.

04 18부터 99까지의 수는 두 자리 수로

$99-18+1=82$(개)이므로 놓인 숫자는

$82\times2=164$(개)
100부터 250까지의 수는 세 자리 수로
$250-100+1=151$(개)이므로
놓인 숫자는 $151\times3=453$(개)
⇨ 18부터 250까지의 수를 연속하여 늘어놓으면 놓인 숫자는 모두 $164+453=617$(개)입니다.

참고
- 18부터 99까지의 자연수의 개수는 18도 포함되므로 $99-18$에 1을 더해줍니다.
- 100부터 250까지의 자연수의 개수는 100도 포함되므로 $250-100$에 1을 더해줍니다.

05 ㉠㉡×㉠㉡은 일의 자리 숫자와 백의 자리 숫자가 같은 세 자리 수이므로 ㉡은 0이 아닙니다.
㉡×㉡의 일의 자리 숫자가 될 수 있는 수는 1, 4, 5, 6, 9입니다. (※ $1\times1=1$, $2\times2=4$, $3\times3=9$, $4\times4=16$, $5\times5=25$, $6\times6=36$, $7\times7=49$, $8\times8=64$, $9\times9=81$)
- 곱의 일의 자리 숫자가 1인 경우
  ㉡=1일 때 ㉠1×㉠1=1㉢1에서
  $11\times11=121$(○)
  ㉡=9일 때 ㉠9×㉠9=1㉢1을 만족하는 수는 없습니다.
- 곱의 일의 자리 숫자가 4인 경우
  ㉡=2일 때 ㉠2×㉠2=4㉢4에서
  $22\times22=484$(○)
  ㉡=8일 때 ㉠8×㉠8=4㉢4를 만족하는 수는 없습니다.
- 곱의 일의 자리 숫자가 5인 경우
  ㉡=5일 때 ㉠5×㉠5=5㉢5를 만족하는 수는 없습니다.
- 곱의 일의 자리 숫자가 6인 경우
  ㉡=4일 때 ㉠4×㉠4=6㉢6을 만족하는 수는 없습니다.
  ㉡=6일 때 ㉠6×㉠6=6㉢6에서
  $26\times26=676$(○)
- 곱의 일의 자리 숫자가 9인 경우
  ㉡=3일 때 ㉠3×㉠3=9㉢9를 만족하는 수는 없습니다.
  ㉡=7일 때 ㉠7×㉠7=9㉢9를 만족하는 수는 없습니다.

⇨ ㉠㉡이 될 수 있는 수는 11, 22, 26입니다.

06 다음을 모두 만족하는 ●와 ▲의 곱을 구하시오.

- ●는 합이 51×41인 연속하는 41개의 수 중에서 가장 작은 수입니다.
- ▲는 합이 49×45인 연속하는 45개의 수 중에서 가장 큰 수입니다. (1, 2, 3과 7, 8, 9, 10 등과 같은 수를 연속하는 수라고 합니다.)

1~20번째 수, 21번째 수(가운데 수), 22~41번째 수
1~22번째 수, 23번째 수(가운데 수), 24~45번째 수

- 연속하는 41개의 수 중에서 가운데 수인 21번째 수를 □라고 하면 연속하는 41개의 수는
  □−20, □−19, ……, □−1, □, □+1, ……, □+19, □+20이라고 쓸 수 있습니다.
  합: □−20+□−19+……+□−1+□+□+1+……+□+19+□+20
  =□×41
  합이 □×41이고 □×41=51×41
  → □=51
  가장 작은 수: □−20=51−20=31 → ●=31
- 연속하는 45개의 수 중에서 가운데 수인 23번째 수를 △라고 하면 연속하는 45개의 수는
  △−22, △−21, ……, △−1, △, △+1, ……, △+21, △+22라고 쓸 수 있습니다.
  합: △−22+△−21+……+△−1+△+△+1+……+△+21+△+22=△×45
  합이 △×45이고 △×45=49×45
  → △=49
  가장 큰 수: △+22=49+22=71 → ▲=71

⇨ ●×▲=31×71=2201

최고수준 생각하기 26쪽

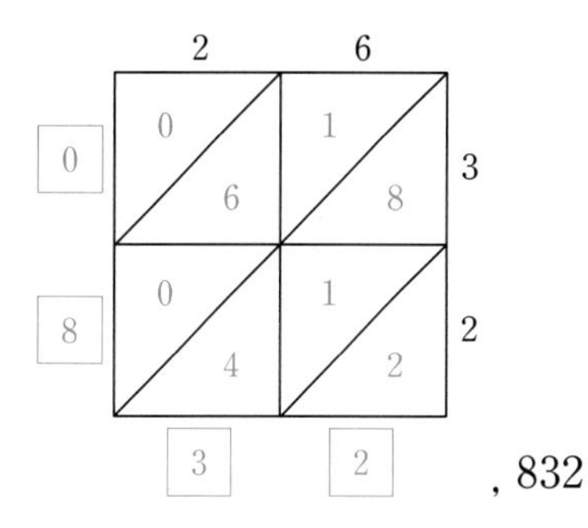

, 832

2 나눗셈

STEP 1 Start 개념 29쪽

1 (앞에서부터) 35, 20, 21
2 <
3 5
4 ㉡
5 $48 \div 4 = 12$, 12장
6 [6][4] ÷ [2], 32

1 ① ② ③

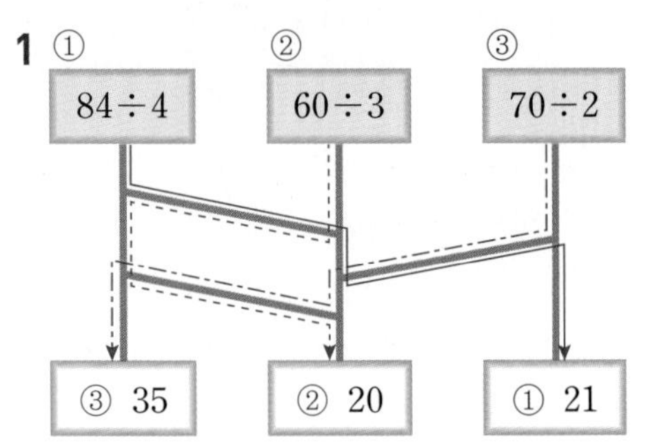

① $84 \div 4 = 21$, ② $60 \div 3 = 20$, ③ $70 \div 2 = 35$

2 $80 \div 4 = 20$, $69 \div 3 = 23$
⇨ $20 < 23$

3 $60 \div 4 \div 3 = 15 \div 3 = 5$

4 ㉠ $88 \div 4 = 22$
㉡ $\square \div 3 = 13 \rightarrow 3 \times 13 = \square$, $\square = 39$
㉢ $2 \times \square = 48 \rightarrow 48 \div 2 = \square$, $\square = 24$
⇨ ㉡>㉢>㉠

5 (한 명에게 나누어 줄 색종이의 수)
=(전체 색종이의 수)÷(사람 수)
$= 48 \div 4 = 12$(장)

6 $6 > 4 > 2$이므로 $64 \div 2 = 32$입니다.

STEP 1 Start 개념 31쪽

1 ( )(○)( )
2
$$\begin{array}{r} 13 \\ 5\overline{)67} \\ \underline{5} \\ 17 \\ \underline{15} \\ 2 \end{array}$$
3 7
4 75, 60
5 12개
6 5개
7 3개

1 $28 \div 5 = 5 \cdots 3$, $76 \div 6 = 12 \cdots 4$,
$72 \div 7 = 10 \cdots 2$
⇨ 나머지가 가장 큰 나눗셈식은 $76 \div 6$입니다.

2 나머지는 나누는 수보다 작아야 합니다.

3 나머지는 나누는 수인 8보다 작은 수이고 이 중에서 가장 큰 수는 $8 - 1 = 7$입니다.

4 5로 나누어떨어지는 수는 일의 자리 숫자가 0, 5인 수입니다.
⇨ 75, 60

다른 풀이
$75 \div 5 = 15$, $82 \div 5 = 16 \cdots 2$
$60 \div 5 = 12$, $91 \div 5 = 18 \cdots 1$

5 $84 \div 7 = 12$
⇨ 리본을 12개까지 만들 수 있습니다.

6 $65 \div 5 = 13$, $76 \div 4 = 19$
$13 < \square < 19$ → □ 안에 들어갈 수 있는 자연수는 14, 15, 16, 17, 18로 모두 5개입니다.

7 $78 \div 5 = 15 \cdots 3$
⇨ 사탕을 15봉지에 담고 3개가 남으므로 동생에게 사탕을 3개 줄 수 있습니다.

STEP 1 Start 개념 33쪽

1 120
2
$$\begin{array}{r} 141 \\ 6\overline{)846} \\ \underline{6} \\ 24 \\ \underline{24} \\ 6 \\ \underline{6} \\ 0 \end{array}$$
3 $50 \div 4 = 12 \cdots 2$; 12, 2
4 63
5 22 cm, 2 cm
6 330

1 $360 \div 3 = 120$

2 $24 \div 6$의 몫은 4인데 3으로 계산했습니다.

3 $4 \times 12 = 48$ ⇨ $48 + 2 = 50$

$50 \div 4 = 12 \cdots 2$

4 $\square \div 6 = 10 \cdots 3$

$6 \times 10 = 60$ ⇨ $60 + 3 = \square$, $\square = 63$

5 $112 \div 5 = 22 \cdots 2$이므로 한 명에게 리본을 22 cm씩 줄 수 있고 남은 리본은 2 cm입니다.

6 어떤 수를 $\square$라 하면

$\square \div 5 = 13 \cdots 1$에서

$5 \times 13 = 65$ ⇨ $65 + 1 = 66$

바른 계산: $66 \times 5 = 330$

STEP 2 Jump 유형 34~41쪽

1-1 ❶ 13, 1, 52 ❷ 56, 52, 56
; 52, 56

1-2 66, 72

1-3 71, 76, 81, 86

2-1 ❶ 65, 5, 5, 65 ❷ 65, 13, 78
; 78

2-2 124

2-3 13

3-1 ❶ 19 ❷ 19, 20
; 20개

3-2 12 m

3-3 28개

3-4 15그루

4-1 ❶ 90, 90, 95, 95 ❷ 95, 13, 4, 13, 4
; 13도막, 4 cm

4-2 14도막, 1 cm

4-3 12개

5-1 ❶ 2, 13, 2 ❷ 2, 4
; 4개

5-2 3장

5-3 4개

6-1 ❶ 6, 12, 1, 2 ❷ 5
❸ 2
; 6, 2, 5, 1, 2

6-2
```
      [1] 7
    ------
[4] ) 6  9
     [4]
     ----
      2  9
     [2][8]
     ------
         1
```

6-3
```
        8 [4]
     --------
[7] ) 5 [9] 3
     [5] 6
     --------
        3  3
       [2][8]
       ------
           5
```

7-1 ❶ 8, 4, 42 ❷ 7, 20, 5, 24
❸ 4
; 4가지

7-2 4가지

7-3 11

8-1 ❶ 48, 48, 54 ❷ 48, 54, 54
❸ 54, 18
; 18층

8-2 약 22초

1-1

다른 풀이

$51 \div 4 = 12 \cdots 3$, $52 \div 4 = 13$,
$53 \div 4 = 13 \cdots 1$, $54 \div 4 = 13 \cdots 2$,
$55 \div 4 = 13 \cdots 3$, $56 \div 4 = 14$,
$57 \div 4 = 14 \cdots 1$, $58 \div 4 = 14 \cdots 2$,
$59 \div 4 = 14 \cdots 3$
⇨ 4로 나누어떨어지는 수는 52, 56입니다.

1-2 $61 \div 6 = 10 \cdots 1$, $62 \div 6 = 10 \cdots 2$,
$63 \div 6 = 10 \cdots 3$, $64 \div 6 = 10 \cdots 4$,
$65 \div 6 = 10 \cdots 5$, $66 \div 6 = 11$이므로
60보다 크고 75보다 작은 수 중에서 6으로 나누어떨어지는 가장 작은 수는 66입니다.
⇨ $\square$ 안에 들어갈 수 있는 자연수 중에서 6으로 나누어떨어지는 수는 66, $66 + 6 = 72$입니다.

참고

■가 6으로 나누어떨어지면 ■+6, ■+6+6……도 6으로 나누어떨어집니다.

다른 풀이

60보다 크고 75보다 작은 자연수를 6으로 나누면
$61\div6=10 \cdots 1$, $62\div6=10 \cdots 2$,
$63\div6=10 \cdots 3$, $64\div6=10 \cdots 4$,
$65\div6=10 \cdots 5$, $66\div6=11$,
$67\div6=11 \cdots 1$, $68\div6=11 \cdots 2$,
$69\div6=11 \cdots 3$, $70\div6=11 \cdots 4$,
$71\div6=11 \cdots 5$, $72\div6=12$,
$73\div6=12 \cdots 1$, $74\div6=12 \cdots 2$
⇨ 6으로 나누어떨어지는 수는 66, 72입니다.

1-3 $70\div5=14$, $71\div5=14 \cdots 1$이므로 70부터 90까지의 수 중에서 5로 나누었을 때 나머지가 1인 가장 작은 수는 71입니다.
⇨ 5로 나누었을 때 나머지가 1인 수는 71,
$71+5=76$,
$71+5+5=81$,
$71+5+5+5=86$입니다.

참고

70부터 90까지의 자연수를 5로 각각 나누어 나머지가 1인 수를 모두 구해도 됩니다.

문제해결 Key

① 5로 나누었을 때 나머지가 1인 가장 작은 수를 구합니다.
② 5로 나누었을 때 나머지가 1인 수를 모두 구합니다.

다른 풀이

5로 나누었을 때 나누어떨어지는 수의 일의 자리 숫자는 0, 5입니다.
즉, 5로 나누었을 때 나머지가 1인 수의 일의 자리 숫자는 1, 6입니다.
⇨ 71, 76, 81, 86

2-2 가 대신 780을, 나 대신 6을 넣어 식을 계산하면
$780 ⊙ 6=780\div6-6=130-6=124$

2-3 가 대신 49를, 나 대신 42를 넣어 식을 계산하면
$49 ♠ 42=(49+42)\div(49-42)=91\div7=13$

문제해결 Key

① 약속에 따라 식을 만듭니다.
② 식의 값을 구합니다.

3-2 (나무 사이의 간격 수)$=8-1=7$(군데)
⇨ (나무 사이의 간격 길이)$=84\div7=12$ (m)

3-3 $91\div7=13$이므로 가로등 사이의 간격은 13군데입니다.
→ (도로 한쪽에 필요한 가로등의 수)
$=13+1=14$(개)
⇨ (도로 양쪽에 필요한 가로등의 수)
$=14\times2=28$(개)

3-4 원 모양의 연못이므로 나무 사이의 간격 수와 필요한 나무의 수는 같습니다.
⇨ (나무 사이의 간격 수)$=90\div6=15$(군데)이므로 필요한 나무는 모두 15그루입니다.

주의

원에서는 처음과 끝이 같으므로 나무 사이의 간격 수와 필요한 나무의 수는 같습니다.

문제해결 Key

① 나무 사이의 간격 수를 구합니다.
② 필요한 나무의 수를 구합니다.

4-2 자르기 전 빨간색 테이프의 길이를 □cm라 하면
$□\div8=12 \cdots 3$
$8\times12=96$ → $96+3=□$, $□=99$
파란색 테이프의 길이도 99 cm입니다.
⇨ $99\div7=14 \cdots 1$이므로 14도막이 되고, 1 cm가 남습니다.

4-3 편의점에 있는 음료수의 수를 □개라 하면
$□\div7=12 \cdots 6$
$7\times12=84$ → $84+6=□$, $□=90$
$90\div8=11 \cdots 2$이므로 음료수를 한 상자에 8개씩 넣으면 상자는 11개가 되고 음료수는 2개가 남습니다.
⇨ 남은 2개도 상자에 넣어야 하므로 상자는 적어도 $11+1=12$(개) 필요합니다.

문제해결 Key

① 편의점에 있는 음료수의 수를 구합니다.
② 상자에 넣을 음료수의 수와 남은 음료수의 수를 각각 구합니다.
③ 상자는 적어도 몇 개 필요한지 구합니다.

5-2 88÷7=12 … 4이므로 색종이를 12장씩 나누어 주면 4장이 남습니다.
⇨ 색종이를 남김없이 똑같이 나누어 주려면 색종이는 적어도 7−4=3(장) 더 필요합니다.

5-3 (사과의 수)=23×4=92(개)
92÷8=11 … 4이므로 사과를 남김없이 봉지에 담아 팔려면 사과는 적어도 8−4=4(개) 더 필요합니다.

문제해결 Key
① 전체 사과의 수를 구합니다.
② 더 필요한 사과의 수를 구합니다.

6-2

```
     ㉡ 7
㉠ ) 6 9
     ㉢
     ----
     2 9
     ㉣ ㉤
     ----
        1
```

• 29−㉣㉤=1, ㉣㉤=28이므로
㉣=2, ㉤=8
• 6−㉢=2이므로 ㉢=4
• ㉠×7=㉣㉤ ⇨ ㉠×7=28이므로 ㉠=4
• ㉠×㉡=㉢ ⇨ 4×㉡=4이므로 ㉡=1

6-3

```
        8 ㉡
㉠ ) 5 ㉢ 3
     ㉣ 6
     ------
        3 3
        ㉤ ㉥
     ------
          5
```

• 33−㉤㉥=5, ㉤㉥=28이므로 ㉤=2, ㉥=8
• ㉠×8=㉣6이므로 2×8=16 또는 7×8=56입니다.
• 5㉢−㉣6=3이므로 ㉣은 1이 될 수 없습니다.
⇨ ㉣=5, ㉢=9, ㉠=7
• ㉠×㉡=㉤㉥ ⇨ 7×㉡=28이므로 ㉡=4

7-2 만들 수 있는 □□÷□는
64÷5, 65÷4, 46÷5, 45÷6, 56÷4, 54÷6
나눗셈식을 계산하면
64÷5=12 … 4, 65÷4=16 … 1,
46÷5=9 … 1, 45÷6=7 … 3,
56÷4=14, 54÷6=9
⇨ 나누어떨어지지 않는 나눗셈식은 모두 4가지

7-3 만들 수 있는 □□÷□는
72÷8, 78÷2, 27÷8, 28÷7, 87÷2, 82÷7
나눗셈식을 계산하면
72÷8=9, 78÷2=39,
27÷8=3 … 3, 28÷7=4,
87÷2=43 … 1, 82÷7=11 … 5
⇨ 나머지가 가장 큰 나눗셈식은 82÷7=11 … 5이므로 몫은 11입니다.

문제해결 Key
① 나눗셈식을 만듭니다.
② 나눗셈식을 계산하여 몫과 나머지를 구합니다.
③ 나머지가 가장 큰 나눗셈식의 몫을 구합니다.

8-2 5로 나누면 3이 남는 수는
5×12+3=63,
5×13+3=68,
5×14+3=73,
5×15+3=78,
5×16+3=83,
5×17+3=88
이 중에서 일의 자리 숫자와 십의 자리 숫자가 같은 수는 88이므로 ●=88입니다.
⇨ 상우네 집은 지진이 발생한 곳에서 88 km 떨어진 곳이므로 지진 발생 후 지진파가 도착할 때까지 걸리는 시간은 약 88÷4=22(초)입니다.

문제해결 Key
① 5로 나누면 3이 남는 수를 구합니다.
② ①의 수 중에서 일의 자리 숫자와 십의 자리 숫자가 같은 수를 구합니다.
③ 지진파가 도착할 때까지 걸리는 시간을 구합니다.

2 단원

STEP 3 Master 심화 42~47쪽

01 4개	02 1, 8
03 13개, 1개	04 95
05 56개	06 2상자
07 5명	08 16
09 28	10 3, 9
11 6, 7	12 24
13 75	14 12마디
15 95	16 3502
17 160명	18 4

01 나머지는 나누는 수보다 작아야 하므로 나머지가 될 수 없는 수는 6, 7, 8, 9입니다. ⇨ 4개

02 $\begin{array}{r} 1 \\ 7\,\overline{)\,9\,\square} \\ \underline{7} \\ 2\,\square \end{array}$ ⇨ 2□÷7이 나누어떨어지려면 $21\div7=3$, $28\div7=4$이므로 □$=1$ 또는 8

다른 풀이
몫을 △라 하면
9□÷7=△이므로 7×△=9□
△=13일 때 $7\times13=91$ ⇨ □=1
△=14일 때 $7\times14=98$ ⇨ □=8

03 (호두의 수)$\div4=19\cdots3$
$4\times19=76$ ⇨ $76+3=$(호두의 수),
(호두의 수)$=79$개
호두를 6명에게 똑같이 나누어 주면
$79\div6=13\cdots1$이므로 최대 13개씩 가지고 1개가 남습니다.

문제해결 Key
① 호두의 수를 구합니다.
② 한 사람이 최대 몇 개씩 가지고, 몇 개가 남는지 구합니다.

04 ㉮÷6=15 ⋯ □
$6\times15=90$ → 90+□=㉮이고
나눗셈식에서 나누는 수가 6이므로
□ 안에 들어갈 수 있는 수는 1, 2, 3, 4, 5입니다.
⇨ □=5일 때 ㉮가 가장 큰 수가 되므로
㉮$=90+5=95$입니다.

참고
나머지는 항상 나누는 수보다 작아야 합니다.
■÷▲=● ⋯ ★에서
■가 가장 클 때: ★=▲−1
■가 가장 작을 때: ★=0

문제해결 Key
① □ 안에 들어갈 수 있는 수를 모두 구합니다.
② 가장 큰 ㉮를 구합니다.

05 (정사각형 한 변의 표지판 사이의 간격 수)
$=70\div5=14$(군데)
(정사각형 한 변에 세울 수 있는 표지판의 수)
$=14+1=15$(개)
정사각형은 네 변의 길이가 같으므로
$15\times4=60$(개)
정사각형의 네 꼭짓점에 세운 표지판은 한 번씩 겹치므로 한 번씩 빼야 합니다.
⇨ (세울 수 있는 표지판의 수)$=60-4=56$(개)

주의
한 변에 세울 수 있는 표지판의 수를 4번 더하면 정사각형의 네 꼭짓점에 세운 표지판은 한 번씩 겹치므로 빼야 합니다.

문제해결 Key
① 정사각형 한 변에 세울 수 있는 표지판의 수를 구합니다.
② 정사각형의 네 꼭짓점에 세운 표지판을 생각합니다.
③ 세울 수 있는 전체 표지판의 수를 구합니다.

06 (과자의 수)$=3\times22=66$(개)
$66\div8=8\cdots2$에서 2개가 남으므로 8명에게 남김없이 똑같이 나누어 주려면 과자는 적어도 $8-2=6$(개) 더 필요합니다.
⇨ (적어도 더 필요한 과자의 상자 수)
$=6\div3=2$(상자)

참고
■÷▲=● ⋯ ♥
⇨ (적어도 더 필요한 물건의 수)=(▲−♥)개

문제해결 Key
① 과자의 수를 구합니다.
② 적어도 더 필요한 과자의 수를 구합니다.
③ 적어도 더 필요한 과자의 상자 수를 구합니다.

07 첫 번째: 7명씩 짝을 지었으므로 $95 \div 7 = 13 \cdots 4$에서 $7 \times 13 = 91$(명)이 짝을 짓고 4명이 남습니다.

두 번째: 6명씩 짝을 지었으므로 $91 \div 6 = 15 \cdots 1$에서 $6 \times 15 = 90$(명)이 짝을 짓고 1명이 남습니다.

⇨ $4 + 1 = 5$(명)

08 $193 \div 3 = 64 \cdots 1$이므로 $[193, 3] = 64$

⇨ $[193, 3] \odot 8 = 64 \odot 8$
$= 64 \div 8 + 8$
$= 8 + 8 = 16$

문제해결 Key

① $193 \div 3$을 계산하여 몫을 구합니다.
② 약속에 따라 계산합니다.

09 몫이 가장 큰 경우: 가장 큰 두 자리 수 96을 3으로 나눕니다. → $96 \div 3 = 32$

몫이 가장 작은 경우: 가장 작은 두 자리 수 36을 9로 나눕니다. → $36 \div 9 = 4$

⇨ $32 - 4 = 28$

참고

• 몫이 가장 큰 경우:
(가장 큰 두 자리 수)÷(가장 작은 한 자리 수)
• 몫이 가장 작은 경우:
(가장 작은 두 자리 수)÷(가장 큰 한 자리 수)

문제해결 Key

① 몫이 가장 큰 경우의 몫을 구합니다.
② 몫이 가장 작은 경우의 몫을 구합니다.
③ ①−②를 구합니다.

10 ㉡이 1이므로 6으로 나누었을 때, 나머지가 1이 되는 수를 찾아봅니다.

㉡에 1을 넣고 밑에서부터 빈 곳을 채워 보면 다음과 같이 2가지의 경우가 나옵니다.

```
    1 2            1 3
 6)7 3          6)7 9
   6              6
   ---            ---
   1 3            1 9
   1 2            1 8
   ---            ---
     1              1
```

⇨ ㉡=1일 때 ㉠은 3 또는 9가 될 수 있습니다.

참고

```
    1
 6)7 ㉠
   6
   ---
   1 ㉠
   1 □
   ---
     1
```

⇨ 6과 몫의 일의 자리 숫자의 곱이 1□인 경우는 12, 18입니다.

11 ㉠5÷㉡=㉢ ⋯ ㉣

몫이 한 자리 수이므로 ㉠은 ㉡보다 작고, 나머지는 항상 나누는 수보다 작아야 하므로 ㉣은 ㉡보다 작습니다.

㉡보다 작은 수는 적어도 2개 있어야 하므로 ㉡에 4, 6, 7을 넣어 봅니다.

25÷4=6 ⋯ 1 (×), 35÷4=8 ⋯ 3 (×),
25÷6=4 ⋯ 1 (×), 35÷6=5 ⋯ 5 (×),
45÷6=7 ⋯ 3 (○), 25÷7=3 ⋯ 4 (○),
35÷7=5 (×), 45÷7=6 ⋯ 3 (○),
65÷7=9 ⋯ 2 (×)

⇨ ㉡에 들어갈 수 있는 수는 6, 7입니다.

문제해결 Key

① ㉡이 될 수 있는 수를 모두 찾습니다.
② 나눗셈식에 맞추어 ㉡에 들어갈 수 있는 수를 모두 구합니다.

12

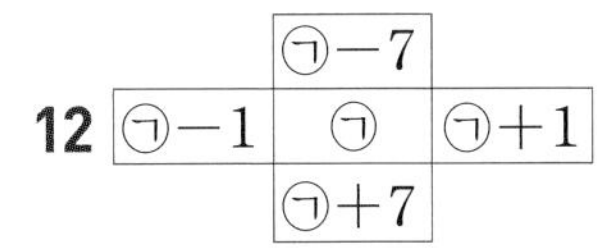

달력에서 ✚ 모양 안의 5개의 수의 합은

㉠−7+㉠−1+㉠+㉠+1+㉠+7=㉠×5이므로 한가운데 수(㉠)의 5배와 같습니다.

어느 달의 달력에서 ✚ 모양 안의 5개의 수의 합이 85이므로 한가운데 수는 $85 \div 5 = 17$입니다.

⇨ 5개의 수 중에서 가장 큰 수는 $17 + 7 = 24$입니다.

문제해결 Key
① 달력에서 규칙을 찾습니다.
② 주어진 모양 안의 한가운데 수를 구합니다.
③ 가장 큰 수를 구합니다.

13 다음 조건 을 모두 만족하는 자연수를 구하시오.

조건
- 40보다 크고 80보다 작습니다.
- 5로 나누어떨어집니다. → 일의 자리 숫자가 0, 5인 수
- 8로 나누면 나머지는 3입니다.

40보다 크고 80보다 작은 수 중에서 5로 나누어떨어지는 수는 45, 50, 55, 60, 65, 70, 75입니다.
$45 \div 8 = 5 \cdots 5$, $50 \div 8 = 6 \cdots 2$,
$55 \div 8 = 6 \cdots 7$, $60 \div 8 = 7 \cdots 4$,
$65 \div 8 = 8 \cdots 1$, $70 \div 8 = 8 \cdots 6$,
$75 \div 8 = 9 \cdots 3$
⇨ 8로 나누었을 때 나머지가 3인 수는 75입니다.

문제해결 Key
① 5로 나누어떨어지는 수를 구합니다.
② ①의 수 중 8로 나누었을 때 나머지가 3인 수를 구합니다.

14 (♩11개): 11박,
(𝅗𝅥7개)=(♩14개): 14박,
(♪10개)=(♩5개): 5박,
(𝅗𝅥.6개)=(♩18개): 18박
⇨ 사분음표 기준으로 모두 $11+14+5+18=48$(박)이고 $48 \div 4 = 12$이므로 12마디를 작곡할 수 있습니다.

문제해결 Key
① 사분음표를 기준으로 박의 수를 구합니다.
② 작곡할 수 있는 마디 수를 구합니다.

15 가장 큰 두 자리 수가 99이므로 $99 \div 6 = 16 \cdots 3$에서 나머지가 5가 아니므로 99보다 작은 두 자리 수를 찾아야 합니다.
99보다 작은 수 중에서 6으로 나누었을 때 나머지가 5인 가장 큰 수는 몫이 15일 때이므로
$6 \times 15 = 90$ ⇨ $90+5=95$입니다.

참고
두 자리 수 중에서 가장 큰 수인 99를 6으로 나누었을 때 나머지를 5와 비교해 봅니다.

문제해결 Key
① 가장 큰 두 자리 수를 6으로 나눈 몫과 나머지를 구합니다.
② 6으로 나누었을 때 나머지가 5인 가장 큰 두 자리 수를 구합니다.

16 이 수는 35022053이 되풀이되므로
$100 \div 8 = 12 \cdots 4$에서 8개의 숫자가 12번 반복되고 다시 처음부터 네 자리 수를 쓰면 100자리 수가 됩니다.
⇨ 마지막 네 자리 수는 3502입니다.

문제해결 Key
① 되풀이되는 숫자의 개수로 나누어 나눗셈을 합니다.
② 나머지를 보고 마지막 네 자리 수를 구합니다.

17 운동장에 한 변이 80 m인 정사각형 모양의 선을 긋고 그 위에 4 m 간격으로 여학생을 세운 다음, 여학생 사이에 남학생을 한 명씩 세우려고 합니다. 정사각형의 네 꼭짓점 부분에 모두 여학생을 세운다고 할 때 학생은 모두 몇 명 세울 수 있습니까?
→(여학생 사이의 간격 수)=(남학생 수)

(정사각형의 한 변에 세우는 여학생 수)
$=80 \div 4+1$
$=20+1=21$(명)
(정사각형의 네 변에 세우는 여학생 수)
$=21 \times 4-4$
$=84-4=80$(명)
여학생 사이에는 남학생을 한 명씩 세우게 되므로 정사각형의 한 변에 세우는 남학생 수는 여학생이 서 있는 간격 수와 같습니다. 즉, 정사각형의 한 변에 세우는 남학생은 20명이고 정사각형의 네 변에 세우는 남학생은 $20 \times 4 = 80$(명)입니다.
⇨ (세울 수 있는 학생 수)$=80+80=160$(명)

참고

정사각형에 일정한 간격으로 점 찍기

예 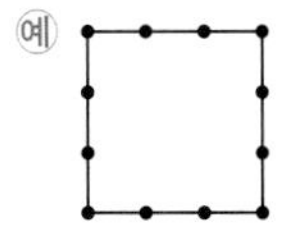

점이 한 변에 4개씩 있지만 각 꼭짓점에서 두 번씩 겹치므로 점은 $4 \times 4 - 4 = 12$(개)

문제해결 Key
① 정사각형의 한 변에 세우는 여학생 수를 구합니다.
② 정사각형의 네 변에 세우는 여학생 수를 구합니다.
③ 정사각형의 한 변에 세우는 남학생 수를 구합니다.
④ 정사각형의 네 변에 세우는 남학생 수를 구합니다.
⑤ 세울 수 있는 학생 수를 구합니다.

18 $70 = \underline{1} \times 70 = \underline{2} \times 35 = \underline{5} \times 14 = \underline{7} \times 10$,
$91 = \underline{1} \times 91 = \underline{7} \times 13$
70은 1, 2, 5, 7로 나누었을 때 나누어떨어지고
91은 1, 7로 나누었을 때 나누어떨어지므로
㉠은 1, 2, 5, 7이 아니고 3, 4, 6, 8, 9 중 하나입니다.
㉠$=3$이면 $70 \div 3 = 23 \cdots 1$,
$91 \div 3 = 30 \cdots 1$
㉠$=4$이면 $70 \div 4 = 17 \cdots 2$,
$91 \div 4 = 22 \cdots 3$
㉠$=6$이면 $70 \div 6 = 11 \cdots 4$,
$91 \div 6 = 15 \cdots 1$
㉠$=8$이면 $70 \div 8 = 8 \cdots 6$,
$91 \div 8 = 11 \cdots 3$
㉠$=9$이면 $70 \div 9 = 7 \cdots 7$,
$91 \div 9 = 10 \cdots 1$
⇨ ㉠$=3$, ㉡$=1$이므로 ㉠$+$㉡$=3+1=4$입니다.

문제해결 Key
① ㉠이 될 수 있는 수를 구합니다.
② 조건을 만족하는 ㉠, ㉡을 구합니다.
③ ㉠+㉡을 구합니다.

STEP 4 Top 최고수준 48~49쪽

01 88개　**02** 12 cm
03 241　**04** 495
05 216

01 도, 레, 미, 파, 솔, 라, 시의 7개의 흰 건반이 반복되므로
(흰 건반의 수)$\div 7 = 7 \cdots 3$
$7 \times 7 = 49$ ⇨ $49 + 3 =$(흰 건반의 수),
(흰 건반의 수)$=52$개
(검은 건반의 수)$= 52 - 16 = 36$(개)
⇨ (전체 건반의 수)$= 52 + 36 = 88$(개)

문제해결 Key
① 흰 건반의 수를 구합니다.
② 검은 건반의 수를 구합니다.
③ 전체 건반의 수를 구합니다.

02 첫째　둘째　셋째　넷째 ......

(첫째 정사각형의 한 변)$= 72 \div 4 = 18$ (cm)
(둘째에서 만든 가장 작은 정사각형의 한 변)
$= 18 \div 2 = 9$ (cm)
(셋째에서 만든 가장 작은 정사각형의 한 변)
$= 18 \div 3 = 6$ (cm)
⋮
(6째에서 만든 가장 작은 정사각형의 한 변)
$= 18 \div 6 = 3$ (cm)
⇨ 6째에서 만든 가장 작은 정사각형 한 개의 네 변의 길이의 합은 $3 \times 4 = 12$ (cm)

문제해결 Key
① 첫째 정사각형의 한 변을 구합니다.
② 둘째, 셋째……6째에서 만든 가장 작은 정사각형의 한 변을 구합니다.
③ 6째에서 만든 가장 작은 정사각형 한 개의 네 변의 길이의 합을 구합니다.

2 단원

03 • $[65 \div 8]=8$, $[66 \div 8]=8$ …… $[71 \div 8]=8$
→ 늘어놓은 수 중에서 8은 $71-65+1=7$(개)
• $[72 \div 8]=9$, $[73 \div 8]=9$ …… $[79 \div 8]=9$
→ 늘어놓은 수 중에서 9는 $79-72+1=8$(개)
• $[80 \div 8]=10$, $[81 \div 8]=10$ …… $[87 \div 8]=10$
→ 늘어놓은 수 중에서 10은 $87-80+1=8$(개)
• $[88 \div 8]=11$, $[89 \div 8]=11$, $[90 \div 8]=11$
→ 늘어놓은 수 중에서 11은 3개입니다.
⇨ 늘어놓은 수들의 합은 $8 \times 7=56$, $9 \times 8=72$, $10 \times 8=80$, $11 \times 3=33$으로 $56+72+80+33=241$입니다.

문제해결 Key
① 늘어놓은 수가 8, 9, 10, 11은 각각 몇 개인지 구합니다.
② 늘어놓은 수들의 합을 구합니다.

04 ㉠㉡ ÷ ㉢ = ㉣ … ㉤이라 하면 ㉢ × ㉣ + ㉤ = ㉠㉡
㉢ > ㉤이므로 가장 작은 세 자리 수 ㉠㉡㉢은 가장 작은 두 자리 수 ㉠㉡과 ㉢ = ㉤ + 1이 됩니다.
㉣ + ㉤ = 13인 경우는
$9+4=13$, $8+5=13$, $7+6=13$
① $9+4=13$일 때:
㉣ = 9, ㉤ = 4라 하면 ㉢ × 9 + 4 = ㉠㉡이고
$5 \times 9+4=49$이므로 ㉠㉡㉢ = 495
② $8+5=13$일 때:
㉣ = 8, ㉤ = 5라 하면 ㉢ × 8 + 5 = ㉠㉡이고
$6 \times 8+5=53$이므로 ㉠㉡㉢ = 536
㉣ = 5, ㉤ = 8이라 하면 ㉢ × 5 + 8 = ㉠㉡이고
$9 \times 5+8=53$이므로 ㉠㉡㉢ = 539
③ $7+6=13$일 때:
㉣ = 7, ㉤ = 6이라 하면 ㉢ × 7 + 6 = ㉠㉡이고
$7 \times 7+6=55$에서 ㉠과 ㉡이 같으므로 조건에 맞지 않습니다.
㉣ = 6, ㉤ = 7이라 하면 ㉢ × 6 + 7 = ㉠㉡이고
$8 \times 6+7=55$에서 ㉠과 ㉡이 같으므로 조건에 맞지 않습니다.
⇨ 가장 작은 세 자리 수는 495입니다.

문제해결 Key
① 몫과 나머지의 합을 이용하여 세 자리 수가 될 수 있는 수를 모두 구합니다.
② 가장 작은 세 자리 수를 구합니다.

05 어떤 두 자리 수(→㉠㉡)를 그 수의 십의 자리 숫자로 나눈 몫은 10이고(→나머지는 ㉡), 일의 자리 숫자로 나눈 몫은 13입니다(→㉡). 어떤 수가 될 수 있는 수들의 합을 구하시오.
(단, 반드시 나누어떨어지는 것은 아닙니다.)

어떤 두 자리 수를 ㉠㉡이라 하면 ㉠㉡을 ㉠으로 나눈 몫이 10이므로 나머지는 ㉡이 되고, ㉠ > ㉡입니다.
㉠㉡을 ㉡으로 나눈 몫이 13이고 나머지를 ★이라 하면 ㉡ > ★입니다.
┌ ㉠㉡ ÷ ㉠ = 10 … ㉡ → ㉠ × 10 + ㉡ = ㉠㉡
└ ㉠㉡ ÷ ㉡ = 13 … ★ → ㉡ × 13 + ★ = ㉠㉡
㉠ × 10 + ㉡ = ㉠㉡
‖
㉡ × 13 + ★ = ㉠㉡
㉠ × 10 + ㉡ = ㉡ × 13 + ★,
㉠ × 10 = ㉡ × 12 + ★ … ①
㉠과 ㉡은 각각 1부터 9까지의 숫자 중에 하나이고 ㉡ > ★이므로 ★도 한 자리 수입니다.
①의 식을 만족하는 (㉠, ㉡, ★)을 알아보면
(2, 1, 8), (3, 2, 6), (4, 3, 4),
(5, 4, 2), (6, 5, 0), (8, 6, 8),
(9, 7, 6)
이 중에서 ㉠ > ㉡ > ★을 만족하는 경우는
(5, 4, 2), (6, 5, 0), (9, 7, 6)이므로
어떤 두 자리 수가 될 수 있는 수는 54, 65, 97입니다.
⇨ $54+65+97=216$

문제해결 Key
① 십의 자리 숫자와 일의 자리 숫자의 관계를 식으로 나타냅니다.
② 어떤 두 자리 수가 될 수 있는 수를 모두 구합니다.
③ ②의 수들의 합을 구합니다.

3 원

STEP 1 Start 개념 53쪽

1 선분 ㅇㄱ, 선분 ㅇㅁ(또는 선분 ㄱㅇ, 선분 ㅁㅇ)
2 10 cm, 5 cm
3 ㉡
4 8 cm
5 3 cm
6 2 cm

1 원의 중심 ㅇ과 원 위의 한 점을 이은 선분을 모두 찾습니다.

2 원의 지름은 반지름의 2배이므로
(원의 지름)$=5\times2=10$ (cm)

3 ㉡ 원의 중심을 지나는 선분의 길이는 모두 같습니다.

4 (정사각형의 한 변)=(원의 지름)$=8$ cm

5 (선분 ㄴㄷ)$=12\div2=6$ (cm)
(선분 ㄱㄴ)$=6\div2=3$ (cm)

6

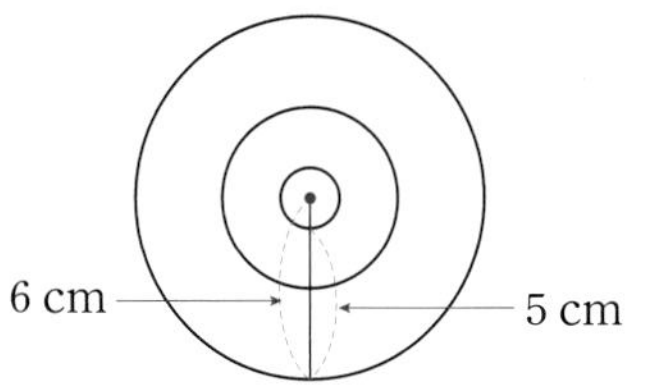

(가장 작은 원의 반지름)$=6-5=1$ (cm)
⇨ (지름)$=1\times2=2$ (cm)

STEP 1 Start 개념 55쪽

1 3군데
2

3 6 cm
4 3 cm
5 16 cm
6 35 cm

1 원의 중심이 다른 원 3개를 이용하여 그려야 하므로 컴퍼스의 침을 꽂아야 할 곳은 3군데입니다.

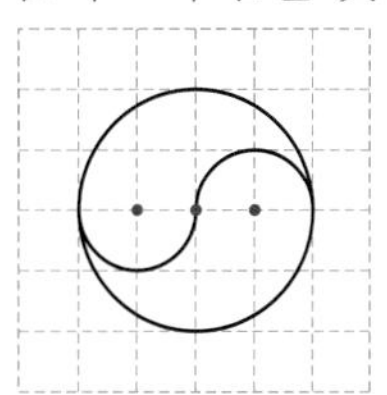

2 원의 중심이 오른쪽으로 2칸, 4칸, 6칸 옮겨 가고, 원의 반지름이 1칸씩 늘어나는 규칙입니다.

3

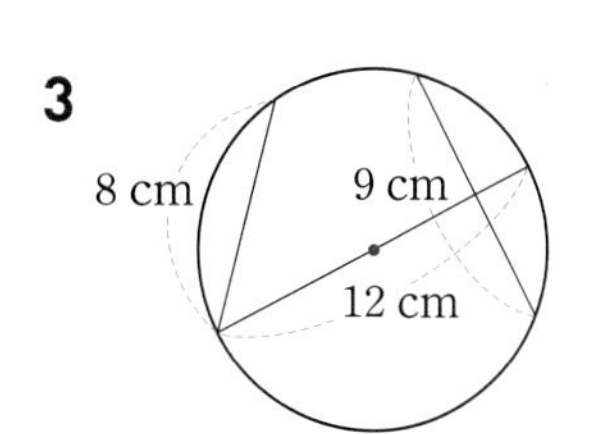

원의 지름은 12 cm이므로 컴퍼스를 $12\div2=6$ (cm) 벌려야 합니다.

> **참고**
> 컴퍼스를 원의 반지름만큼 벌려서 원을 그립니다.

4

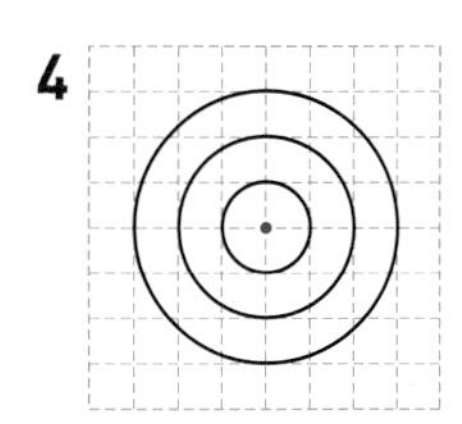

모눈 한 칸은 1 cm이고 가장 큰 원의 반지름은 모눈 3칸이므로 3 cm입니다.

> **참고**
> 원의 중심은 같고 원의 반지름이 모눈 1칸씩 늘어나는 규칙입니다.

5

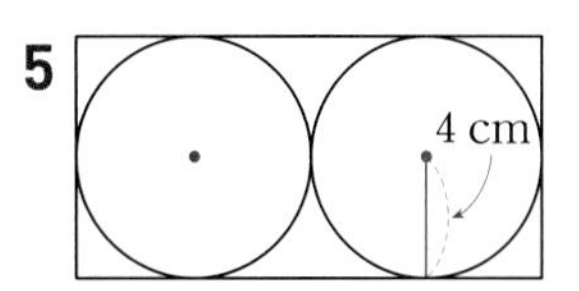

직사각형의 가로는 원의 지름의 2배이고 지름은 반지름의 2배입니다.
⇨ (직사각형의 가로)$=4\times2\times2=16$ (cm)

6

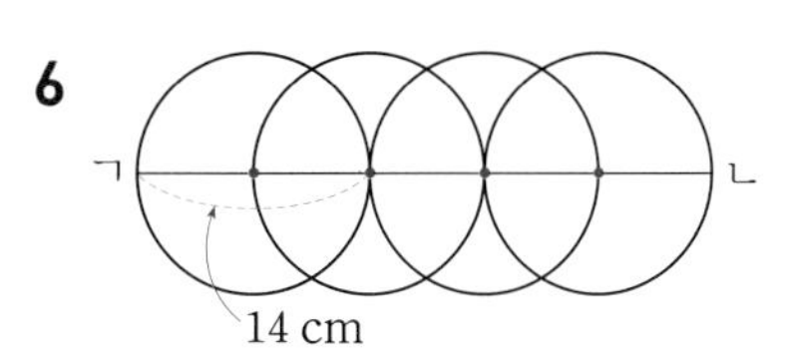

(원의 반지름)$=14\div2=7$ (cm)
⇨ (선분 ㄱㄴ)$=7\times5=35$ (cm)

STEP 2 Jump 유형 56~63쪽

1-1 ❶ 4 ❷ 2
❸ 3
; 3개
1-2 5개
1-3 10개
2-1 ❶ 12 ❷ 12, 6
; 6 cm
2-2 9 cm
2-3 5 cm
2-4 5개
3-1 ❶ 18 ❷ 3, 18, 3, 6
; 6 cm
3-2 7 cm
3-3 36 cm
4-1 ❶ 10
❷ 10, 10, 40
; 40 cm
4-2 60 cm
4-3 10 cm
5-1 ❶ 8, 4, 12 ❷ 12, 24
; 24 cm
5-2 21 cm
5-3 23 cm
6-1 ❶ 4, 10 ❷ 10, 8
❸ 8, 4
; 4 cm
6-2 6 cm
6-3 10 cm
7-1 ❶ 4 ❷ 12, 8, 12
❸ 12, 32
; 32 cm
7-2 30 cm
7-3 6 cm
8-1 ❶ 40, 34
❷ 소고, 꽹과리, 징, 장구
; 소고, 꽹과리, 징, 장구
8-2 42 mm

1-2 그림에 이용된 원의 수: 6개
원의 중심이 겹친 원의 수: 2개
⇨ (찾을 수 있는 원의 중심의 수)
=6−2+1=5(개)

1-3 ㉮에서 이용된 원의 수: 7개,
원의 중심이 겹친 원의 수: 3개
→ 7−3+1=5(개)
㉯에서 이용된 원의 수: 5개,
원의 중심이 겹친 원은 없습니다. → 5개
⇨ 5+5=10(개)

문제해결 Key
① ㉮에서 이용된 원의 수와 원의 중심이 겹친 원의 수를 이용하여 찾을 수 있는 원의 중심의 수를 구합니다.
② ㉯에서 이용된 원의 수와 원의 중심이 겹친 원의 수를 이용하여 찾을 수 있는 원의 중심의 수를 구합니다.
③ ①과 ②의 합을 구합니다.

다른 풀이

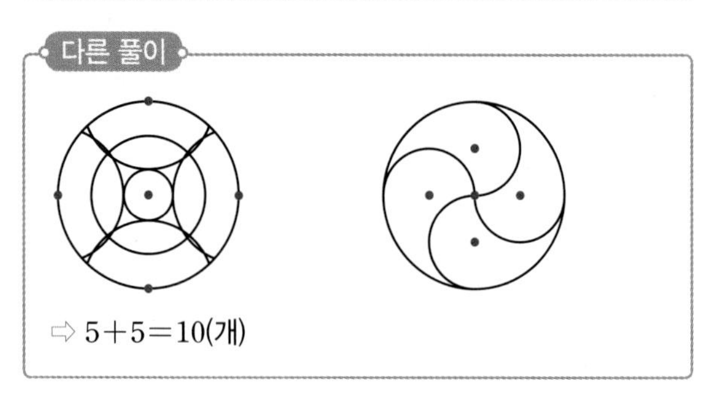

⇨ 5+5=10(개)

2-1
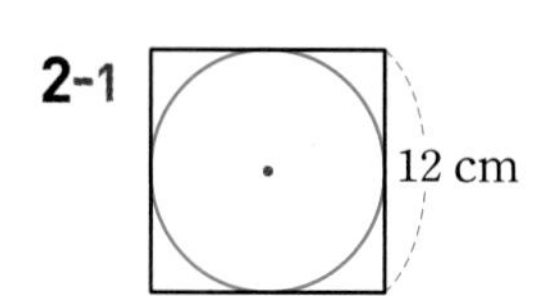

2-2
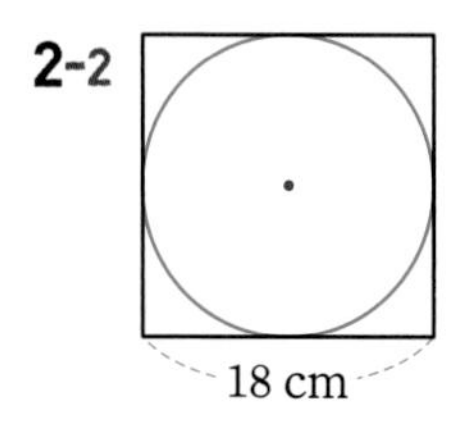

지름은 원 위의 두 점을 이은 선분 중 가장 긴 선분이므로 정사각형의 한 변과 같은 18 cm입니다.
⇨ (가장 큰 원의 반지름)=18÷2=9 (cm)

2-3
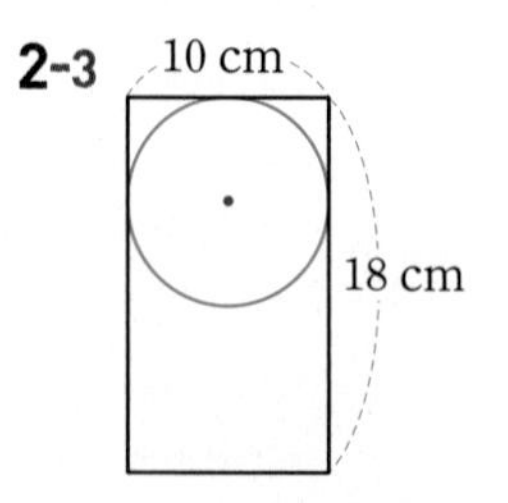

직사각형 안에 그릴 수 있는 가장 큰 원의 지름은 직사각형의 가로와 세로 중 더 짧은 것의 길이와 같으므로 10 cm입니다.
⇨ (가장 큰 원의 반지름)=10÷2=5 (cm)

2-4 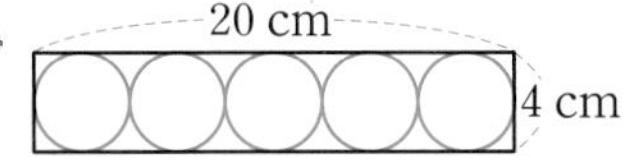

직사각형 안에 그릴 수 있는 가장 큰 원의 지름은 직사각형의 세로와 같은 4 cm입니다.

⇨ 가장 큰 원은 $20 \div 4 = 5$(개)까지 그릴 수 있습니다.

문제해결 Key

① 가장 큰 원의 지름을 구합니다.

② 가장 큰 원을 몇 개까지 그릴 수 있는지 구합니다.

3-1 **다른 풀이**

큰 원의 지름은 작은 원의 반지름의 6배이므로

(작은 원의 반지름)$=36 \div 6=6$ (cm)

3-2 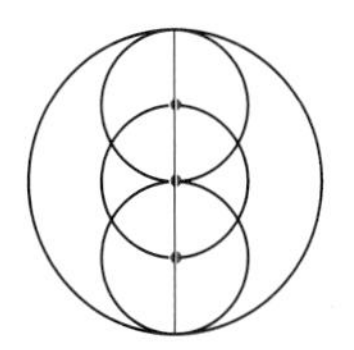

(큰 원의 반지름)$=28 \div 2=14$ (cm)

큰 원의 반지름은 작은 원의 반지름의 2배이므로

(작은 원의 반지름)$=14 \div 2=7$ (cm)

다른 풀이

큰 원의 지름은 작은 원의 반지름의 4배이므로

(작은 원의 반지름)$=28 \div 4=7$ (cm)

3-3 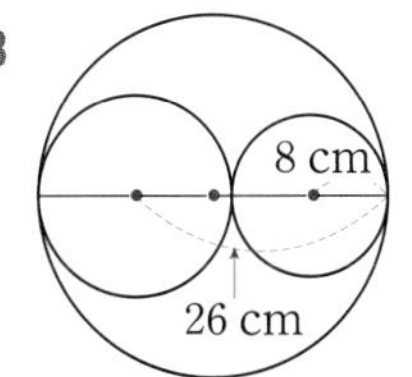

(가장 작은 원의 지름)$=8 \times 2=16$ (cm),

(중간 원의 반지름)$=26-16=10$ (cm)

⇨ (가장 큰 원의 지름)$=10+26=36$ (cm)

참고

가장 큰 원의 지름은 가장 작은 원의 지름과 중간 원의 지름의 합입니다.

문제해결 Key

① 가장 작은 원의 지름을 구합니다.

② 중간 원의 반지름을 구합니다.

③ 가장 큰 원의 지름을 구합니다.

4-2 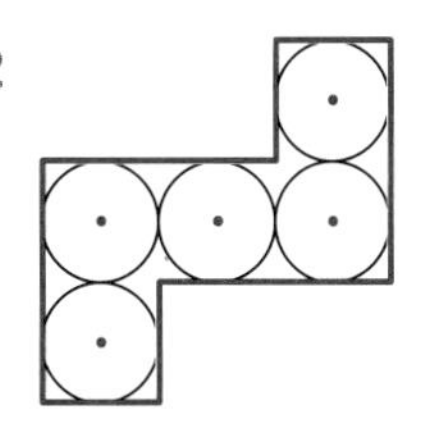

분홍색 선의 길이는 원의 지름의 12배와 같습니다.

⇨ (분홍색 선의 길이)$=5 \times 12=60$ (cm)

4-3 

(상자의 가로)$=$(도넛의 지름)$\times 4$,

(상자의 세로)$=$(도넛의 지름)$\times 3$

상자 바닥의 네 변의 길이의 합은 도넛의 지름의 14배이므로

(도넛의 지름)$\times 14=140$, (도넛의 지름)$=10$ cm

⇨ (상자의 가로)$-$(상자의 세로)$=$(도넛의 지름)

$=10$ cm

문제해결 Key

① 상자의 가로, 세로는 도넛의 지름의 각각 몇 배인지 알아봅니다.

② 상자의 네 변의 길이의 합은 도넛의 지름의 몇 배인지 구합니다.

③ 상자의 가로와 세로의 차를 구합니다.

5-2 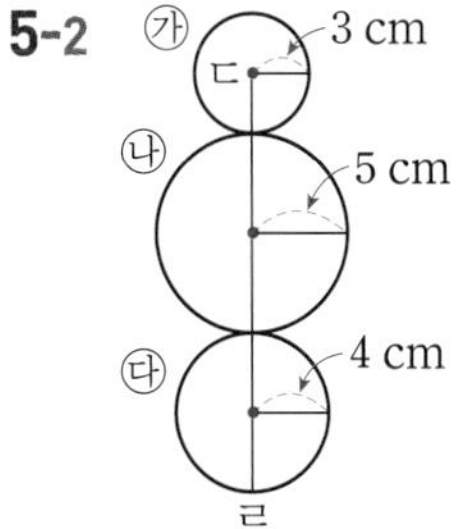

위부터 세 원을 각각 ㉮, ㉯, ㉰라고 하면

(선분 ㄷㄹ)$=$(원 ㉮의 반지름)$+$(원 ㉯의 지름)

$+$(원 ㉰의 지름)

(원 ㉮의 반지름)$=3$ cm,

(원 ㉯의 지름)$=5 \times 2=10$ (cm),

(원 ㉰의 지름)$=4 \times 2=8$ (cm)

⇨ (선분 ㄷㄹ)$=3+10+8=21$ (cm)

5-3

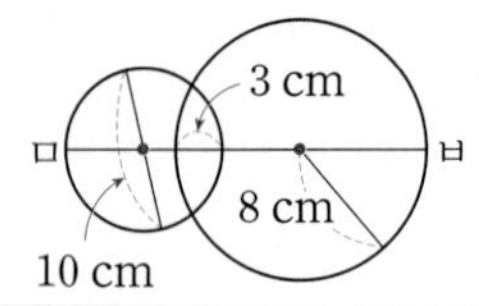

(선분 ㅁㅂ)=(작은 원의 반지름)+(두 원의 중심 사이의 거리)+(큰 원의 반지름)
(작은 원의 반지름)$=10\div2=5$ (cm),
(큰 원의 반지름)$=8$ cm
(두 원의 중심 사이의 거리)
=(작은 원의 반지름)+(큰 원의 반지름)
−(겹친 부분)
$=5+8-3=10$ (cm)
⇨ (선분 ㅁㅂ)$=5+10+8=23$ (cm)

문제해결 Key
① 작은 원의 반지름을 구합니다.
② 두 원의 중심 사이의 거리를 구합니다.
③ 선분 ㅁㅂ의 길이를 구합니다.

다른 풀이
(선분 ㅁㅂ)
=(작은 원의 지름)+(큰 원의 지름)−(겹친 부분)
$=10+16-3=23$ (cm)

6-2

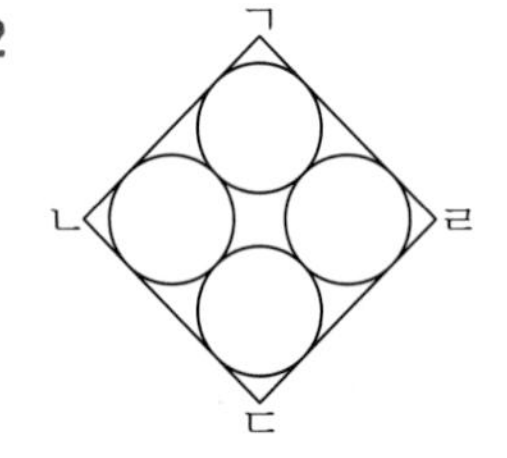

정사각형의 한 변은 원의 지름의 2배이므로 정사각형의 네 변의 길이의 합은 원의 지름의 8배입니다.
(원의 지름)$=96\div8=12$ (cm)
⇨ (원의 반지름)$=12\div2=6$ (cm)

6-3

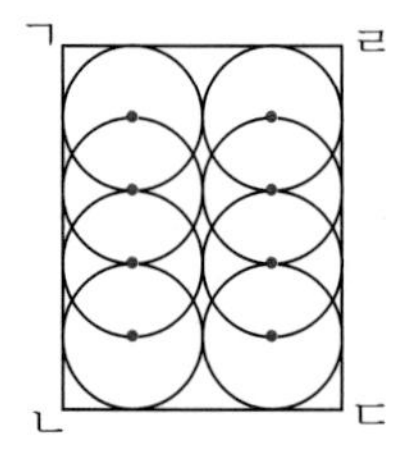

직사각형의 가로는 원의 반지름의 4배, 세로는 원의 반지름의 5배이므로 직사각형의 네 변의 길이의 합은 원의 반지름의 18배입니다.
(원의 반지름)$\times18=90$에서 $5\times18=90$이므로
(원의 반지름)$=5$ cm
⇨ (원의 지름)$=5\times2=10$ (cm)

문제해결 Key
① 직사각형의 네 변의 길이 합은 원의 반지름의 몇 배인지 구합니다.
② 원의 반지름을 구합니다.
③ 원의 지름을 구합니다.

다른 풀이
직사각형의 네 변의 길이의 합은 원의 지름의 9배입니다. ⇨ (원의 지름)$=90\div9=10$ (cm)

7-2

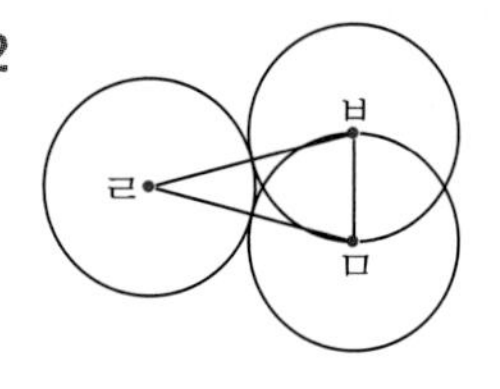

(선분 ㄹㅁ)$=6+6=12$ (cm),
(선분 ㅁㅂ)$=6$ cm,
(선분 ㅂㄹ)$=6+6=12$ (cm)
(삼각형 ㄹㅁㅂ의 세 변의 길이의 합)
$=12+6+12=30$ (cm)

7-3

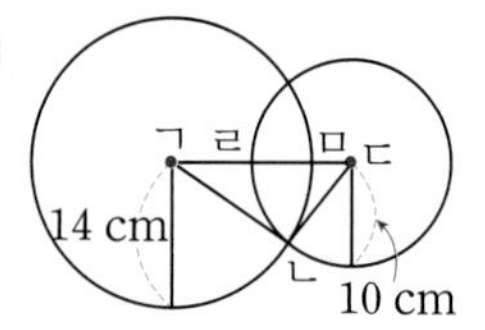

(선분 ㄱㄷ)$=42-14-10$
$=18$ (cm)
(선분 ㄱㄷ)=(선분 ㄱㅁ)+(선분 ㄷㄹ)−(선분 ㄹㅁ),
$18=14+10-$(선분 ㄹㅁ),
(선분 ㄹㅁ)$=24-18=6$ (cm)

문제해결 Key
① 선분 ㄱㄷ의 길이를 구합니다.
② 선분 ㄹㅁ의 길이를 구합니다.

8-2 원의 지름을 비교하면
10원짜리: $9\times2=18$ (mm),
50원짜리: 21.6 mm,
100원짜리: $12\times2=24$ (mm),
500원짜리: 26.5 mm로
크기가 두 번째로 큰 동전은 100원짜리입니다.
⇨ 그림이 다보탑인 동전은 10원짜리 동전이므로 두 동전의 지름의 합은
$24+18=42$ (mm)입니다.

문제해결 Key
① 각 동전의 지름을 구합니다.
② 두 번째로 큰 동전을 찾습니다.
③ 두 번째로 큰 동전과 그림이 다보탑인 동전의 지름의 합을 구합니다.

STEP 3 Master 심화 64~69쪽

01	㉢, ㉡, ㉠	**02**	㉢
03	15 cm	**04**	9개
05	9군데	**06**	60 cm
07	8 cm	**08**	12 cm
09	132 cm	**10**	72 cm
11	4개	**12**	13 cm
13	32 cm	**14**	4 cm
15	136 cm	**16**	21 cm
17	72 cm	**18**	5 cm

01 (원 ㉠의 반지름)$=6\div2=3$ (cm)
(원 ㉡의 반지름)$=3+2=5$ (cm)
(원 ㉢의 반지름)$=3\times2=6$ (cm)
⇨ ㉢>㉡>㉠

문제해결 Key
① 원 ㉠, ㉡, ㉢의 반지름을 각각 구합니다.
② 원 ㉠, ㉡, ㉢의 반지름으로 원의 크기를 비교합니다.

02
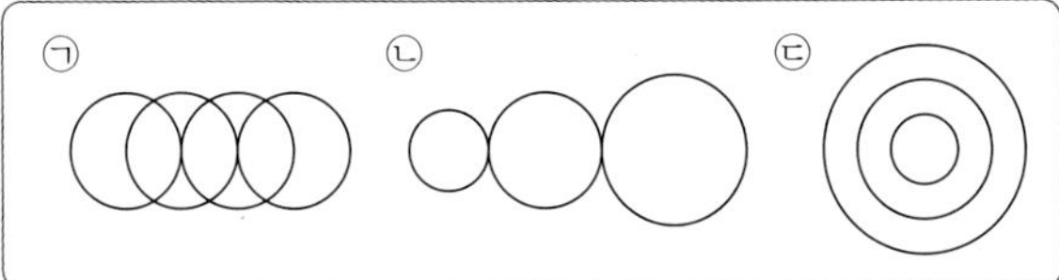

㉠ 반지름은 모두 같고 원의 중심은 모두 다릅니다.
㉡ 반지름은 모두 다르고 원의 중심도 모두 다릅니다.

문제해결 Key
① ㉠, ㉡, ㉢의 반지름과 원의 중심의 위치를 알아봅니다.
② 문제 조건을 만족하는 모양을 찾습니다.

03
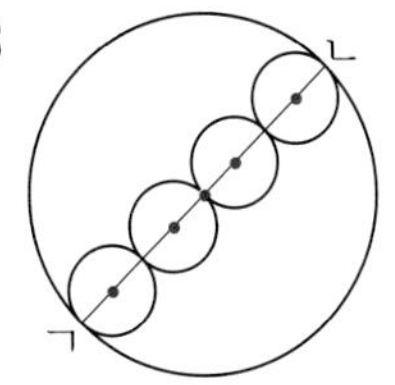

(큰 원의 반지름)$=40\div2=20$ (cm)
(선분 ㄱㄴ)$=$(큰 원의 지름)
$=$(작은 원의 지름)$\times4$
→ (작은 원의 지름)$=40\div4=10$ (cm),
(작은 원의 반지름)$=10\div2=5$ (cm)
⇨ $20-5=15$ (cm)

문제해결 Key
① 큰 원의 반지름을 구합니다.
② 큰 원의 지름을 이용하여 작은 원의 지름을 구합니다.
③ 작은 원의 반지름을 구합니다.
④ ①과 ③의 차를 구합니다.

04 (접시의 지름)$=18\times2=36$ (cm)
⇨ $36\div4=9$(개)

참고
접시의 지름에 쿠키의 지름을 맞게 놓습니다.

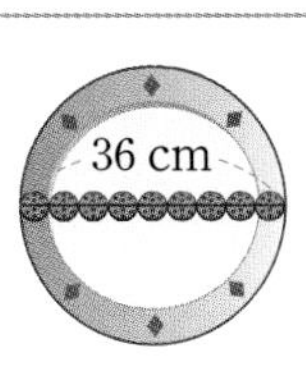

문제해결 Key
① 접시의 지름을 구합니다.
② 쿠키는 몇 개까지 놓을 수 있는지 구합니다.

05
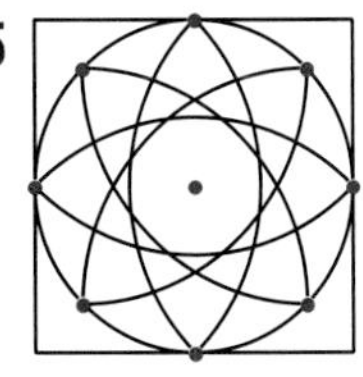
⇨ 9군데

06
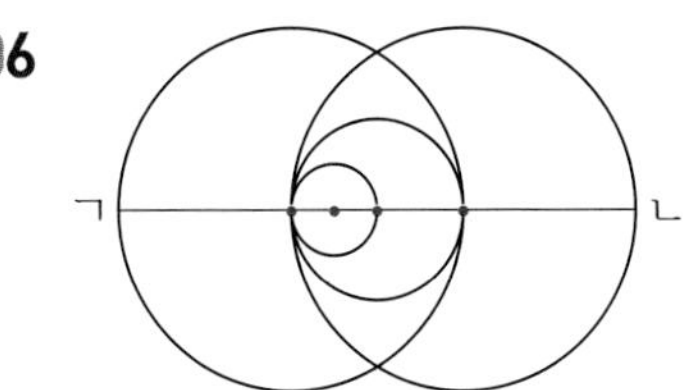

(가장 작은 원의 지름)$=5\times2=10$ (cm)
(중간 원의 지름)$=10\times2=20$ (cm)
⇨ (선분 ㄱㄴ)$=$(중간 원의 지름)$\times3$
$=20\times3=60$ (cm)

문제해결 Key
① 가장 작은 원의 지름을 구합니다.
② 중간 원의 지름을 구합니다.
③ 선분 ㄱㄴ의 길이를 구합니다.

다른 풀이
(가장 큰 원의 반지름)=(중간 원의 반지름)$\times 2$
=(가장 작은 원의 반지름)$\times 4$
⇨ (선분 ㄱㄴ)=(중간 원의 반지름)$\times 6$
=(가장 작은 원의 반지름)$\times 12$
$=5\times 12=60$ (cm)

07

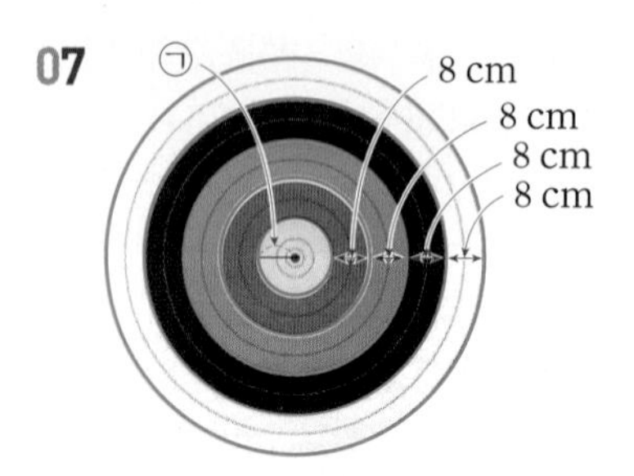

그린 원 중 가장 큰 원의 지름이 80 cm이므로
(가장 큰 원의 반지름)$=80\div 2=40$ (cm)
⇨ ㉠$=40-8-8-8-8=8$ (cm)

문제해결 Key
① 그린 원 중 가장 큰 원의 반지름을 구합니다.
② 그린 원 중 가장 작은 원의 반지름인 ㉠을 구합니다.

08

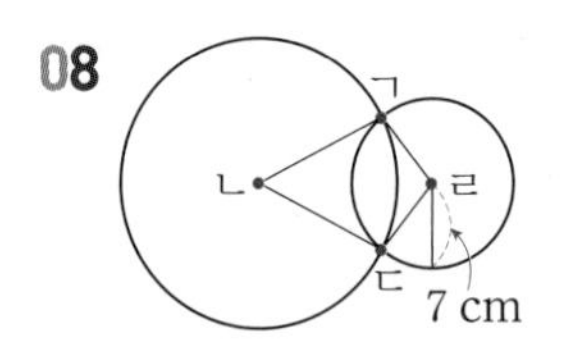

선분 ㄱㄹ, 선분 ㄷㄹ의 길이는 작은 원의 반지름과 같으므로 7 cm입니다.
사각형 ㄱㄴㄷㄹ의 네 변의 길이의 합이 38 cm이므로
(선분 ㄱㄴ)+(선분 ㄴㄷ)$+7+7=38$ (cm)입니다.
(선분 ㄱㄴ)=(선분 ㄴㄷ)=(큰 원의 반지름)이므로
(큰 원의 반지름)$\times 2+14=38$ (cm),
(큰 원의 반지름)$\times 2=24$ (cm),
(큰 원의 반지름)$=12$ cm입니다.

문제해결 Key
① 선분 ㄱㄹ, 선분 ㄷㄹ의 길이를 각각 구합니다.
② 큰 원의 반지름을 구합니다.

09

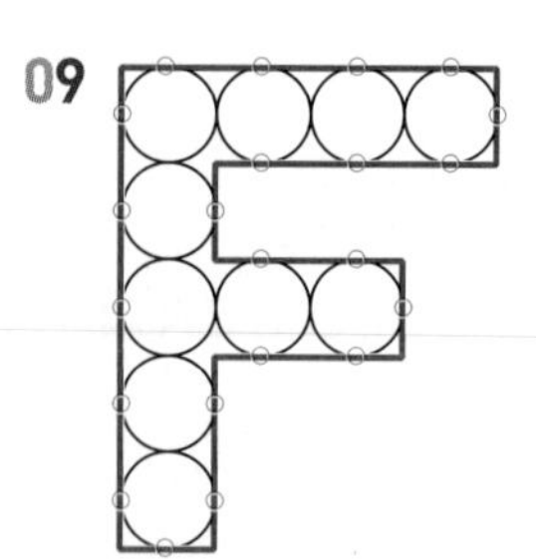

(원의 지름)$=3\times 2=6$ (cm)
빨간색 선의 길이는 원의 지름의 22배이므로
$6\times 22=132$ (cm)

문제해결 Key
① 원의 지름을 구합니다.
② 빨간색 선의 길이는 원의 지름의 몇 배인지 구합니다.
③ 빨간색 선의 길이를 구합니다.

10

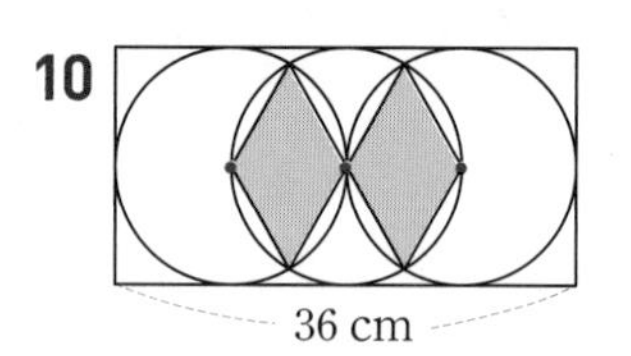

직사각형의 가로는 반지름의 4배이므로
(반지름)$=36\div 4=9$ (cm)
색칠한 사각형의 각 변은 원의 반지름과 같습니다.
⇨ (색칠한 사각형 1개의 네 변의 길이의 합)
$=9\times 4=36$ (cm)
→ (색칠한 사각형 2개의 모든 변의 길이의 합)
$=36\times 2=72$ (cm)

문제해결 Key
① 원의 반지름을 구합니다.
② 색칠한 사각형 1개의 네 변의 길이의 합을 구합니다.
③ 색칠한 사각형 2개의 모든 변의 길이의 합을 구합니다.

다른 풀이
직사각형의 가로는 원의 반지름의 4배이므로
(반지름)$=36\div 4=9$ (cm)
⇨ (색칠한 사각형 2개의 모든 변의 길이의 합)
=(반지름)$\times 8=9\times 8=72$ (cm)

11

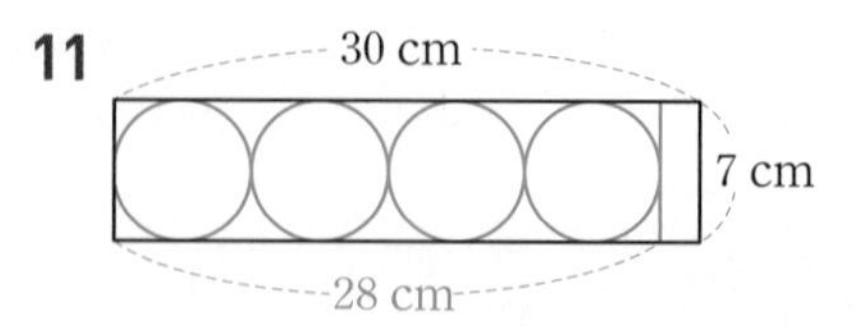

직사각형 안에 그릴 수 있는 가장 큰 원의 지름은 직사각형의 세로와 같은 7 cm입니다.
⇨ $7\times 4=28<30$, $7\times 5=35>30$이므로 가장 큰 원을 4개까지 그릴 수 있습니다.

참고

직사각형 안에 그릴 수 있는 가장 큰 원의 지름이 직사각형의 짧은 변의 길이와 같도록 그립니다.

문제해결 Key

① 직사각형 안에 그릴 수 있는 가장 큰 원의 지름을 알아봅니다.
② 그림을 그려 보고 가장 큰 원은 몇 개까지 그릴 수 있는지 구합니다.

12

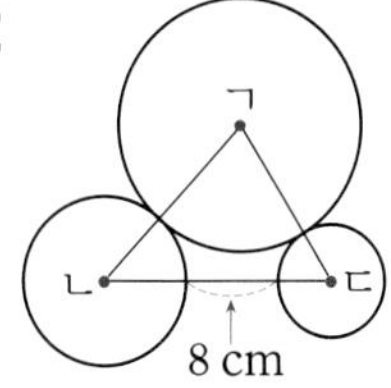

(삼각형 ㄱㄴㄷ의 세 변의 길이의 합)
=(원 ㄱ의 지름)+(원 ㄴ의 지름)
+(원 ㄷ의 지름)+8
(원 ㄱ의 지름)+(원 ㄴ의 지름)+(원 ㄷ의 지름)+8
=34,
(원 ㄱ의 지름)+(원 ㄴ의 지름)+(원 ㄷ의 지름)
=26
⇨ (세 원의 반지름의 합)=26÷2=13 (cm)

문제해결 Key

① 원 ㄱ, ㄴ, ㄷ의 지름의 합을 구합니다.
② 세 원의 반지름의 합을 구합니다.

13

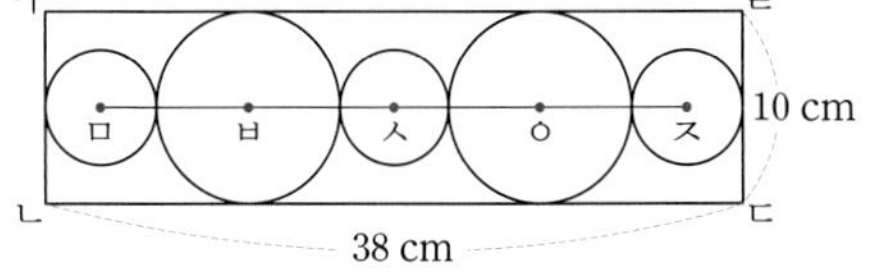

큰 원의 지름은 직사각형의 세로와 같으므로 10 cm입니다.
(작은 원의 지름)+10+(작은 원의 지름)+10
+(작은 원의 지름)=38,
(작은 원의 지름)×3+20=38,
(작은 원의 지름)×3=18,
(작은 원의 지름)=6 cm
→ (작은 원의 반지름)=6÷2=3 (cm)
⇨ (선분 ㅁㅈ)=3+10+6+10+3=32 (cm)

참고

• 점 ㅁ, 점 ㅅ, 점 ㅈ을 중심으로 하는 원의 크기가 같습니다.
• 점 ㅂ, 점 ㅇ을 중심으로 하는 원의 크기가 같습니다.

문제해결 Key

① 큰 원의 지름을 구합니다.
② 작은 원의 지름, 반지름을 구합니다.
③ 선분 ㅁㅈ의 길이를 구합니다.

다른 풀이

큰 원의 지름이 10 cm이므로
(작은 원의 지름)×3+20=38,
(작은 원의 지름)×3=18,
(작은 원의 지름)=6 cm
⇨ (선분 ㅁㅈ)=(직사각형의 가로)−(작은 원의 지름)이므로 38−6=32 (cm)

14 작은 원의 수: 2개 → 작은 원의 반지름의 수: 3개
(=큰 원의 지름)
작은 원의 수: 3개 → 작은 원의 반지름의 수: 4개
(=큰 원의 지름)
⋮
작은 원의 수: 9개 → 작은 원의 반지름의 수: 10개
(=큰 원의 지름)

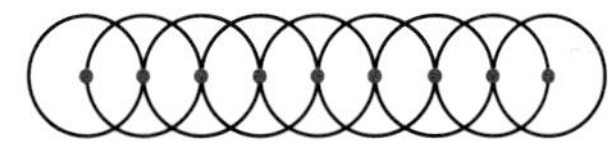

(큰 원의 지름)=20×2=40 (cm)이므로 작은 원의 반지름을 □cm라 하면 □×10=40, □=4

문제해결 Key

① 큰 원 안에 그린 작은 원의 수와 작은 원의 반지름의 수 사이의 관계를 알아봅니다.
② 작은 원의 반지름을 구합니다.

15

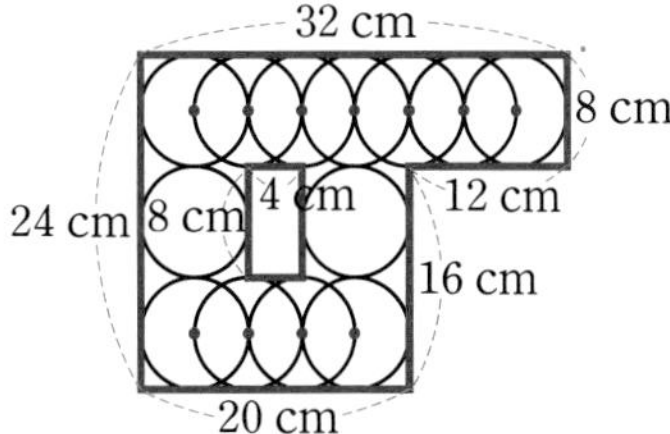

빨간색 선의 길이를 각각 나타내면 위의 그림과 같습니다.
(바깥쪽)=32+24+20+16+12+8
=112 (cm),
(안쪽)=4+8+4+8=24 (cm)
⇨ 112+24=136 (cm)

문제해결 Key

① 바깥쪽 빨간색 선의 길이를 구합니다.
② 안쪽 빨간색 선의 길이를 구합니다.
③ ①과 ②의 합을 구합니다.

다른 풀이

(원의 지름)$=4\times2=8$ (cm)
빨간색 선의 길이는 원의 지름의 17배
⇨ $8\times17=136$ (cm)

16 크기가 다른 원 4개를 오른쪽과 같이 이어 붙여 그렸습니다. 원 ㉰의 반지름은 원 ㉯의 반지름의 2배이고, 원 ㉯의 반지름은 원 ㉮의 반지름의 2배입니다. 원 ㉮와 원 ㉰의 중심을 이은 선분의 길이가 27 cm라 할 때 원 ㉱의 반지름은 몇 cm입니까?

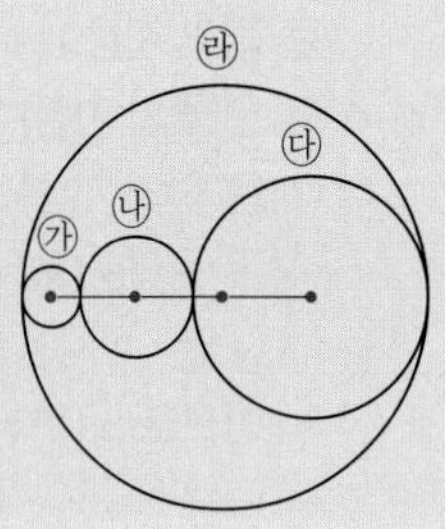

└→(원 ㉮의 반지름)+(원 ㉯의 지름)+(원 ㉰의 반지름)=27

원 ㉮의 반지름을 □cm라 하면
원 ㉯의 반지름: (□$\times2$) cm,
원 ㉰의 반지름: □$\times2\times2=$(□$\times4$) cm
□+□$\times2\times2+$□$\times4=27$,
□$\times9=27$, □$=3$
⇨ (원 ㉱의 반지름)$=3+6+12=21$ (cm)

참고

(원 ㉱의 반지름)=(원 ㉮, ㉯, ㉰의 반지름의 합)

문제해결 Key

① 원 ㉮의 반지름을 구합니다.
② 원 ㉱의 반지름을 구합니다.

17

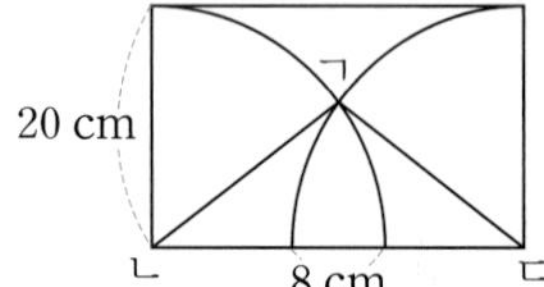

(선분 ㄱㄴ)=(선분 ㄱㄷ)=(원의 반지름)=20 cm
(선분 ㄴㄷ)$=20+20-8$
$=40-8=32$ (cm)
⇨ (삼각형 ㄱㄴㄷ의 세 변의 길이의 합)
$=20+32+20$
$=72$ (cm)

문제해결 Key

① 선분 ㄱㄴ과 선분 ㄱㄷ의 길이를 각각 구합니다.
② 선분 ㄴㄷ의 길이를 구합니다.
③ 삼각형 ㄱㄴㄷ의 세 변의 길이의 합을 구합니다.

18 오른쪽 그림에서 원 ㉯의 반지름은 원 ㉮의 반지름의 2배이고, 원 ㉰의 반지름은 원 ㉮의 반지름의 3배입니다. 세 원의 중심을 이어 만든 삼각형 ㄱㄴㄷ의 세 변의 길이의 합이 60 cm일 때 원 ㉮의 반지름은 몇 cm입니까?

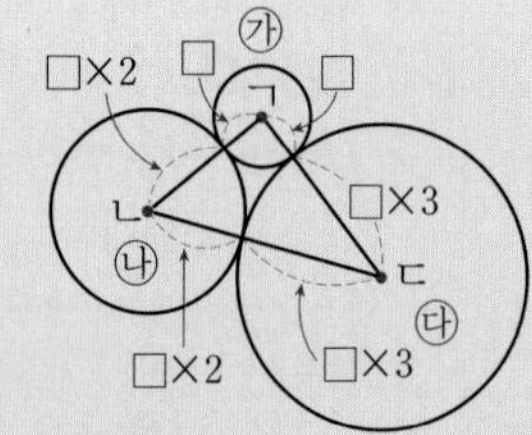

└→(선분 ㄱㄴ)+(선분 ㄴㄷ)+(선분 ㄷㄱ)=60

원 ㉮의 반지름을 □cm라 하면
원 ㉯의 반지름: (□$\times2$) cm,
원 ㉰의 반지름: (□$\times3$) cm
(삼각형 ㄱㄴㄷ의 세 변의 길이의 합)
=(선분 ㄱㄴ)+(선분 ㄴㄷ)+(선분 ㄷㄱ)
=□+□$\times2+$□$\times2+$□$\times3+$□$\times3+$□
=□$\times12=60$
⇨ $5\times12=60$이므로 □$=5$

문제해결 Key

① 원 ㉮의 반지름을 □cm라 하여 원 ㉯, ㉰의 반지름을 □를 사용하여 나타냅니다.
② 원 ㉮의 반지름을 구합니다.

STEP 4 Top 최고수준 70~71쪽

01 27 cm **02** 38개, 76 cm
03 3 cm **04** 36개
05 6

01 가장 큰 원의 지름은 가장 작은 원의 지름의 9배와 같습니다.
⇨ (가장 큰 원의 지름)$=6\times9=54$ (cm)
→ (가장 큰 원의 반지름)$=54\div2=27$ (cm)

02

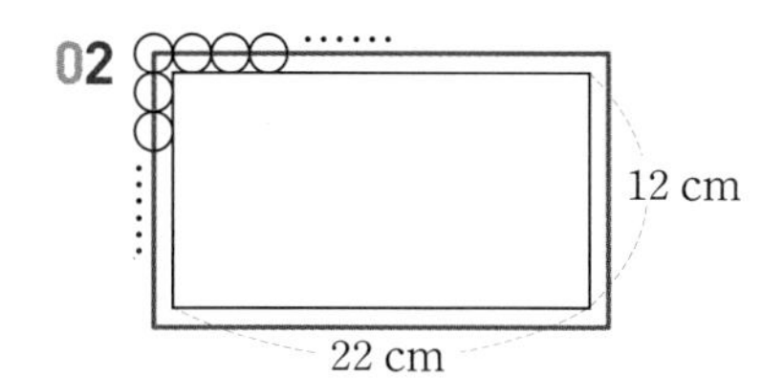

- $22 \div 2 = 11$, $12 \div 2 = 6$이고 꼭짓점에 원이 각각 1개씩 더 있으므로
  (이어 붙인 원의 수)$=11+6+11+6+4$
  $=38$(개)
- (원의 반지름)$=2 \div 2 = 1$ (cm)이고
  (초록색 직사각형의 가로)$=22+2=24$ (cm),
  (초록색 직사각형의 세로)$=12+2=14$ (cm)
  ⇨ $24+14+24+14=76$ (cm)

문제해결 Key
① 직사각형에 이어 붙인 원의 수를 구합니다.
② 초록색 직사각형의 가로와 세로를 각각 구합니다.
③ 초록색 직사각형의 네 변의 길이의 합을 구합니다.

03

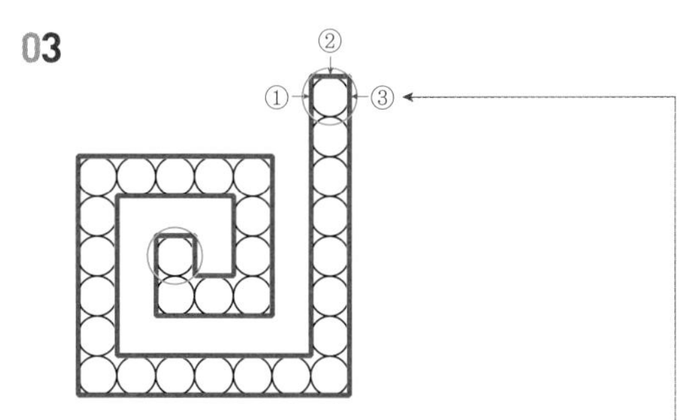

- 한 원에 빨간색 선이 3개인 원은 2개
  ↳○표 한 원
  → $3 \times 2 = 6$(개)
- 한 원에 빨간색 선이 2개인 원은 27개
  → $2 \times 27 = 54$(개)

⇨ $6+54=60$(개)

⇨ (빨간색 선)$=$(원의 지름)$\times 60$,
$360=$(원의 지름)$\times 60$, $6 \times 60 = 360$이므로
(원의 지름)$=6$ cm
(원의 반지름)$=6 \div 2 = 3$ (cm)

문제해결 Key
① 한 원에 빨간색 선이 3개인 원을 찾습니다.
② 한 원에 빨간색 선이 2개인 원을 찾습니다.
③ 원의 지름을 구하고 반지름을 구합니다.

04 첫째 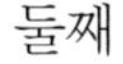 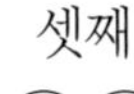

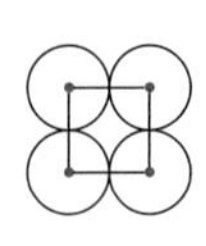

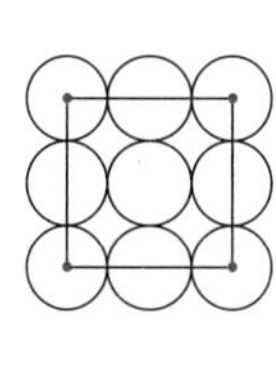

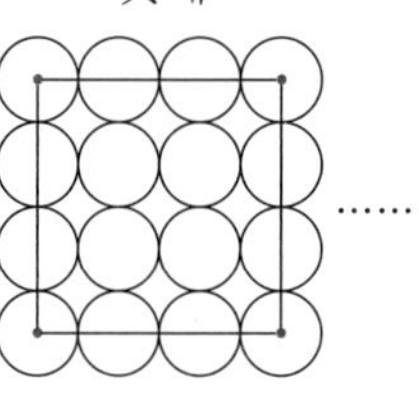

네 변의 길이의 합이 80 cm가 되려면
(한 변)$=80 \div 4 = 20$ (cm)이고 한 변에 있는 반지름은 $20 \div 2 = 10$(개)입니다.
한 변에 있는 원의 수와 반지름의 수를 알아보면

원의 수(개)	2	3	4	5	6	7
반지름의 수(개)	2	4	6	8	10	12

한 변에 있는 원은 6개이므로
(필요한 원의 수)$=6 \times 6 = 36$(개)

문제해결 Key
① 정사각형의 한 변의 길이를 구합니다.
② 정사각형의 한 변에 있는 원의 수를 구합니다.
③ 원이 모두 몇 개 필요한지 구합니다.

05 지름은 반지름의 2배이고, 지름에 적당한 수를 곱하여 직사각형의 가로와 세로가 될 때, 직사각형에 원을 가득 채울 수 있습니다.

① 반지름이 1 cm인 경우:
지름은 2 cm이고, $2 \times 30 = 60$, $2 \times 12 = 24$이므로 가능합니다.

② 반지름이 2 cm인 경우:
지름은 4 cm이고, $4 \times 15 = 60$, $4 \times 6 = 24$이므로 가능합니다.

③ 반지름이 3 cm인 경우:
지름은 6 cm이고, $6 \times 10 = 60$, $6 \times 4 = 24$이므로 가능합니다.

④ 반지름이 4 cm인 경우:
지름은 8 cm이고, 8과 곱하여 60이 되는 수가 없습니다.

⑤ 반지름이 5 cm인 경우:
지름은 10 cm이고, 10과 곱하여 24가 되는 수가 없습니다.

⑥ 반지름이 6 cm인 경우:
지름은 12 cm이고, $12 \times 5 = 60$, $12 \times 2 = 24$이므로 가능합니다.

반지름이 6 cm보다 큰 경우에는 2배인 지름에 곱하여 60과 24를 모두 만들 수 있는 수가 없습니다.

⇨ ㉠이 될 수 있는 수 중 가장 큰 수는 6입니다.

4 분수

STEP 1 Start 개념 75쪽

1 3	2 $>$
3 45	4 32
5 6개	6 4 m

1 12를 3씩 묶으면 12는 4묶음, 9는 3묶음

⇨ 9는 12의 $\frac{3}{4}$입니다.

2 • 25의 $\frac{1}{5}$은 $25 \div 5 = 5$ → 25의 $\frac{2}{5}$는 $5 \times 2 = 10$

• 48의 $\frac{1}{8}$은 $48 \div 8 = 6$

⇨ $10 > 6$

> **다른 풀이**
>
> • 25의 $\frac{2}{5}$ → $25 \div 5 \times 2 = 5 \times 2 = 10$
>
> • 48의 $\frac{1}{8}$ → $48 \div 8 = 6$
>
> ⇨ $10 > 6$

3 ㉠ 20의 $\frac{1}{4}$은 $20 \div 4 = 5$

㉡ 30의 $\frac{1}{5}$은 $30 \div 5 = 6$ → 30의 $\frac{3}{5}$은 $6 \times 3 = 18$

㉢ 18의 $\frac{1}{9}$은 $18 \div 9 = 2$ → 18의 $\frac{4}{9}$는 $2 \times 4 = 8$

㉣ 42의 $\frac{1}{3}$은 $42 \div 3 = 14$

⇨ $5 + 18 + 8 + 14 = 45$

4 • ㉠의 $\frac{1}{4}$은 6 → $6 \times 4 =$ ㉠, ㉠$= 24$

• 20의 $\frac{2}{5}$는 ㉡ → 20의 $\frac{1}{5}$은 $20 \div 5 = 4$

→ 20의 $\frac{2}{5}$는 $4 \times 2 = 8$

⇨ ㉠+㉡$= 24 + 8 = 32$

5 10의 $\frac{1}{5}$은 $10 \div 5 = 2$ → 10의 $\frac{3}{5}$은 $2 \times 3 = 6$

⇨ 바구니에 있는 귤의 $\frac{3}{5}$은 6개입니다.

6 (철사 길이)의 $\frac{1}{3}$은 6

→ (철사 길이)$= 6 \times 3 = 18$ (m)

⇨ 18의 $\frac{1}{9}$은 $18 \div 9 = 2$ (m)

→ 18의 $\frac{2}{9}$는 $2 \times 2 = 4$ (m)

⇨ 철사의 $\frac{2}{9}$는 4 m입니다.

STEP 1 Start 개념 77쪽

1 (수직선: 0, $\frac{2}{6}$, $\frac{5}{6}$, 1)

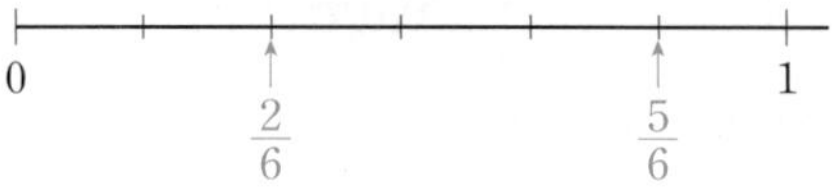

2 $\frac{1}{3}$, $\frac{2}{3}$	3 2
4 $\frac{12}{12}$	5 $\frac{8}{5}$
6 6개	

2 진분수는 (분자)<(분모)

⇨ 분모가 3인 진분수를 모두 쓰면 $\frac{1}{3}$, $\frac{2}{3}$입니다.

3 $3\frac{\square}{7}$ ⟨ $3(=\frac{21}{7})$ → $\frac{1}{7}$이 21개 / $\frac{\square}{7}$ → $\frac{1}{7}$이 □개 ⟩ $\frac{1}{7}$이 (21+□)개

⇨ $21 + \square = 23$, $\square = 2$

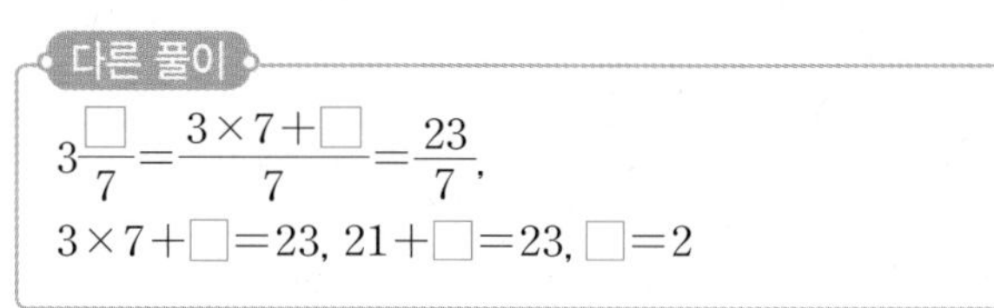

다른 풀이

$3\frac{\square}{7} = \frac{3 \times 7 + \square}{7} = \frac{23}{7}$,

$3 \times 7 + \square = 23$, $21 + \square = 23$, $\square = 2$

4 가분수는 (분자)=(분모) 또는 (분자)>(분모)

⇨ 분모가 12인 가분수는 $\frac{12}{12}$, $\frac{13}{12}$, $\frac{14}{12}$……

⇨ 이 중 가장 작은 수는 $\frac{12}{12}$입니다.

5 • 분모가 5인 가분수 → $\frac{\square}{5}$

• 분모와 분자의 차는 3 → $\square - 5 = 3$, $\square = 8$

⇨ $\frac{8}{5}$

6 $1\frac{1}{4}$, $1\frac{2}{4}$, $1\frac{3}{4}$, $2\frac{1}{4}$, $2\frac{2}{4}$, $2\frac{3}{4}$

⇨ 6개

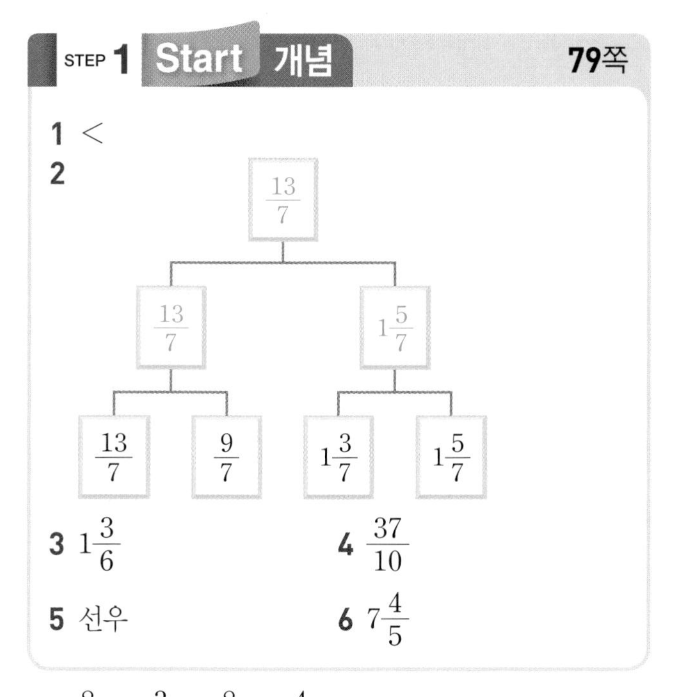

STEP 1 Start 개념 79쪽

1 $<$

2

3 $1\frac{3}{6}$

4 $\frac{37}{10}$

5 선우

6 $7\frac{4}{5}$

1 $\frac{8}{5}=1\frac{3}{5}$ ⇨ $\frac{8}{5}<1\frac{4}{5}$

다른 풀이

$1\frac{4}{5}=\frac{9}{5}$ ⇨ $\frac{8}{5}<1\frac{4}{5}$

2 • $\frac{13}{7}>\frac{9}{7}$ ⇨ $\frac{13}{7}$

• $1\frac{3}{7}<1\frac{5}{7}$ ⇨ $1\frac{5}{7}$

• $\frac{13}{7}=1\frac{6}{7}$이므로 $1\frac{6}{7}>1\frac{5}{7}$ ⇨ $\frac{13}{7}$

3 $1\frac{2}{6}=\frac{8}{6}$이므로 $\frac{8}{6}$보다 크고 $\frac{10}{6}$보다 작은 분수를 찾습니다.

$1\frac{3}{6}=\frac{9}{6}$, $1\frac{1}{6}=\frac{7}{6}$이므로 $1\frac{3}{6}$입니다.

4 $\frac{37}{10}=3\frac{7}{10}$

⇨ $\frac{37}{10}(=3\frac{7}{10})>3\frac{3}{10}>3\frac{1}{10}$

5 $2=\frac{16}{8}$이므로 $2(=\frac{16}{8})<\frac{17}{8}<\frac{18}{8}$입니다.

⇨ 가장 짧은 끈을 가진 사람은 선우입니다.

6 가장 큰 대분수를 만들려면 자연수에 가장 큰 수가 와야 합니다.

→ $7\frac{\square}{5}$: 가장 큰 대분수가 되려면 □에는 4가 와야 합니다. ⇨ $7\frac{4}{5}$

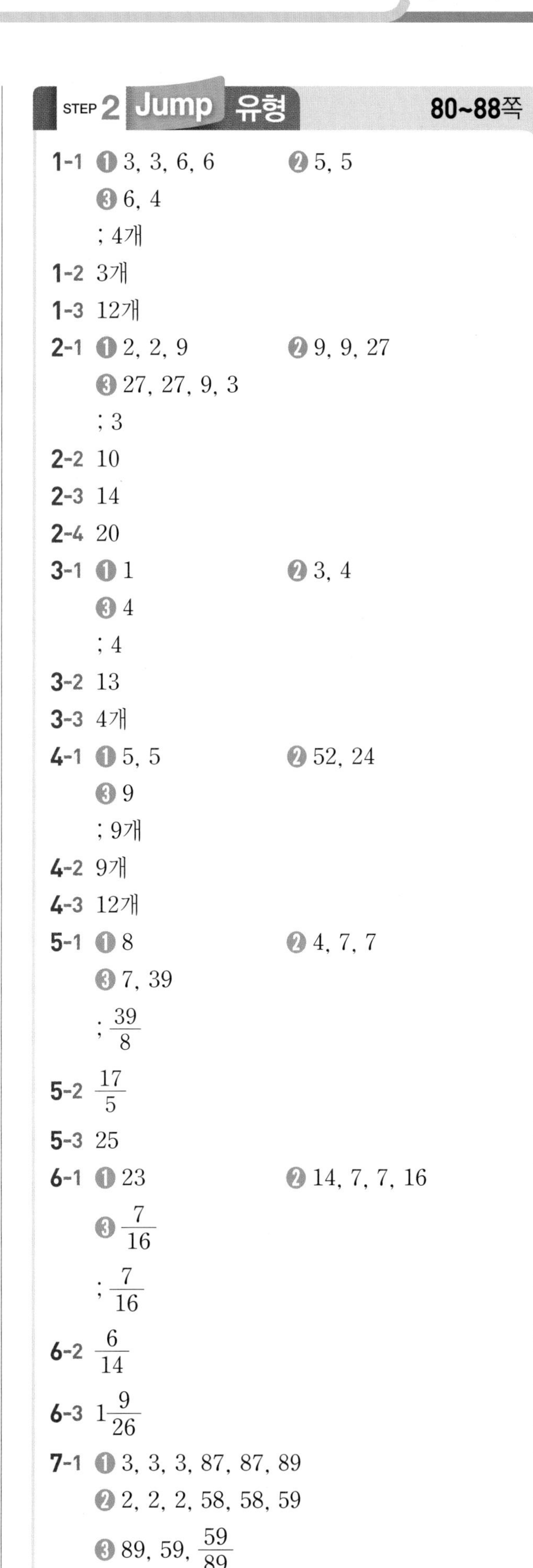

STEP 2 Jump 유형 80~88쪽

1-1 ❶ 3, 3, 6, 6 ❷ 5, 5
❸ 6, 4
; 4개

1-2 3개

1-3 12개

2-1 ❶ 2, 2, 9 ❷ 9, 9, 27
❸ 27, 27, 9, 3
; 3

2-2 10

2-3 14

2-4 20

3-1 ❶ 1 ❷ 3, 4
❸ 4
; 4

3-2 13

3-3 4개

4-1 ❶ 5, 5 ❷ 52, 24
❸ 9
; 9개

4-2 9개

4-3 12개

5-1 ❶ 8 ❷ 4, 7, 7
❸ 7, 39
; $\frac{39}{8}$

5-2 $\frac{17}{5}$

5-3 25

6-1 ❶ 23 ❷ 14, 7, 7, 16
❸ $\frac{7}{16}$
; $\frac{7}{16}$

6-2 $\frac{6}{14}$

6-3 $1\frac{9}{26}$

7-1 ❶ 3, 3, 3, 87, 87, 89
❷ 2, 2, 2, 58, 58, 59
❸ 89, 59, $\frac{59}{89}$
; $\frac{59}{89}$

4 단원

7-2 $\frac{10}{83}$

7-3 $19\frac{10}{13}$

8-1 ❶ 3, 3, 24, 24 ❷ 24, 2, 2
; 2명

8-2 12 cm

9-1 ❶ 8, 8, 24 ❷ 24, 24, 6, 24, 6, 18
; 18 m

9-2 8 m

9-3 144 m

1-2 10의 $\frac{1}{2}$은 $10\div2=5$
→ (현수에게 준 구슬 수)$=5$개
10의 $\frac{1}{5}$은 $10\div5=2$
→ (정호에게 준 구슬 수)$=2$개
⇨ (남은 구슬 수)$=10-5-2=3$(개)

1-3 27의 $\frac{1}{3}$은 $27\div3=9$
→ (언니에게 준 귤의 수)$=9$개
(남은 귤의 수)$=27-9=18$(개),
18의 $\frac{1}{3}$은 $18\div3=6$이므로
(동생에게 준 귤의 수)$=6$개
⇨ (언니와 동생에게 주고 남은 귤의 수)
$=18-6=12$(개)

문제해결 Key
① 언니에게 주고 남은 귤의 수를 구합니다.
② 동생에게 준 귤의 수를 구합니다.
③ 전체 귤에서 언니와 동생에게 주고 남은 귤의 수를 구합니다.

2-2 $\frac{4}{5}$는 $\frac{1}{5}$이 4개이므로 어떤 수의 $\frac{1}{5}$은 $16\div4=4$
→ (어떤 수)$=4\times5=20$
⇨ 20의 $\frac{1}{2}$은 $20\div2=10$

2-3 $\frac{3}{7}$은 $\frac{1}{7}$이 3개이므로 어떤 수의 $\frac{1}{7}$은 $9\div3=3$
→ (어떤 수)$=3\times7=21$
⇨ 21의 $\frac{1}{3}$은 $21\div3=7$, 21의 $\frac{2}{3}$는 $7\times2=14$

2-4 $\frac{3}{4}$은 $\frac{1}{4}$이 3개이므로 □의 $\frac{1}{4}$은 $24\div3=8$입니다.
→ □$=8\times4=32$
⇨ 32의 $\frac{1}{8}$은 $32\div8=4$, 32의 $\frac{5}{8}$는 $4\times5=20$

문제해결 Key
① □를 구합니다.
② ㉠을 구합니다.

3-2 $\frac{73}{6}=12\frac{1}{6}$
$□\frac{1}{6}>12\frac{1}{6}$이므로 □ 안에 13, 14, 15……가 들어갈 수 있습니다.
⇨ □ 안에 들어갈 수 있는 자연수 중에서 가장 작은 수는 13입니다.

3-3 $3\frac{6}{7}=\frac{27}{7}$, $4\frac{4}{7}=\frac{32}{7}$
$\frac{27}{7}<\frac{□}{7}<\frac{32}{7}$이므로 □ 안에 들어갈 수 있는 자연수는 28, 29, 30, 31입니다.
⇨ □ 안에 들어갈 수 있는 자연수는 모두 4개입니다.

문제해결 Key
① $3\frac{6}{7}$과 $4\frac{4}{7}$를 각각 가분수로 고칩니다.
② □ 안에 들어갈 수 있는 자연수를 모두 구합니다.
③ ②의 개수를 구합니다.

4-2 가분수는 (분자)=(분모)이거나 (분자)>(분모)입니다.
- 수 카드를 2장 사용
  - 분모가 3인 경우: $\frac{5}{3}$, $\frac{8}{3}$
  - 분모가 5인 경우: $\frac{8}{5}$
- 수 카드를 3장 사용
  - 분모가 3인 경우: $\frac{58}{3}$, $\frac{85}{3}$
  - 분모가 5인 경우: $\frac{38}{5}$, $\frac{83}{5}$
  - 분모가 8인 경우: $\frac{35}{8}$, $\frac{53}{8}$

⇨ 가분수는 모두 9개입니다.

4-3 자연수가 2, 5, 7, 9인 대분수를 차례로 쓰면

$2\frac{5}{7}$, $2\frac{5}{9}$, $2\frac{7}{9}$, $5\frac{2}{7}$, $5\frac{2}{9}$, $5\frac{7}{9}$, $7\frac{2}{5}$, $7\frac{2}{9}$, $7\frac{5}{9}$,

$9\frac{2}{5}$, $9\frac{2}{7}$, $9\frac{5}{7}$입니다. ⇨ 12개

문제해결 Key
① 자연수가 2, 5, 7, 9인 대분수를 차례로 씁니다.
② ①에서 대분수의 개수를 구합니다.

5-2 분모가 5인 가분수의 분자를 □라 하면 가분수는

$\frac{\square}{5}$입니다.

$\frac{\square}{5}$ → □÷5=3 ⋯ 2 → $3\frac{2}{5}$

⇨ $3\frac{2}{5}=\frac{17}{5}$

5-3 가분수의 분모를 □라 하면

$\frac{19}{\square}$ → 19÷□=3 ⋯ 1

→ □×3+1=19, □×3=18, □=6

⇨ 어떤 가분수는 $\frac{19}{6}$이므로 분모와 분자의 합은

6+19=25입니다.

문제해결 Key
① 가분수의 분모를 구합니다.
② 가분수의 분모와 분자의 합을 구합니다.

6-2 분모: ├─분자─┼───8───┤
분자: ├─────┤

(분모)+(분자)=20 → (분자)+8+(분자)=20,
(분자)+(분자)+8=20, (분자)+(분자)=12,
(분자)=6,
(분모)=6+8=14

⇨ 진분수는 $\frac{6}{14}$입니다.

다른 풀이
(분모)+(분자)=20인 표를 만들어 (분모)−(분자)=8 인 경우를 찾습니다.

분모	11	12	13	14	15	16
분자	9	8	7	6	5	4
차	2	4	6	8	10	12

⇨ $\frac{6}{14}$

6-3 분모: ├─────┤
분자: ├──분모──┼─9─┤

(분모)+(분자)=61 → (분모)+(분모)+9=61,
(분모)+(분모)=52, (분모)=26,
(분자)=26+9=35

→ 가분수는 $\frac{35}{26}$입니다. ⇨ $\frac{35}{26}=1\frac{9}{26}$

문제해결 Key
① (분자)=(분모)+9임을 이용하여 분모를 구합니다.
② 분자를 구합니다.
③ 가분수를 구합니다.
④ 가분수를 대분수로 나타냅니다.

다른 풀이
(분모)+(분자)=61인 표를 만들어 (분자)−(분모)=9 인 경우를 찾습니다.

분모	30	29	28	27	26
분자	31	32	33	34	35
차	1	3	5	7	9

→ 가분수는 $\frac{35}{26}$입니다.

⇨ $\frac{35}{26}=1\frac{9}{26}$

7-2 • 분모는 3부터 2씩 커지는 규칙입니다.
41번째에 놓을 분모는 3부터 2씩 40번 커진 수:
2×40=80, 3+80=83

• 분자는 50부터 1씩 작아지는 규칙입니다.
41번째에 놓을 분자는 50부터 1씩 40번 작아진 수:
50−40=10
분모: 83, 분자: 10

⇨ (분수)=$\frac{10}{83}$

7-3 $1\frac{4}{13}=\frac{17}{13}$, $2\frac{1}{13}=\frac{27}{13}$이므로 분모는 모두 13으로 같고 분자는 12부터 5씩 커집니다.
홀수 번째는 진분수 또는 가분수, 짝수 번째는 대분수가 나오는 규칙입니다.
12부터 5씩 49번 커진 수:
5×49=245, 12+245=257

→ (분수)=$\frac{257}{13}$

50번째는 짝수 번째이므로 대분수

⇨ $\frac{257}{13}=19\frac{10}{13}$

4 단원

문제해결 Key
① 분수의 규칙을 알아봅니다.
② 50번째에 놓을 분수를 구합니다.
③ ②를 대분수로 나타냅니다.

8-2 (태극기의 가로)=36 cm → 36의 $\frac{2}{3}$는 세로

36의 $\frac{1}{3}$은 36÷3=12 (cm)

→ (세로)=12×2=24 (cm)

⇨ 태극 문양의 지름은 세로의 $\frac{1}{2}$이므로

(태극 문양의 지름)=24÷2=12 (cm)

문제해결 Key
① 태극기의 세로를 구합니다.
② 태극 문양의 지름을 구합니다.

9-2 (첫 번째로 튀어 오른 공의 높이)=50 m의 $\frac{2}{5}$

50의 $\frac{1}{5}$은 50÷5=10 (m)

→ 50의 $\frac{2}{5}$는 10×2=20 (m)

(두 번째로 튀어 오른 공의 높이)=20 m의 $\frac{2}{5}$

20의 $\frac{1}{5}$은 20÷5=4 (m)

→ 20의 $\frac{2}{5}$는 4×2=8 (m)

9-3 49의 $\frac{1}{7}$은 49÷7=7 (m)

→ 49의 $\frac{5}{7}$는 7×5=35 (m)

35의 $\frac{1}{7}$은 35÷7=5 (m)

→ 35의 $\frac{5}{7}$는 5×5=25 (m)

⇨ (공이 움직인 거리)
=(처음 높이)+{(첫 번째로 튀어 오른 공의 높이)×2}+(두 번째로 튀어 오른 공의 높이) ← 35×2=70 (m)
=49+70+25=144 (m)

문제해결 Key
① 첫 번째로 튀어 오른 공의 높이를 구합니다.
② 두 번째로 튀어 오른 공의 높이를 구합니다.
③ 공이 움직인 거리를 구합니다.

STEP 3 Master 심화 89~93쪽

01 16개	**02** $\frac{47}{9}$ kg
03 15개	**04** 8개
05 171	**06** $\frac{34}{7}$
07 4개	**08** 9개
09 11	**10** 2700원
11 $9\frac{1}{2}$	**12** $\frac{17}{6}$
13 13개	**14** $10\frac{2}{5}$
15 200개	

01 $1=\frac{23}{23}$, $1\frac{17}{23}=\frac{40}{23}$

분모가 같은 가분수는 분자가 클수록 크므로
23<□<40입니다.

⇨ □ 안에 들어갈 수 있는 수는 24부터 39까지의 수: 39−24+1=16(개)
(+1: 24도 포함되므로 1을 더해줍니다.)

문제해결 Key
① 1, $1\frac{17}{23}$을 각각 가분수로 고칩니다.
② □ 안에 들어갈 수 있는 자연수의 범위를 알아봅니다.
③ □ 안에 들어갈 수 있는 자연수의 개수를 구합니다.

02 $\frac{47}{9}=5\frac{2}{9}$

$5\frac{3}{9}>5\frac{2}{9}>4\frac{8}{9}$ ⇨ $\frac{47}{9}$ kg

참고
대분수와 가분수의 크기 비교
모두 대분수로 바꾸거나
모두 가분수로 바꾸어
크기를 비교합니다.

문제해결 Key
① $\frac{47}{9}$을 대분수로 나타냅니다.
② 세 분수의 크기 비교를 합니다.

다른 풀이
$4\frac{8}{9}=\frac{44}{9}$, $5\frac{3}{9}=\frac{48}{9}$

$\frac{48}{9}>\frac{47}{9}>\frac{44}{9}$ ⇨ $\frac{47}{9}$ kg

03 분모가 15인 분수 중에서 2보다 작은 가분수는 $\frac{15}{15}$, $\frac{16}{15}$, $\frac{17}{15}$……$\frac{28}{15}$, $\frac{29}{15}$입니다.

(※ $\frac{30}{15}=2$)

⇨ $29-15+1=15$(개)

문제해결 Key
① 분모가 15인 가분수를 알아봅니다.
② ①에서 2보다 작은 가분수를 알아봅니다.
③ ②에서 조건을 만족하는 가분수의 개수를 구합니다.

04 봉지에 넣은 귤의 수: 36의 $\frac{1}{3}$은 $36\div3=12$(개)

먹은 귤의 수: 12의 $\frac{1}{3}$은 $12\div3=4$(개)

⇨ 12의 $\frac{2}{3}$는 $4\times2=8$(개)

문제해결 Key
① 고대 이집트인들의 분수를 알아봅니다.
② 봉지에 넣은 귤의 수를 구합니다.
③ 먹은 귤의 수를 구합니다.

05 어떤 수의 $\frac{5}{9}$가 40

→ 어떤 수의 $\frac{1}{9}$은 $40\div5=8$

→ (어떤 수)$=8\times9=72$

$2\frac{3}{8}=\frac{19}{8}$이므로 어떤 수의 $2\frac{3}{8}$은 72의 $\frac{19}{8}$

72의 $\frac{1}{8}$은 $72\div8=9$ ⇨ 72의 $\frac{19}{8}$는 $9\times19=171$

문제해결 Key
① 어떤 수의 $\frac{1}{9}$을 구합니다.
② 어떤 수를 구합니다.
③ 어떤 수의 $2\frac{3}{8}$을 구합니다.

06 분모가 7인 가분수의 분자를 □라 하면 가분수는

$\frac{□}{7}$입니다.

$\frac{□}{7}$ → $□\div7=4$ … (나머지)

(※ 나머지가 6일 때 □가 가장 큽니다.)

$\frac{□}{7}$ → $□\div7=4$ … 6 ⇨ $4\frac{6}{7}=\frac{34}{7}$

참고
$□\div▲=♥$ … ★일 때 ▲ > ★입니다.

문제해결 Key
① 가분수 $\frac{□}{7}$에서 □가 가장 클 때의 나머지를 구합니다.
② □를 구하여 가장 큰 수를 구합니다.

07 (대분수)=(자연수)+(진분수)

→ 분모와 분자의 합이 9인 진분수를 찾으면 $\frac{1}{8}$, $\frac{2}{7}$, $\frac{3}{6}$, $\frac{4}{5}$입니다.

⇨ $7\frac{1}{8}$, $7\frac{2}{7}$, $7\frac{3}{6}$, $7\frac{4}{5}$로 모두 4개입니다.

문제해결 Key
① 분모와 분자의 합이 9인 진분수를 구합니다.
② ①을 만족하는 대분수의 개수를 구합니다.

08 3보다 작아야 하므로 자연수 부분은 2만 사용할 수 있습니다. 나머지 수 카드로 진분수 부분을 만들면

$2\frac{5}{7}$, $2\frac{5}{8}$, $2\frac{7}{8}$, $2\frac{5}{78}$, $2\frac{5}{87}$, $2\frac{7}{58}$, $2\frac{7}{85}$, $2\frac{8}{57}$, $2\frac{8}{75}$ ⇨ 9개

문제해결 Key
① 자연수 부분에 2를 놓습니다.
② 만들 수 있는 대분수의 개수를 구합니다.

09 $4\frac{2}{□}=\frac{4\times□+2}{□}$,

$\frac{4\times□+2}{□}=\frac{46}{□}$에서 분모가 같으므로 분자를 비교

⇨ $4\times□+2=46$, $4\times□=44$, $□=11$

문제해결 Key
① $4\frac{2}{□}$를 가분수로 나타냅니다.
② □ 안에 알맞은 수를 구합니다.

4 단원

10 900의 $\frac{1}{3}$은 300이고, 900의 $\frac{2}{3}$는 $300\times2=600$

→ (학생 입장료)$=600$원

(학생 3명 입장료)$=600\times3=1800$(원),

(어른 1명 입장료)$=900$원

⇨ 입장료는 모두 $1800+900=2700$(원)입니다.

> **문제해결 Key**
> ① 900의 $\frac{1}{3}$을 알아봅니다.
> ② 초등학생 3명의 입장료를 구합니다.
> ③ 입장료는 모두 얼마인지 구합니다.

11 자연수 ㉠을 가장 크게 만들고 $\frac{㉢}{㉡}$은 진분수이어야 하므로 ㉠$=9$, $\frac{㉢}{㉡}=\frac{1}{2}$입니다. ⇨ $9\frac{1}{2}$

12 두 수의 합이 17이 되는 경우는 (1, 16), (2, 15), (3, 14), (4, 13), (5, 12), (6, 11), (7, 10), (8, 9)이고 이 중 차가 5인 경우는 (6, 11) ⇨ ㉠$=\frac{11}{6}$

㉡을 $\frac{\square}{6}$라고 하면 $\frac{11}{6}<\frac{\square}{6}<3$ → $\frac{11}{6}<\frac{\square}{6}<\frac{18}{6}$

→ $\square=12, 13, 14, 15, 16, 17$입니다.

⇨ 가장 큰 가분수: $\frac{17}{6}$

> **문제해결 Key**
> ① 분모와 분자의 합이 17이 되는 경우 중 차가 5인 가분수를 구합니다.
> ② ①보다 크고 3보다 작은 가분수를 모두 구합니다.
> ③ ②에서 가장 큰 가분수를 구합니다.

13 진분수: $\frac{1}{37}$, $\frac{1}{73}$, $\frac{3}{17}$, $\frac{3}{71}$, $\frac{7}{13}$, $\frac{7}{31}$ → 6개

가분수: $\frac{17}{3}$, $\frac{71}{3}$, $\frac{13}{7}$, $\frac{31}{7}$ → 4개

대분수: $1\frac{3}{7}$, $3\frac{1}{7}$, $7\frac{1}{3}$ → 3개

⇨ $6+4+3=13$(개)

> **문제해결 Key**
> ① 만들 수 있는 진분수, 가분수, 대분수를 각각 구합니다.
> ② ①의 개수를 구합니다.

14 $\underbrace{\frac{1}{5}, \frac{2}{5}, \frac{3}{5}, \frac{4}{5}}_{4개}$, $\underbrace{1\frac{1}{5}, 1\frac{2}{5}, 1\frac{3}{5}, 1\frac{4}{5}}_{4개}$,

$\underbrace{2\frac{1}{5}, 2\frac{2}{5}, 2\frac{3}{5}, 2\frac{4}{5}}_{4개}$……

4개씩 묶어서 42번째에 놓일 분수를 찾습니다.

$42\div4=10\cdots2$이므로 40번째 분수는 $9\frac{4}{5}$,

41번째 분수는 $10\frac{1}{5}$, 42번째 분수는 $10\frac{2}{5}$입니다.

> **문제해결 Key**
> ① 4개씩 묶어서 40번째에 놓일 분수를 찾습니다.
> ② 42번째에 놓일 분수를 찾습니다.

15 어느 제과점에서 오전에 만든 과자의 $\frac{3}{4}$만큼을 오전에 팔았습니다./오후에는 오후에 만든 과자 100개와 오전에 팔고 남은 과자를 모두 팔았습니다. 오전에 판 과자의 수와 오후에 판 과자의 수가 같았다면 오전에 만든 과자는 몇 개입니까?

(오전에 만든 과자)의 $\frac{3}{4}$=(오전에 판 과자)

(오후에 판 과자)=100개+(오전에 남은 과자)

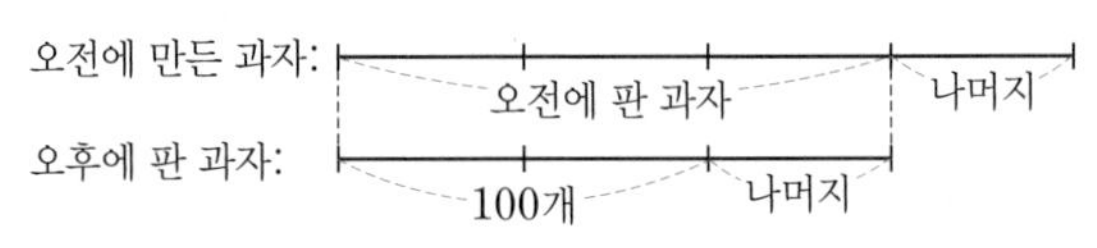

⇨ 오전에 만든 과자는 $100+100=200$(개)입니다.

> **문제해결 Key**
> ① 오전에 만든 과자와 오후에 판 과자를 수직선으로 나타냅니다.
> ② 수직선에서 눈금 두 칸이 100개임을 이해합니다.
> ③ 오전에 만든 과자의 수를 구합니다.

STEP 4 Top 최고수준 94~95쪽

01 $\frac{1}{16}$ **02** 30, 37, 44, 51, 58

03 $\frac{1}{72}$, $\frac{8}{9}$ **04** 33 cm

05 33개 **06** 10개

01

B5	B5	B5	B5
B5	B5	B5	B5
B5	B5	B5	B5
B5	B5	B5	B5
B1			

⇨ $\frac{1}{16}$

02 다음 **조건**을 모두 만족할 때, ㉡에 들어갈 수 있는 수를 모두 쓰시오. (단, ㉠, ㉡은 모두 자연수입니다.)

조건
- ㉠$\frac{2}{7}=\frac{㉡}{7}$
- ㉠은 3보다 크고 9보다 작은 자연수입니다. → ㉠=4, 5, 6, 7, 8

㉠은 3보다 크고 9보다 작은 자연수이므로 4, 5, 6, 7, 8입니다.

㉠=4일 때 $4\frac{2}{7}=\frac{30}{7}$ → ㉡=30,

㉠=5일 때 $5\frac{2}{7}=\frac{37}{7}$ → ㉡=37,

㉠=6일 때 $6\frac{2}{7}=\frac{44}{7}$ → ㉡=44,

㉠=7일 때 $7\frac{2}{7}=\frac{51}{7}$ → ㉡=51,

㉠=8일 때 $8\frac{2}{7}=\frac{58}{7}$ → ㉡=58

⇨ ㉡에 들어갈 수 있는 수를 모두 쓰면 30, 37, 44, 51, 58입니다.

03 가장 작은 분수가 되려면 분모는 크게, 분자는 작게 만듭니다.

분모: $9\times8=72$, 분자: $9-8=1$ ⇨ $\frac{9-8}{9\times8}=\frac{1}{72}$

가장 큰 분수가 되려면 분모는 작게, 분자는 크게 만듭니다.

분자: $9-1=8$, 분모: $9\times1=9$ ⇨ $\frac{9-1}{9\times1}=\frac{8}{9}$

04

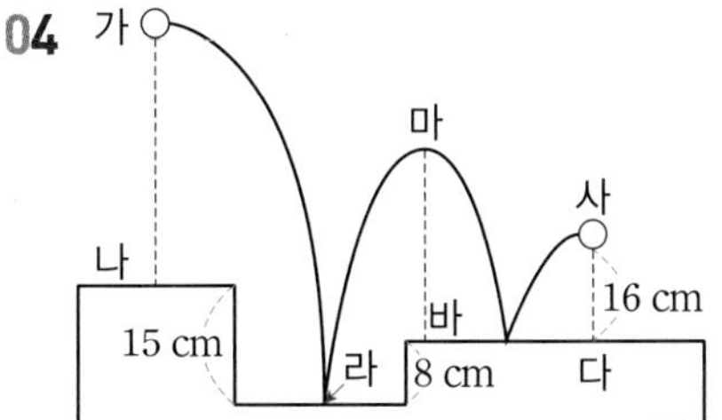

(두 번째로 튀어 오른 공의 높이)

=(다~사)=16 cm=(마~바)의 $\frac{2}{3}$

→ (마~바)의 $\frac{1}{3}=16\div2=8$ (cm)

→ (마~바)$=8\times3=24$ (cm)

(첫 번째로 튀어 오른 공의 높이)

$=24+8=32$ (cm)

{(가~나)+15}의 $\frac{2}{3}$는 32

→ {(가~나)+15}의 $\frac{1}{3}$은 $32\div2=16$ (cm)

(가~나)+15는 $16\times3=48$ (cm)

⇨ (가~나)$=48-15=33$ (cm)

문제해결 Key
① (마~바)의 거리를 구합니다.
② 첫 번째로 튀어 오른 공의 높이를 구합니다.
③ (가~나)의 거리를 구합니다.

05 • 분자가 한 자리 수인 경우

$\frac{1}{3}$, $\frac{1}{5}$, $\frac{3}{5}$, $\frac{5}{13}$, $\frac{5}{31}$, $\frac{3}{15}$, $\frac{3}{51}$, $\frac{1}{35}$, $\frac{1}{53}$,

$\frac{3}{10}$, $\frac{5}{10}$, $\frac{1}{30}$, $\frac{5}{30}$, $\frac{1}{50}$, $\frac{3}{50}$,

$\frac{5}{103}$, $\frac{5}{130}$, $\frac{5}{301}$, $\frac{5}{310}$, $\frac{3}{105}$, $\frac{3}{150}$, $\frac{3}{501}$,

$\frac{3}{510}$, $\frac{1}{305}$, $\frac{1}{350}$, $\frac{1}{503}$, $\frac{1}{530}$ → 27개

• 분자가 두 자리 수인 경우

$\frac{10}{35}$, $\frac{10}{53}$, $\frac{13}{50}$, $\frac{15}{30}$, $\frac{30}{51}$, $\frac{31}{50}$ → 6개

⇨ 모두 $27+6=33$(개)를 만들 수 있습니다.

06 효민이와 은정이가 처음에 가지고 있던 구슬 수를 각각 □개라 하면

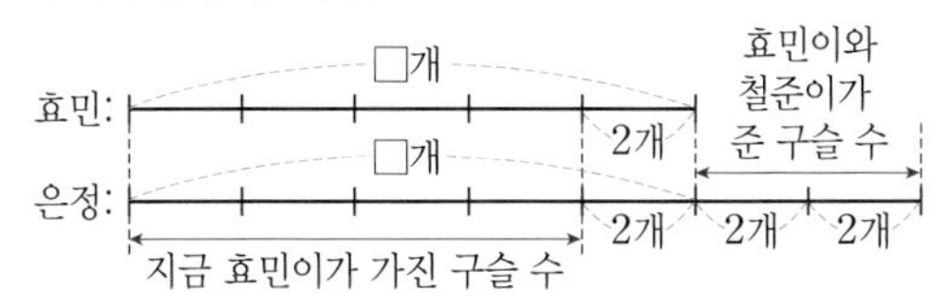

은정이가 지금 가지고 있는 구슬 수의 $\frac{3}{7}$이 $2+2+2=6$(개) → $\frac{1}{7}$은 2개이고,

(은정이가 지금 가지고 있는 구슬 수)

$=2\times7=14$(개)

⇨ (은정이가 처음에 가지고 있던 구슬 수)

$=14-2-2=10$(개)

문제해결 Key
① 수직선을 그려 은정이가 지금 가지고 있는 구슬 수의 $\frac{1}{7}$이 2개임을 이해합니다.
② 은정이가 지금 가지고 있는 구슬 수를 구합니다.
③ 은정이가 처음에 가지고 있던 구슬 수를 구합니다.

5 들이와 무게

STEP 1 Start 개념 99쪽

1 5, 200
2 ㉡, ㉠, ㉢
3 약 2 L
4 6, 9
5 2 L 600 mL
6 6 L 200 mL

1
```
   7 L  800 mL
 - 2 L  600 mL
 -------------
   5 L  200 mL
```

2 3 L 78 mL < 3 L 320 mL < 4 L (3<4, 78<320)

3 1 L들이 비커의 반은 약 500 mL입니다.
500 mL씩 4개이므로 약 2 L입니다.

4 6800 mL=6 L 800 mL
6 L 800 mL<㉠ L ㉡00 mL<7 L이므로
㉠=6, ㉡=9입니다.

5 (사용한 기름의 양)
=6 L 300 mL−3 L 700 mL
=5 L 1300 mL−3 L 700 mL
=2 L 600 mL

6 1500 mL=1 L 500 mL
(수조에 들어 있는 물의 양)
=4 L 700 mL+1 L 500 mL
=5 L 1200 mL
=6 L 200 mL

STEP 1 Start 개념 101쪽

1 2 kg
2 ㉢
3 7 kg 900 g, 1 kg 300 g
4 예 6 kg=6000 g이고 6000 g < 8000 g이니까 8000 g이 더 무거워.
5 3 kg 100 g
6 5 kg 120 g

2 ㉡ 5 t=5000 kg
5 kg 99 g < 5 kg 400 g < 5000 kg
⇨ ㉢<㉠<㉡

3 4600 g=4 kg 600 g

합:
```
   3 kg  300 g
 + 4 kg  600 g
 -------------
   7 kg  900 g
```
차:
```
   4 kg  600 g
 - 3 kg  300 g
 -------------
   1 kg  300 g
```

5 (고양이의 무게)=2 kg 500 g+600 g
=2 kg 1100 g
=3 kg 100 g

6 1080 g=1 kg 80 g
(윤재가 딴 사과의 무게)=6 kg 200 g−1 kg 80 g
=5 kg 120 g

STEP 2 Jump 유형 102~110쪽

1-1 ❶ 1, 700 ❷ 700, 3, 800
; 3 L 800 mL
1-2 2 L 900 mL
1-3 870 mL
2-1 ❶ 3, 600 ❷ 3, 600, 7, 800
; 7 kg 800 g
2-2 11 kg 100 g
2-3 37 kg 700 g
3-1 ❶ 2, 600 ❷ 200, 600, 3
; 3번
3-2 4번
3-3 2번
4-1 ❶ 6, 8 ❷ 4, 4, 2400, 2, 400
; 2 kg 400 g
4-2 1 kg 500 g
4-3 60 g
5-1 ❶ 400, 600 ❷ 600, 300
; 300 mL
5-2 500 mL
5-3 600 mL

6-1 ❶ 300 ❷ 700, 400, 300

6-2 예 600 mL들이 그릇에 물을 가득 채운 후 그것을 500 mL들이 그릇에 가득 차게 담아 덜어 내면 600 mL들이 그릇에 100 mL의 물이 남습니다.

6-3 예 700 mL들이 그릇에 물을 가득 채운 후 그것을 200 mL들이 그릇에 가득 차게 담아 2번 덜어 내면 700 mL들이 그릇에 300 mL의 물이 남습니다.

7-1 ❶ 100, 500 ❷ 500, 4500, 4, 500
; 4 L 500 mL

7-2 4 L 200 mL

7-3 30초

8-1 ❶ 540, 2, 340 ❷ 1, 260
❸ 2, 340, 1, 260, 1, 80
; 약 1 L 80 mL

8-2 약 10 kg 100 g

9-1 ❶ 500 ❷ 600, 400
❸ 400, 공, 300, 가위
; 가위

9-2 사과

9-3 6가지

1-2 (더 담고 나서 병에 들어 있는 우유의 양)
=1 L 800 mL+1 L 500 mL=3 L 300 mL
(지금 병에 들어 있는 우유의 양)
=3 L 300 mL−400 mL=2 L 900 mL

1-3 (어머니가 마신 포도 주스의 양)
=450 mL+230 mL=680 mL
(남은 포도 주스의 양)
=2 L−450 mL−680 mL
=2000 mL−450 mL−680 mL
=1550 mL−680 mL=870 mL

문제해결 Key
① 들이의 덧셈을 하여 어머니가 마신 포도 주스의 양을 구합니다.
② 들이의 뺄셈을 하여 남은 포도 주스의 양을 구합니다.

2-2 (세호가 캔 고구마의 무게)
=5 kg 400 g+300 g=5 kg 700 g
(누나와 세호가 캔 고구마의 무게)
=5 kg 400 g+5 kg 700 g=11 kg 100 g

2-3 3200 g=3 kg 200 g, 2350 g=2 kg 350 g
(지훈이의 몸무게)
=43 kg 250 g−3 kg 200 g−2 kg 350 g
=40 kg 50 g−2 kg 350 g=37 kg 700 g

문제해결 Key
① g 단위를 kg과 g 단위로 고칩니다.
② 전체 무게에서 강아지와 고양이의 무게를 빼어 지훈이의 몸무게를 구합니다.

3-2 (물통의 들이)=400×3=1200 (mL)
컵 ㉯의 들이는 300 mL이고
300 mL+300 mL+300 mL+300 mL
=1200 mL이므로
이 물통이 가득 차려면 컵 ㉯에 물을 가득 채워 4번 부어야 합니다.

다른 풀이

<컵 ㉮>

부은 횟수	1	2	3
물의 양(mL)	400	800	1200

<컵 ㉯>

부은 횟수	1	2	3	4
물의 양(mL)	300	600	900	1200

⇨ 이 물통이 가득 차려면 컵 ㉯에 물을 가득 채워 4번 부어야 합니다.

3-3 (컵 (나)에 가득 담아 3번 부은 물의 양)
=700×3=2100 (mL) → 2 L 100 mL
(컵 (가)를 사용하여 채워야 하는 물의 양)
=2 L 900 mL−2 L 100 mL=800 mL
⇨ 400 mL+400 mL=800 mL이므로 컵 (가)에 물을 가득 담아 2번 부어야 통에 물이 가득 찹니다.

문제해결 Key
① 그릇 (나)에 가득 담아 3번 부은 물의 양을 구합니다.
② 그릇 (가)를 사용하여 채워야 하는 물의 양을 구합니다.
③ 그릇 (가)에 물을 가득 담아 몇 번 부어야 하는지 구합니다.

4-2  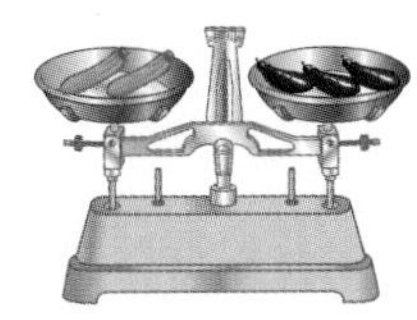

(오이 5개)=(애호박 4개)이고
(애호박 2개)=(가지 3개)
⇨ (오이 5개)=(애호박 4개)=(가지 6개)
오이 1개의 무게가 300 g이고
(오이 5개)=(가지 6개)이므로
(가지 6개)=300 g×5=1500 g
⇨ 가지 6개의 무게는 1 kg 500 g입니다.

4-3 (풀 3개)=(지우개 4개)이고
(지우개 8개)=(수첩 1개)
⇨ (풀 6개)=(지우개 8개)=(수첩 1개)
수첩 1개의 무게가 360 g이고
(풀 6개)=(수첩 1개)이므로
(풀 6개)=360 g
⇨ 풀 1개의 무게는 360 g÷6=60 g입니다.

문제해결 Key
① 풀 6개, 지우개 8개, 수첩 1개의 무게가 같음을 알아봅니다.
② 풀 6개의 무게를 구합니다.
③ 풀 1개의 무게를 구합니다.

5-2 ((가) 수조의 물의 양)−((나) 수조의 물의 양)
=10 L 200 mL−9 L 200 mL
=1 L=1000 mL
두 수조에 담긴 물의 양을 같게 하려면 (가) 수조에서 (나) 수조로 물을 1000÷2=500 (mL) 옮겨야 합니다.

5-3 (선우가 사용하고 남은 물의 양)
=4 L 200 mL−100 mL
=4 L 100 mL
(준수가 가지고 있는 물의 양)
−(선우가 사용하고 남은 물의 양)
=5 L 300 mL−4 L 100 mL
=1 L 200 mL
=1200 mL
두 사람이 가지고 있는 물의 양을 같게 하려면 준수는 선우에게 물을 1200÷2=600 (mL) 주면 됩니다.

문제해결 Key
① 선우가 사용하고 남은 물의 양을 구합니다.
② 준수가 가지고 있는 물의 양과 선우가 사용하고 남은 물의 양의 차를 구합니다.
③ 준수가 선우에게 주어야 할 물의 양을 구합니다.

6-2 600과 500으로 100이 되는 식을 만들어 보면 600−500=100입니다.

6-3 700과 200으로 300이 되는 식을 만들어 보면 700−200−200=300입니다.

문제해결 Key
① 700과 200으로 300을 만들어 봅니다.
② 두 그릇을 사용하여 300 mL의 물을 담는 방법을 설명합니다.

7-2 (양동이에 1초 동안 받은 물의 양)
=650 mL−50 mL
=600 mL
(양동이의 들이)=600 mL×7
=4200 mL=4 L 200 mL

7-3 (물통에 1초 동안 받은 물의 양)
=300 mL−100 mL=200 mL
200 mL×5=1000 mL=1 L이므로 1 L 채우는 데 5초가 걸립니다.
⇨ 6 L들이 물통에 물을 가득 채우는 데 걸리는 시간은 적어도 5×6=30(초)입니다.

문제해결 Key
① 물통에 1초 동안 받은 물의 양을 구합니다.
② 6 L들이 물통에 물을 가득 채우는 데 걸리는 시간은 적어도 몇 초인지 구합니다.

8-2 소고기 한 근은 600 g이므로 3근은
600 g×3=1800 g입니다.
반 근은 300 g이므로
(소고기 3근 반)=1800 g+300 g
=2100 g → 2 kg 100 g
(양파 2관)=약 4 kg×2=8 kg
⇨ 어머니가 산 음식 재료는 모두
약 2 kg 100 g+8 kg=10 kg 100 g입니다.

문제해결 Key

① 소고기 3근 반의 무게를 구합니다.
② 양파 2관의 무게를 구합니다.
③ 서윤이 어머니가 산 음식 재료의 무게의 합을 구합니다.

9-2 • 추 한 개만 사용하여 잴 수 있는 무게:
200 g, 300 g
• 추 2개를 동시에 사용하여 잴 수 있는 무게:
200 g+300 g=500 g, 300 g−200 g=100 g
• 200 g인 상추, 500 g인 배의 무게는 잴 수 있고 400 g인 사과의 무게는 잴 수 없습니다.

9-3 • 추 한 개만 사용하여 잴 수 있는 무게:
100 g, 200 g, 300 g
• 추 2개를 동시에 사용하여 잴 수 있는 무게:
100 g+300 g=400 g, 200 g+300 g=500 g
• 추 3개를 동시에 사용하여 잴 수 있는 무게:
100 g+200 g+300 g=600 g
⇨ 100 g, 200 g, 300 g, 400 g, 500 g, 600 g으로 모두 6가지입니다.

문제해결 Key

① 추 한 개만 사용하여 잴 수 있는 무게를 구합니다.
② 추 2개를 동시에 사용하여 잴 수 있는 무게를 구합니다.
③ 추 3개를 동시에 사용하여 잴 수 있는 무게를 구합니다.
④ 잴 수 있는 무게의 가짓수를 구합니다.

STEP 3 Master 심화 111~115쪽

01 ㉢	**02** 200 mL
03 7, 450	**04** 90 g
05 1 L 300 mL	**06** 94 kg 800 g
07 136 mL	**08** 2 kg 80 g
09 5번	**10** 5개
11 8 L 500 mL	**12** 6000 mL
13 75 L	**14** 토끼 인형
15 3 kg 100 g	

01 ㉢ 1030 g=1 kg 30 g

참고

1 t=1000 kg=1000000 g

02 나누어 주려고 하는 주스는 200×9=1800 (mL)
→ 1 L 800 mL입니다.
⇨ (남는 주스의 양)
=2 L−1 L 800 mL=200 mL

문제해결 Key

① 나누어 주려고 하는 주스의 양을 구합니다.
② 남는 주스의 양을 구합니다.

03

	㉠ L	800 mL
+	5 L	㉡ mL
	13 L	250 mL

→

	㉠ L	800 mL
+	5 L	㉡ mL
	12 L	1250 mL

⇨ ㉠=7, ㉡=450

문제해결 Key

① 800+㉡=1250에서 ㉡을 구합니다.
② ㉠+5=12에서 ㉠을 구합니다.

04

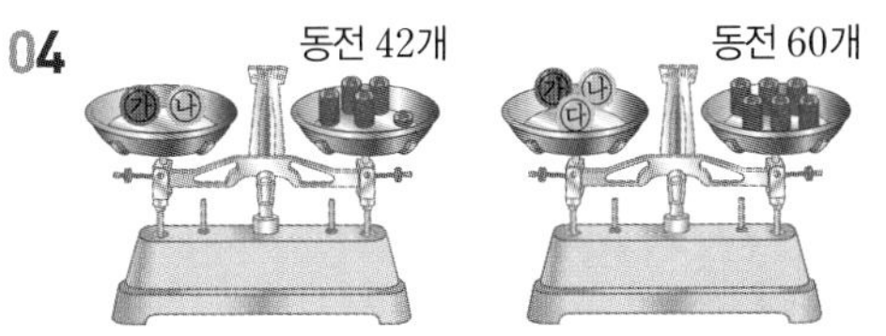

㉮+㉯=(동전 42개)이고, ㉮+㉯+㉰=(동전 60개)이므로 (동전 42개)+㉰=(동전 60개),
㉰=(동전 18개)입니다.
⇨ (㉰의 무게)=5×18=90 (g)

문제해결 Key

① ㉮+㉯와 ㉮+㉯+㉰의 무게를 이용하여 ㉰의 무게를 동전의 개수로 나타냅니다.
② ㉰의 무게를 구합니다.

05 ① 500 mL들이 그릇으로 2번 부었으므로
500+500=1000 (mL) → 1 L입니다.
② 500 mL들이 그릇의 물을 200 mL들이 그릇에 옮겨 담고 남은 물의 양:
500−200=300 (mL)
⇨ (수조에 담은 물의 양)=1 L+300 mL
=1 L 300 mL

5 단원

문제해결 Key
① ①번에 따라 수조에 담은 물의 양을 구합니다.
② ②번에 따라 수조에 담은 물의 양을 구합니다.
③ ①과 ②의 합을 구합니다.

06 은수의 실제 몸무게: 32 kg 400 g

동생:

$$\begin{array}{r} \overset{31}{\cancel{32}}\text{ kg } \overset{1000}{400}\text{ g} \\ -\ 5\text{ kg } 600\text{ g} \\ \hline 26\text{ kg } 800\text{ g} \end{array}$$

형:

$$\begin{array}{r} 32\text{ kg } 400\text{ g} \\ +\ 3\text{ kg } 200\text{ g} \\ \hline 35\text{ kg } 600\text{ g} \end{array}$$

⇨ 26 kg 800 g＋32 kg 400 g＋35 kg 600 g
＝59 kg 200 g＋35 kg 600 g
＝94 kg 800 g

문제해결 Key
① 은수의 실제 몸무게를 구합니다.
② 동생의 몸무게를 구합니다.
③ 형의 몸무게를 구합니다.
④ ①, ②, ③의 합을 구합니다.

07 4초에 240 mL의 물이 나오는 수도:
1초에 나오는 물의 양은 240÷4＝60 (mL)
5초에 380 mL의 물이 나오는 수도:
1초에 나오는 물의 양은 380÷5＝76 (mL)
⇨ 두 수도에서 1초 동안 받을 수 있는 물의 양은 60 mL＋76 mL＝136 mL입니다.

문제해결 Key
① 두 수도에서 1초에 나오는 물의 양을 각각 구합니다.
② 두 수도에서 1초에 나오는 물의 양의 합을 구합니다.

08

< 카레 재료 >
고기 : 210g
양파 : 300g
감자 : 270g

카레 1인분을 만드는 데 필요한 재료들의 무게는
고기: 210÷3＝70 (g),
양파: 300÷3＝100 (g),
감자: 270÷3＝90 (g)
⇨ 70 g＋100 g＋90 g＝260 g
⇨ (카레 8인분을 만드는 데 필요한 재료)
＝260×8＝2080 (g) → 2 kg 80 g

문제해결 Key
① 카레 1인분을 만드는 데 필요한 재료들의 무게를 각각 구합니다.
② 카레 1인분을 만드는 데 필요한 재료들의 무게의 합을 구합니다.
③ 카레 8인분을 만드는 데 필요한 재료들의 무게의 합을 구합니다.

09 (300 mL들이의 컵으로 덜어 낸 물의 양)
＝300×8＝2400 (mL) → 2 L 400 mL
(500 mL들이의 컵으로 덜어 낸 물의 양)
＝500×3＝1500 (mL) → 1 L 500 mL
⇨ (남아 있는 물의 양)
＝4 L－2 L 400 mL－1 L 500 mL
＝100 mL
⇨ 1 L 100 mL－100 mL＝1 L＝1000 mL의 물이 더 필요하므로 200 mL들이의 컵으로 물을 적어도 5번 부어야 합니다.

문제해결 Key
① 300 mL들이의 컵으로 덜어 낸 물의 양을 구합니다.
② 500 mL들이의 컵으로 덜어 낸 물의 양을 구합니다.
③ 남아 있는 물의 양을 구합니다.
④ 200 mL들이의 컵으로 물을 적어도 몇 번 부어야 하는지 구합니다.

10

(참외 1개의 무게)＝400 g
(참외 1개와 저울 1개의 무게)＝2 kg 400 g
(저울 1개의 무게)
＝2 kg 400 g－400 g＝2 kg → 2000 g
⇨ 저울 1개의 무게는
400＋400＋400＋400＋400＝2000으로 참외 5개의 무게와 같습니다.

문제해결 Key
① 참외 1개의 무게를 구합니다.
② 저울 1개의 무게를 구합니다.
③ 저울 1개의 무게는 참외 몇 개의 무게와 같은지 구합니다.

11 ㉮ 통에 담을 주스를 □ mL라고 하면

㉯ 통에 담을 주스는 (□+2400) mL입니다.

2400 mL=2 L 400 mL이므로

□+□+2 L 400 mL=14 L 600 mL,

□+□=12 L 200 mL, □=6 L 100 mL

⇨ ㉯ 통에 담을 주스는

6 L 100 mL+2 L 400 mL=8 L 500 mL

문제해결 Key

① ㉮ 통에 담을 주스의 양을 구합니다.

② ㉯ 통에 담을 주스의 양을 구합니다.

12 (넷째 날에 마신 물의 양)=950 mL이므로

(셋째 날에 마시고 남은 물의 양)

=950 mL+950 mL

=1900 mL → 1 L 900 mL

(둘째 날에 마시고 남은 물의 양)

=2 L 150 mL+1 L 900 mL

=4 L 50 mL

(첫째 날에 마시고 남은 물의 양)

=1200 mL+4 L 50 mL

=1 L 200 mL+4 L 50 mL

=5 L 250 mL

⇨ (사 온 물의 양)=750 mL+5 L 250 mL

=6 L → 6000 mL

문제해결 Key

① 거꾸로 생각하여 셋째 날, 둘째 날, 첫째 날에 마시고 남은 물의 양을 각각 구합니다.

② 사 온 물의 양을 구합니다.

13 (1분 동안 들어온 물의 양)=15÷3=5 (L)

(1분 동안 빠져나간 물의 양)=4÷2=2 (L)

(1분 동안 받은 물의 양)=5−2=3 (L)

(30분 동안 받은 물의 양)=3×30=90 (L)

⇨ (통의 들이)=90−15=75 (L)

문제해결 Key

① 1분 동안 받은 물의 양을 구합니다.

② 30분 동안 받은 물의 양을 구합니다.

③ 통의 들이를 구합니다.

14 • 장난감 로봇: 450 g=200 g+250 g 또는

450 g=100 g+150 g+200 g

• 곰 인형: 350 g=150 g+200 g 또는

350 g=100 g+250 g

• 장난감 비행기: 550 g=100 g+200 g+250 g

⇨ 주어진 추로 650 g은 잴 수 없으므로 잴 수 없는 장난감은 토끼 인형입니다.

문제해결 Key

① 주어진 추의 무게로 잴 수 있는 장난감의 무게를 알아봅니다.

② 주어진 추의 무게로 잴 수 없는 무게를 알아보고 잴 수 없는 장난감을 알아봅니다.

15 다음을 보고 사과 4개와 귤 5개의 무게의 합은 몇 kg 몇 g인지 구하시오.

(단, 같은 과일끼리는 무게가 같습니다.)

㉠ (사과 3개의 무게)+(귤 2개의 무게)
=1800 g

㉡ (사과 3개의 무게)−(귤 2개의 무게)
=600 g

→ ㉠+㉡=(사과 3개)+(~~귤 2개~~)+(사과 3개)−(~~귤 2개~~)
=(사과 3개)+(사과 3개)

㉠+㉡=(사과 6개의 무게)

=1800+600=2400 (g)

2400÷6=400이므로 (사과 1개의 무게)=400 g

(사과 3개의 무게)+(귤 2개의 무게)=1800 g,

(사과 3개의 무게)=400×3=1200 (g)

이므로 1200 g+(귤 2개의 무게)=1800 g,

(귤 2개의 무게)=600 g, (귤 1개의 무게)=300 g

⇨ (사과 4개의 무게)=400×4=1600 (g),

(귤 5개의 무게)=300×5=1500 (g)이므로

1600+1500=3100 (g) → 3 kg 100 g

문제해결 Key

① ㉠+㉡을 이용하여 사과 6개의 무게를 구합니다.

② 사과 1개의 무게를 구합니다.

③ 귤 1개의 무게를 구합니다.

④ 사과 4개와 귤 5개의 무게의 합을 구합니다.

5 단원

STEP 4 Top 최고수준 116~117쪽

01 46 L 42 mL
02 예 900 mL들이 컵에 물을 가득 채워 물통에 2번 부은 후, 물통에 있는 물을 400 mL들이 컵에 가득 채워 2번 덜어 냅니다.
03 1 kg 550 g　04 4분
05 650 g　06 10가지

01 (사이다 1 mL)=10 L 286 mL
(오렌지 주스 2 mL)
=12 L 343 mL+12 L 343 mL
=24 L 686 mL
(라면 국물 3 mL)
=3 L 690 mL+3 L 690 mL+3 L 690 mL
=11 L 70 mL
⇨ 10 L 286 mL+24 L 686 mL+11 L 70 mL
=46 L 42 mL

문제해결 Key
① 사이다 1 mL를 정화하는 데 필요한 물의 양을 알아봅니다.
② 오렌지 주스 2 mL를 정화하는 데 필요한 물의 양을 알아봅니다.
③ 라면 국물 3 mL를 정화하는 데 필요한 물의 양을 알아봅니다.
④ ①+②+③을 구합니다.

02 900 mL와 400 mL의 차가 500 mL임을 이용합니다.
⇨ 900+900−400−400=1000 (mL) → 1 L

문제해결 Key
① 900−400=500임을 생각합니다.
② 500+500=1000임을 생각합니다.
③ 1000 mL=1 L임을 생각합니다.
④ 방법을 설명합니다.

03 강아지, 토끼, 고양이가 한 마리씩 있습니다. 강아지와 토끼의 무게의 합은 3 kg 300 g이고,(㉠) 강아지와 고양이의 무게의 합은 2 kg 900 g입니다.(㉡) 토끼와 고양이의 무게의 합이 3 kg 100 g이라고 할 때 강아지의 무게는 몇 kg 몇 g입니까?(㉢)

(강아지)+(토끼)=3 kg 300 g … ㉠
(강아지)+(고양이)=2 kg 900 g … ㉡
+) (토끼)+(고양이)=3 kg 100 g … ㉢
(강아지)+(토끼)+(강아지)+(고양이)
+(토끼)+(고양이)
=3 kg 300 g+2 kg 900 g+3 kg 100 g
=6 kg 200 g+3 kg 100 g
=9 kg 300 g
{(강아지)+(토끼)+(고양이)}×2
=9 kg 300 g=9300 g
⇨ (강아지)+(토끼)+(고양이)
=4650 g=4 kg 650 g
(토끼)+(고양이)=3 kg 100 g이므로
(강아지)+3 kg 100 g=4 kg 650 g,
(강아지)=1 kg 550 g입니다.

04 (1분 동안 ㉯ 수도에서 나오는 물의 양)
=2 L 100 mL+2 L 100 mL
=4 L 200 mL
(2분 동안 ㉮ 수도에서 나오는 물의 양)
=2 L 100 mL+2 L 100 mL
=4 L 200 mL
(1분 동안 ㉮와 ㉯ 수도에서 나오는 물의 양)
=2 L 100 mL+4 L 200 mL
=6 L 300 mL
(㉯ 수도만 틀었을 때 받은 물의 양)
=27 L 300 mL−4 L 200 mL−6 L 300 mL
=16 L 800 mL
⇨ 4 L 200 mL를 4번 더한 것이 16 L 800 mL이므로 ㉯ 수도만 튼 시간은 4분입니다.

문제해결 Key
① 1분 동안 ㉯ 수도에서 나오는 물의 양을 구합니다.
② 2분 동안 ㉮ 수도에서 나오는 물의 양을 구합니다.
③ 1분 동안 ㉮와 ㉯ 수도에서 나오는 물의 양을 구합니다.
④ ㉯ 수도만 틀었을 때 받은 물의 양을 구합니다.
⑤ ㉯ 수도만 튼 시간을 구합니다.

05 

㉮+㉯=㉰ ⋯①,
㉮+㉱=㉯+30 g ⋯②,
㉯+60 g=㉰+10 g
→ ㉯+50 g=㉰ ⋯③
①과 ③에서 ㉮+㉯=㉯+50 g
→ ㉮=50 g,
②에서 50 g+㉱=㉯+30 g, ㉯=㉱+20 g
→ ㉯=100 g, ㉱=80 g
③에서 ㉰=100 g+50 g=150 g입니다.
⇨ (㉰ 공 3개의 무게)=150×3
=450 (g),
(㉯ 공 2개의 무게)=100×2
=200 (g)
이므로 450+200=650 (g)입니다.

문제해결 Key
① 그림을 3개의 식으로 나타냅니다.
② ㉮의 무게를 구합니다.
③ ㉯, ㉱의 무게를 각각 구합니다.
④ ㉰의 무게를 구합니다.
⑤ (㉰ 공 3개)+(㉯ 공 2개)의 무게를 구합니다.

다른 풀이
공의 무게: 50 g, 80 g, 90 g, 100 g, 150 g
㉮+㉯=㉰ ⇨ 50 g+100 g=150 g 또는
100 g+50 g=150 g을 예상할 수 있습니다.
→ ㉰=150 g
㉯+60 g=㉰+10 g이므로 ㉯+50 g=㉰,
㉯+50 g=150 g, ㉯=100 g입니다.
(㉰ 공 3개의 무게)=150×3=450 (g),
(㉯ 공 2개의 무게)=100×2=200 (g)
⇨ 450+200=650 (g)

06 ① 저울의 한쪽에 추 1개를 놓아서 잴 수 있는 무게:
1 kg, 2 kg, 8 kg
② 저울의 한쪽에 추 2개를 놓아서 잴 수 있는 무게:
1+2=3 (kg), 1+8=9 (kg), 2+8=10 (kg)
③ 저울의 한쪽에 추 3개를 놓아서 잴 수 있는 무게:
1+2+8=11 (kg)
④ 저울의 양쪽에 추를 놓아서 잴 수 있는 무게
1) 2가지 추 사용
- 한쪽에 1 kg, 다른 쪽에 2 kg:
2−1=1 (kg) (×) → 중복됨
- 한쪽에 1 kg, 다른 쪽에 8 kg:
8−1=7 (kg)
- 한쪽에 2 kg, 다른 쪽에 8 kg:
8−2=6 (kg)

2) 3가지 추 사용
- 한쪽에 1 kg, 다른 쪽에 2 kg, 8 kg:
2+8−1=9 (kg) (×) → 중복됨
- 한쪽에 2 kg, 다른 쪽에 1 kg, 8 kg:
1+8−2=7 (kg) (×) → 중복됨
- 한쪽에 8 kg, 다른 쪽에 1 kg, 2 kg:
8−1−2=5 (kg)

⇨ 잴 수 있는 무게는 1 kg, 2 kg, 3 kg, 5 kg, 6 kg, 7 kg, 8 kg, 9 kg, 10 kg, 11 kg으로 모두 10가지입니다.

문제해결 Key
① 저울의 한쪽에 추 1개를 놓아서 잴 수 있는 무게를 알아봅니다.
② 저울의 한쪽에 추 2개를 놓아서 잴 수 있는 무게를 알아봅니다.
③ 저울의 한쪽에 추 3개를 놓아서 잴 수 있는 무게를 알아봅니다.
④ 저울의 양쪽에 추를 놓아서 잴 수 있는 무게를 알아봅니다.
⑤ 잴 수 있는 무게의 가짓수를 구합니다.

6 자료의 정리

STEP 1 Start 개념 121쪽

1

종류	지우개	가위	풀	자	합계
학용품 수(개)	5	4	2	2	13

2 노란색　3 (1) × (2) ○

4 선우　5 참외

6

경기	달리기	줄다리기	공 굴리기	합계
청군 점수(점)	200	50	100	350
백군 점수(점)	100	150	50	300

1 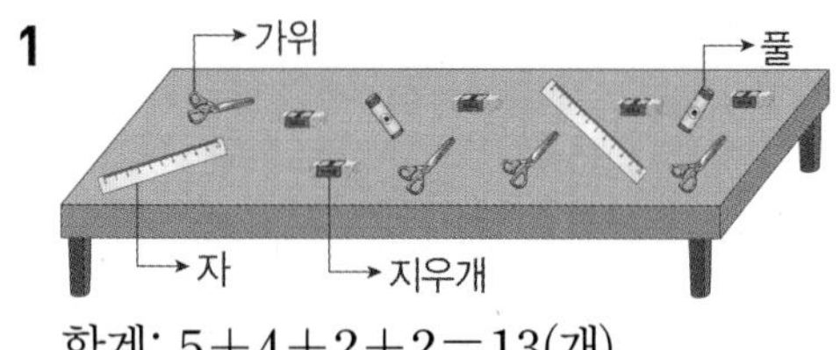

합계: $5+4+2+2=13$(개)

2 큰 그림이 가장 많은 노란색이 가장 많은 학생들이 좋아하는 색깔입니다.

3 (1) 전체 합계를 알아보기 쉬운 것은 표입니다.

4 선우: 표에는 합계가 쓰여 있으므로 합계를 알아볼 때에는 표가 더 편리합니다.

5

과일	학생 수
참외	☺ ☺ ☺
딸기	☺☺☺☺☺☺☺☺
바나나	☺☺☺☺☺☺

☺10명 ☺1명

바나나를 좋아하는 학생은 6명이므로 2배인 과일은 $6\times2=12$(명)이 좋아하는 과일입니다.

⇨ 좋아하는 학생이 12명인 과일은 참외입니다.

6 청군 줄다리기 점수: $350-200-100=50$(점)

백군 공 굴리기 점수: $300-100-150=50$(점)

STEP 1 Start 개념 123쪽

1

마트	과자 수
하늘	◎◎◎○○○○○○○
바다	◎◎○○○○○○○○○
숲속	◎◎◎○○

◎10개 ○1개

2 하늘, 숲속, 바다

3

마트	과자 수
하늘	◎◎◎△○
바다	◎◎△○○○
숲속	◎◎◎○○

◎10개 △5개 ○1개

4 예 ① 감이 빠졌습니다.

② 배의 수를 잘못 나타냈습니다.

5

간식	떡볶이	호떡	만두	피자	합계
학생 수(명)	10	5	13	20	48

간식	학생 수
떡볶이	◎
호떡	○○○○○
만두	◎○○○
피자	◎◎

◎10명 ○1명

1 ◎는 10개, ○는 1개로 하여 그림그래프로 나타냅니다.

2 하늘, 숲속 마트가 ◎가 가장 많고, 하늘 마트가 숲속 마트보다 ○가 더 많습니다.

⇨ 하늘 >숲속> 바다

3 ◎는 10개, △는 5개, ○는 1개로 하여 그림그래프로 나타냅니다.

5 피자를 좋아하는 학생: 20명

만두를 좋아하는 학생: $48-10-5-20=13$(명)

STEP 2 Jump 유형 124~129쪽

1-1 ❶ 가을, 11, 여름, 6　❷ 11, 6, 17 ; 17명

1-2 9 L

1-3 8명

2-1 ❶ 40, 88　❷ 88, 44, 44

;

종류	동화책	위인전	과학책	백과사전	합계
책 수(권)	52	44	44	40	180

2-2

과수원	㉮	㉯	㉰	㉱	합계
포도 생산량(kg)	210	210	350	180	950

2-3

교통 수단	지하철	버스	승용차	택시	도보	합계
사람 수(명)	28	30	16	14	6	94

3-1 ❶ 250, 420 ❷ 420, 230
❸ 2, 3

;

마을	생산량
하늘	
자연	
호수	
바다	

100상자 10상자

3-2

마을	달빛	은빛	별빛	초록	한빛
학생 수					

10명 1명

4-1 ❶ 15 ❷ 15, 5, 10, 1
; 5장, 1장

4-2 32가마

5-1 ❶ 40, 75 ❷ 22, 75, 75, 22, 18
; 18가구

5-2 30동

6-1 ❶ 178 ❷ 216, 199
❸ 199, 178, 21
; 21 g

6-2 21명

1-2

모둠	물의 양
㉮	
㉯	
㉰	
㉱	

10 L 1 L

가장 많은 물을 마신 모둠: ㉮ 모둠 → 13 L,
가장 적은 물을 마신 모둠: ㉯ 모둠 → 4 L
⇨ $13-4=9$ (L)

1-3

색깔	학생 수
빨간색	
노란색	
초록색	
파란색	
보라색	

10명 1명

가장 많은 학생들이 좋아하는 색깔: 초록색 → 12명,
가장 적은 학생들이 좋아하는 색깔: 파란색,
두 번째로 적은 학생들이 좋아하는 색깔:
보라색 → 4명
⇨ $12-4=8$(명)

문제해결 Key
① 가장 많은 학생들이 좋아하는 색깔과 학생 수를 구합니다.
② 두 번째로 적은 학생들이 좋아하는 색깔과 학생 수를 구합니다.
③ ①−②를 구합니다.

2-2 (㉮ 과수원의 포도 생산량)+(㉯ 과수원의 포도 생산량)$=950-350-180=420$ (kg)
㉮ 과수원의 포도 생산량, ㉯ 과수원의 포도 생산량을 각각 ■kg이라 하면
■+■=420이므로 ■=210입니다.
⇨ ㉮ 과수원과 ㉯ 과수원의 포도 생산량은 각각 210 kg입니다.

2-3 (지하철을 타는 사람 수)+(택시를 타는 사람 수)
$=94-30-16-6=42$(명)
택시를 타고 다니는 사람 수를 ■명이라 하면
지하철을 타고 다니는 사람 수는 (■×2)명입니다.
■×2+■=42, ■×3=42, ■=14입니다.
⇨ 택시를 타고 다니는 사람은 14명, 지하철을 타고 다니는 사람은 $14\times2=28$(명)입니다.

문제해결 Key
① 지하철을 타는 사람 수와 택시를 타는 사람 수의 합을 구합니다.
② 택시를 타고 다니는 사람 수와 지하철을 타고 다니는 사람 수를 각각 구합니다.

6 단원

3-2 (은빛)+(별빛)=96−11−15−22=48(명)
별빛 마을 초등학생 수를 □명이라 하면 은빛 마을 초등학생 수는 (□+8)명입니다.
⇨ □+□+8=48, □+□=40, □=20
⇨ 별빛 마을 초등학생은 20명, 은빛 마을 초등학생은 20+8=28(명)이므로 은빛 마을에는 큰 그림 2개, 작은 그림 8개, 별빛 마을에는 큰 그림 2개를 그립니다.

문제해결 Key
① (은빛)+(별빛) 초등학생 수를 구합니다.
② 은빛과 별빛 초등학생 수를 각각 구합니다.
③ 그림그래프를 완성합니다.

4-2

마을	생산량
가	
나	
다	
라	

가: 큰 그림 4개가 20가마이므로 큰 그림 1개는 20÷4=5(가마)이고, 다 마을에서 작은 그림 3개는 16−10=6(가마)를 나타내므로 작은 그림 1개는 6÷3=2(가마)입니다. 큰 그림의 수가 가장 많은 마을은 나 마을이므로 32가마입니다.

문제해결 Key
① 큰 그림이 나타내는 수를 구합니다.
② 작은 그림이 나타내는 수를 구합니다.
③ 생산량이 가장 많은 마을의 쌀 생산량을 구합니다.

5-2

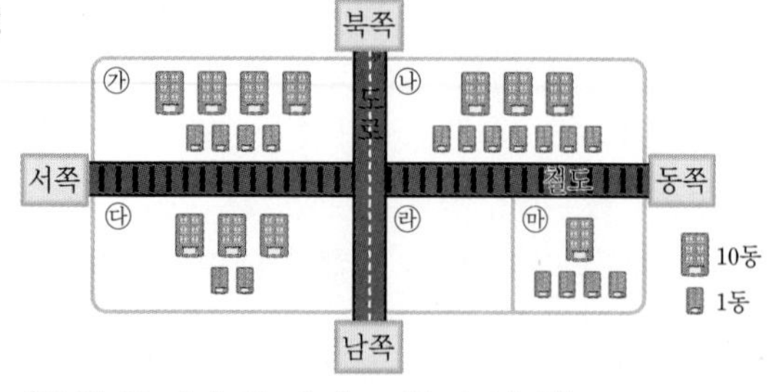

(㉮와 ㉰ 마을의 아파트 동 수의 합)
=44+32=76(동)
(㉰, ㉱, ㉲ 마을의 아파트 동 수의 합)
=32+(㉱ 마을의 아파트 동 수)+14=76(동)
⇨ (㉱ 마을의 아파트 동 수)=76−32−14=30(동)

문제해결 Key
① ㉮와 ㉰ 마을의 아파트 동 수의 합을 구합니다.
② ㉰, ㉱, ㉲ 마을의 아파트 동 수의 합을 구합니다.
③ ㉱ 마을의 아파트 동 수를 구합니다.

6-2

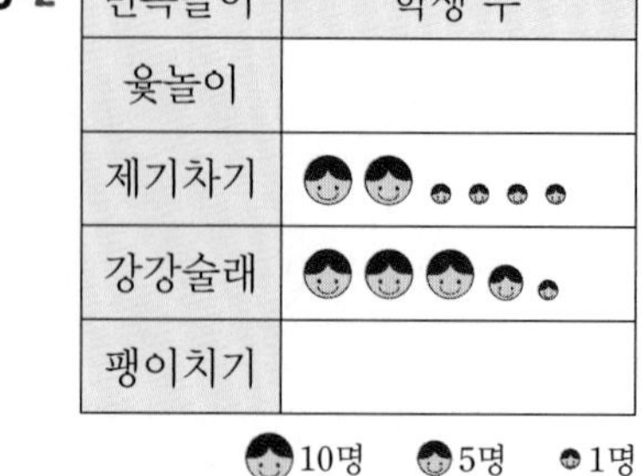

민속놀이	학생 수
윷놀이	
제기차기	
강강술래	
팽이치기	

10명 5명 1명

(윷놀이)+(팽이치기)=135−24−36=75(명),
팽이치기: □명, 윷놀이: (□+15)명이라고 하면
□+□+15=75, □+□=60, □=30입니다.
⇨ 윷놀이: 45명, 팽이치기: 30명이고
45>36>30>24이므로 45−24=21(명)

문제해결 Key
① 윷놀이와 팽이치기를 한 학생 수의 합을 구합니다.
② 윷놀이와 팽이치기를 한 학생 수를 각각 구합니다.
③ 가장 많은 학생들이 한 민속놀이와 가장 적은 학생들이 한 민속놀이의 학생 수의 차를 구합니다.

STEP 3 Master 심화 130~133쪽

01

동물	사자	기린	코끼리	사슴	합계
학생 수(명)	12	4	15	3	34

02

장소	제주도	경주	울릉도	설악산	합계
학생 수(명)	15	24	10	31	80

장소	학생 수
제주도	
경주	
울릉도	
설악산	

10명 1명

03 158묶음 **04** 24개
05 16권

06

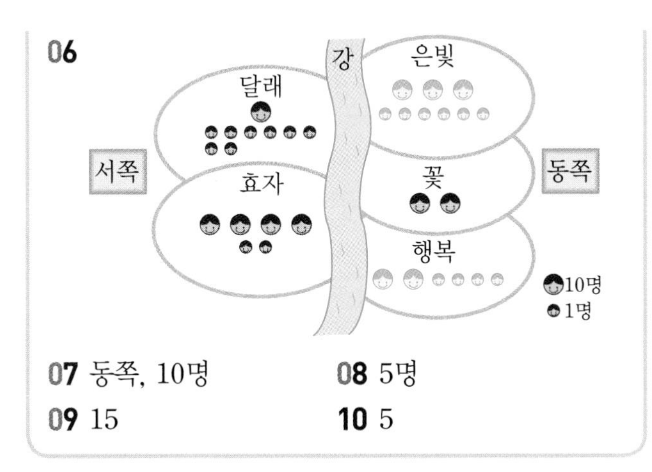

07 동쪽, 10명 **08** 5명

09 15 **10** 5

01

동물	학생 수
사자	● • •
기린	• • • •
코끼리	● • • • • •
사슴	• • •

● 10명 • 1명

동물	사자	기린	코끼리	사슴	합계
학생 수(명)	12	4	15	3	34

큰 그림은 10명, 작은 그림은 1명을 나타냅니다.

사자: 12명, 기린: 4명, 코끼리: 15명, 사슴: 3명

⇨ 합계: $12+4+15+3=34$(명)

문제해결 Key

① 사자, 기린, 코끼리, 사슴을 좋아하는 학생 수를 각각 구합니다.

② 합계를 구합니다.

02

장소	제주도	경주	울릉도	설악산	합계
학생 수(명)	15	24	10	31	80

장소	학생 수
제주도	● • • • • •
경주	● ● • • • •
울릉도	●
설악산	● ● ● •

● 10명 • 1명

울릉도: 10명, 설악산: 31명,

경주: $80-15-10-31=24$(명)

⇨ 제주도에는 큰 그림 1개, 작은 그림 5개를 그리고, 경주에는 큰 그림 2개, 작은 그림 4개를 그립니다.

문제해결 Key

① 표의 각 장소별 학생 수를 구합니다.

② 그림그래프를 완성합니다.

03

반	학생 수
1반	● ● • • • • • •
2반	● ● ●
3반	● ● • • •

● 10명 • 1명

(전체 학생 수)$=26+30+23=79$(명)

⇨ (필요한 색종이의 수)$=2\times79=158$(묶음)

문제해결 Key

① 전체 학생 수를 구합니다.

② 필요한 색종이의 수를 구합니다.

04

이름	난영	현주	은수	지연
구슬 수	● • • • • • • • •		● ● ● • • • • • •	

● 10개 • 1개

난영: $10+8=18$(개), 은수: $30+6=36$(개),

현주: □개, 지연: (□×2)개

$18+36+\square+\square\times2=90$, $54+\square\times3=90$,

$\square\times3=\underset{90-54}{36}$, $\square=36\div3$, $\square=12$

⇨ 지연이가 모은 구슬은 $12\times2=24$(개)입니다.

문제해결 Key

① 난영이와 은수가 모은 구슬 수를 각각 구합니다.

② 현주가 모은 구슬 수를 구합니다.

③ 지연이가 모은 구슬 수를 구합니다.

05

문구점	바른	명랑	아름	기쁨	태양
판 공책 수	■ ■ ▪	■ ■ ▪ ▪ ▪ ▪ ▪ ▪ ▪	■ ■ ▪ ▪ ▪	■ ■ ■	■ ▪ ▪ ▪ ▪

■ □권

▪ □권

큰 그림 1개: 10권이고, 작은 그림 1개: 1권이라 예상하면 바른 문구점: 21권, 명랑 문구점: 27권, 아름 문구점: 23권, 기쁨 문구점: 30권, 태양 문구점: 14권

→ $21+27+23+30+14=115$(권)

⇨ $30>27>23>21>14$이므로 $30-14=16$(권)입니다.

6 단원

문제해결 Key

① 전체 판 공책 수로 각 그림이 나타내는 수를 구합니다.

② 판 공책의 수가 가장 많은 문구점과 가장 적은 문구점의 공책 수의 차를 구합니다.

06 민호네 학교 3학년 학생 140명이 사는 마을을 조사하여 그림그래프로 나타내려고 합니다. 행복 마을의 학생 수가 은빛 마을의 학생 수의 $\frac{2}{3}$일 때, 그림그래프를 완성하시오. → (행복)=(은빛)의 $\frac{2}{3}$

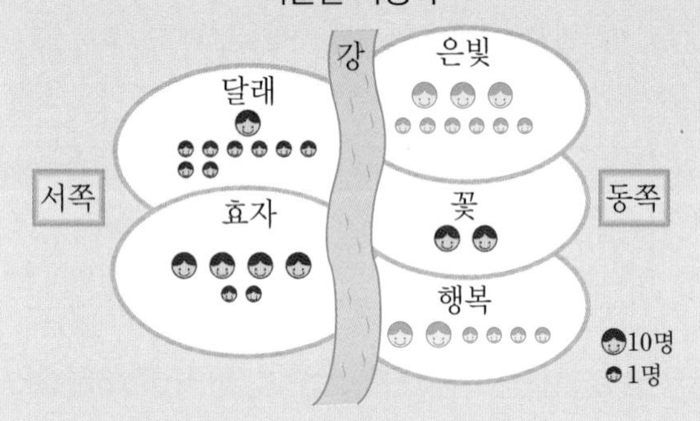

(은빛)+(행복)$=140-18-42-20=60$(명)

행복 마을의 학생 수가 은빛 마을의 학생 수의 $\frac{2}{3}$이므로 그림으로 나타내면 다음과 같습니다.

은빛 마을 | 행복 마을

⇨ (은빛 마을 학생 수)$=60\div5\times3$
$=12\times3=36$(명),
(행복 마을 학생 수)$=60-36=24$(명)

문제해결 Key

① 은빛 마을과 행복 마을에 사는 학생 수의 합을 구합니다.

② 은빛 마을과 행복 마을에 사는 학생 수를 각각 구합니다.

③ 그림그래프를 완성합니다.

07 강의 동쪽: 은빛 마을, 꽃 마을, 행복 마을
→ $36+20+24=80$(명)
강의 서쪽: 달래 마을, 효자 마을
→ $18+42=60$(명)
⇨ $80-60=20$, $20\div2=10$이므로 동쪽 마을 학생 10명이 서쪽 마을로 이사를 가면 됩니다.

08

타악기	학생 수
심벌즈	◉●●
북	
캐스터네츠	●
실로폰	
트라이앵글	◉●●●●
탬버린	●●●

◉ 5명 ● 1명

(북)+(실로폰)$=29-7-1-9-3=9$(명)

북	1	2	3	4
실로폰	8	7	6	5
학생 수의 합	9	9	9	9

⇨ 악기별로 좋아하는 학생 수가 서로 다르므로 실로폰을 좋아하는 학생은 5명입니다.

문제해결 Key

① 북과 실로폰을 좋아하는 학생 수의 합을 구합니다.

② 실로폰을 좋아하는 학생 수를 구합니다.

09 인희네 모둠 학생들이 가지고 있는 구슬 수를 조사하여 그림그래프로 나타내었습니다. 5명이 가지고 있는 구슬이 모두 59개일 때 ㉠과 ㉡에 알맞은 자연수의 곱을 구하시오.

(단, ㉠이 ㉡보다 큽니다.)

큰 그림 수: 7개 ← 구슬 수 → 작은 그림 수: 8개

이름	구슬 수
인희	◉●
경수	◉◉
세아	◉●●●●
형규	◉◉●
하나	◉●●

모두 59개

◉ ㉠ 개 ● ㉡ 개

그림그래프에 있는 각 그림의 수를 세어 보면 ㉠개를 나타내는 그림이 7개, ㉡개를 나타내는 그림이 8개입니다. ㉠×7+㉡×8=59의 식에 ㉡=1, 2, 3, 4……를 넣고 ㉠을 구합니다. (㉠>㉡, ㉠과 ㉡은 자연수)

㉡	1	2	3	4	5	6	7
㉠×7	51	43	35	27	19	11	3
㉠	×	×	5	×	×	×	×

⇨ ㉠=5, ㉡=3이므로 ㉠×㉡$=5\times3=15$

문제해결 Key
① 큰 그림과 작은 그림의 수를 각각 구합니다.
② 식을 만들어 ㉡이 1~7일 때 ㉠을 구합니다.
③ ㉠과 ㉡의 곱을 구합니다.

10 다음은 세희네 반 학생 30명의 장래희망을 한 가지씩 조사한 것입니다. 조사한 자료의 일부분이 찢어져 보이지 않습니다. 장래희망이 선생님인 학생과 과학자인 학생 수가 같다고 할 때, 표에서 ㉠에 알맞은 수를 쓰시오.
→(표의 합계)
−(보이는 항목 수)

학생들의 장래희망

선생님, 의사, 과학자, 운동 선수, 연예인, 운동 선수, 의사, 과학
의사, 과학자, 운동 선수, 의사, 연예인, 운동 선수, 선생님, 의사
과학자, 의사, 운동 선수, 의사, 운동 선수, 과학자, 의사, 선생님, 운동선

학생들의 장래희망

장래희망	의사	선생님	연예인	과학자	운동 선수	합계
학생 수(명)	10	㉠	㉡	㉢	8	30
자료에 있는 학생 수(명)	8	3	2	5	7	25

자료에서 보이는 장래희망은 25명이므로 완전히 보이지 않는 장래희망은 $30-25=5$(명)입니다.
조사한 자료에서 의사: 8명, 선생님: 3명,
연예인: 2명, 과학자: 5명, 운동 선수: 7명입니다.
보이지 않는 장래희망 중 표와 비교해 보면
의사: 2명, 운동 선수: 1명이 더 있다는 것을 알 수 있습니다.
보이지 않는 장래희망 중 남은 학생은 2명이고
(선생님)=(과학자)이어야 하므로 남은 보이지 않는 장래희망은 모두 선생님입니다.
㉠$=3+2=5$

문제해결 Key
① 보이지 않는 장래희망의 학생 수를 구합니다.
② 자료와 표를 비교해 봅니다.
③ 남은 보이지 않는 장래희망의 학생 수를 구합니다.

계절	봄	여름	가을	겨울
학생 수(명)	6	12	5	10

01

마을	섭취량
가	
나	
다	
라	

5마리 1마리

큰 그림 1개는 5마리, 작은 그림 1개는 1마리를 나타냅니다.
다 마을: $20+4=24$(마리)
⇨ 24마리=12손이므로 큰 그림 1개, 작은 그림 2개로 나타내야 합니다.

문제해결 Key
① 큰 그림과 작은 그림이 나타내는 수를 각각 구합니다.
② 다 마을의 고등어 섭취량을 구합니다.
③ 다시 그릴 때 ②를 큰 그림 몇 개, 작은 그림 몇 개로 나타내야 하는지 구합니다.

02 $1\times6=6$, $2\times5=10$, $3\times3=9$, $4\times2=8$
(계절별로 좋아하는 학생 수의 합)
$=6+10+9+8=33$(명)
(겨울을 좋아하는 학생 수)$=33-6-12-5$
$=10$(명)

주의
실제 조사한 학생 수의 합과 계절별 좋아하는 학생 수의 합이 다릅니다.

문제해결 Key
① 계절별로 좋아하는 학생 수의 합을 구합니다.
② 겨울을 좋아하는 학생 수를 구합니다.

03

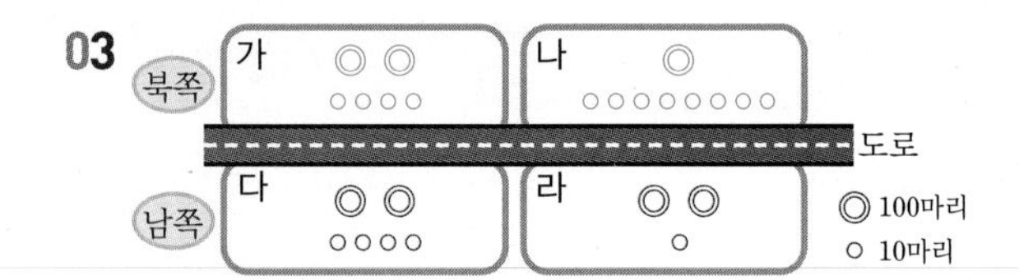

남쪽: $240+210=450$(마리),
북쪽: $450-30=420$(마리)
북쪽 마을의 소의 수를 그림으로 나타내면 다음과 같습니다.

가 마을 　 나 마을

⇨ 가 마을: $420 \div 7 \times 4 = 60 \times 4$
$= 240$(마리),
나 마을: $420-240=180$(마리)

문제해결 Key
① 도로의 남쪽에 있는 마을의 소의 수를 구합니다.
② 도로의 북쪽에 있는 마을의 소의 수를 구합니다.
③ 가 마을과 나 마을의 소의 수를 각각 구합니다.
④ 그림그래프를 완성합니다.

04

이름	서진	재준	미호	윤아
맞힌 문제 수	◯ ○○	○○ ○○	◯ ○	◯ ○○○

◯ 5문제 ○ 1문제

문제를 가장 많이 맞힌 사람은 윤아로 8문제를 맞혔고 2문제를 틀렸습니다.
⇨ $8 \times 5 = 40$, $2 \times 2 = 4$
→ $40-4=36$(점)

문제해결 Key
① 문제를 가장 많이 맞힌 사람을 알아봅니다.
② ①에서 맞힌 문제 수와 틀린 문제 수를 구합니다.
③ 점수를 계산합니다.

05

규리는 주사위를 던져서 나온 눈의 수만큼 말이 움직이는 게임을 하고 있습니다. 주사위를 모두 28번 던져서 게임판 위의 말이 100칸을 움직였습니다. 표와 그림그래프를 보고 5의 눈은 몇 번 나왔는지 구하시오.

→ 횟수의 합
→ 전체 눈의 수의 합은 100

눈의 수별 나온 횟수

눈의 수	1	2	3	4	5	6	합계
횟수(번)	4			6			28

눈의 수별 나온 횟수

눈의 수	횟수
1	
2	
3	
4	
5	
6	

5번 1번

표와 그림그래프를 비교하면 1의 눈이 4번, 3의 눈이 5번, 4의 눈이 6번, 6의 눈이 4번입니다.
2의 눈이 나온 횟수를 □번이라 하고, 5의 눈이 나온 횟수를 △번이라 하면 주사위를 던진 횟수는 모두 28번이므로 $4+□+5+6+△+4=28$,
$□+△=9$입니다.
전체 눈의 수의 합이 100이므로
$(1 \times 4)+(2 \times □)+(3 \times 5)+(4 \times 6)+(5 \times △)$
$+(6 \times 4)=100$,
$4+(2 \times □)+15+24+(5 \times △)+24=100$,
$(2 \times □)+(5 \times △)=33$입니다.
$□+△=9$인 경우에서 $(2 \times □)+(5 \times △)=33$인 □와 △를 찾습니다.

□	1	2	3	4	……
△	8	7	6	5	……
눈의 수의 합	42	39	36	33	……

⇨ 2의 눈은 4번, 5의 눈은 5번 나왔습니다.

문제해결 Key
① 2의 눈이 나온 횟수와 5의 눈이 나온 횟수의 합을 구합니다.
② 2의 눈의 수와 5의 눈의 수의 합을 구합니다.
③ 5의 눈이 몇 번 나왔는지 구합니다.

꼼꼼 풀이집

주의 책 모서리에 다칠 수 있으니 주의하시기 바랍니다.
부주의로 인한 사고의 경우 책임지지 않습니다.

초등학교	학년	반	번
이름